KB084032

상권
힘센여자
강남순

나약한 놈들
때려잡는
우리가
왔다!
힘쎈여자
강남순
백미경 지음
권
너와숲

서문

'힘쎈여자 도봉순' 이후 6년이 지났다.

한국형 히어로물을 만들어 보겠다는 작의(作意)로 시작된 '힘쎈여자 도봉순'은 당시 JTBC 플랫폼 상황을 고려하면 엄청난 히트를 거둔 작품이다.

특히 '힘쎈여자 도봉순'은 월드 와이드 히트를 한 파워 콘텐츠로 남았고, 지금도 유튜브 조회 수 등을 보면 따라올 드라마가 없을 만큼 압도적 지지를 받았다.

최초의 기획자이자 작가인 내 입장에서는 너무나 반갑고 감사한 일임은 분명하지만 마음 한구석에서 아쉬움이 남은 게 사실이다. 출중한 주연 배우들의 케미스트리 덕분에 히어로물보다는 로맨틱 코미디 장르로 인식되었기 때문이다. 난 히어로물을 쓰고 싶었는데….

그랬다. '힘쎈여자 강남순'의 탄생은 이런 아쉬움의 결과이다.

마블이 정점을 찍고 막대한 예산과 기술력으로 무장한 할리우드 히어로물 사이에서 한국식 히어로물을 쓰고 싶다는 본질적 의도가 다시 꿈틀댄 건 오히려 도봉순이 성공했기에 가능했다. 이미 익숙한 모계 유전 세계관이 디폴트값이 되었기에 접근이 쉬웠다는 점도 부인할 수 없다.

히어로물의 드라마적 구현은 결국 자본의 싸움이다.

돈을 어느 정도 쓸 수 있냐가 드라마의 퀄리티와 직결되는 문제였고, 제작 여건상 빠듯한 제작비 안에서 승부를 보기 위해 내가 할 수 있는 최선은 스토리텔링이었다.

가족들이 다 볼 수 있는 K-히어로물이란 장르 안에서 캐릭터를 만들고, 그 캐릭터들이 모여서 큰 이야기를 쌓아 가는 방식으로 작업을 이어 나갔다.

16개월 정도의 집필 기간, 그 사이에 마약 취재를 치열하게 했다. 그리고 생각보다 심각한 한국의 마약 문제에 직면하고 대본을 몇 번이나 고쳤다.

'힘쎈여자 강남순'이 다루는 마약의 세계는 그야말로 메이크 빌리브, 즉 가상이지만 작금의 심각한 마약 사태를 좌시하면 결국 이런 끔찍한 사태를 불러올 수 있음을 경고하고 싶었기에 마냥 가상이라고는 볼 수 없을 것이다.

마약이란 역린을 건드린 이상 이것을 단순히 도구로 쓰면 안 되겠다는 작가로서의 책임감은 나의 주관적 동력이긴 해도 나에겐 이 작업을 드라이브 하는 방향성이었다.

아무쪼록 드라마를 즐겨 주신 애청자, 코미디 대본을 쓰고 싶어 하는 작가 지망생, 히어로물 콘텐츠를 좋아하는 독자층, 보시는 분들 모두에게 이 대본집이 따뜻한 즐거움이 되었으면 더 바랄 것이 없겠다.

다음 번 힘쎈 시리즈는 어떤 동네로 갈 것인가….

혹시 서울숲? 아니면 지방의 어느 동네?

앞으로도 힘쎈 시리즈는 이렇게 계속 될 것이다.

이 대본집을 읽는 모든 분들이 영혼의 근육이 빵빵 해지기를 염원하며

서문을 마친다.

2023년 11월

작가 **백미경**

등장인물

강남순

22세. 순수하지만 그만큼 와일드한 여자.
모계 유전으로 태어날 때부터 본투비 괴력이었다.

괴력을 가진 만큼 그녀는 영웅의 팔자를 타고 난 것일까.
93세 한국 출신 교포 할머니에게 한국어를 배웠다 보니 반말 위주로
한국말을 습득해 대체로 말이 짧다.
아무튼… 그렇게 몽골에서 한국으로 건너왔다. 그리고 타고난 팔자처럼
그곳에서 마주친 희식과 지독하게 얽히게 된다. 기본적으로 '절망', '포기',
이런 걸 모르는 남순. 초원에서 자라 순수하지만 강인한 여자.
강남순의 화려한 강남 활극이 그렇게 시작된 것.

유목 생활 20년… 남순은 대륙의 생활력과
타고난 뚤끼와 칭기즈 칸의 기상까지 탑재하고
그렇게 천하무적 세 모녀는 자신들의
어마어마한 재력과 더 어마어마한 힘을
사회악을 일망타진하는 데 쓰기로 결심한다.
형사인 희식의 합세 하에!
근데 막상 하다 보니… 이거 정말 취향 저격이다!

이유미

그녀의 힘은 측정 불가.

제네시스나 볼보 같은 일반 차는 남순에게는 그냥 과자 한 상자의 무게다.
적어도 탱크나 경비행기는 돼야 '아 쫌 묵직하구나.' 이런 기분이 든다.
엄청난 파워에서 나온 낙하력은 300m 높이에서 뛰어내려도 끄떡없다.
타고난 유전인자와 더불어
몽골에서 성장해 **뛰어난 시력과 동체 시력**을 가지고 있다.
그리고 강남순 - 황금주 - 길중간 **세 모녀는 극한의 순간에**
서로의 에너지를 느낀다. **동기 감응**을 한다고 보면 된다.
여기서 극한의 순간이란 어마어마한 힘을 쓸 경우이다.
자동차 한 대 번쩍 들거나 하는 경우 말고,
건물이 통째로 무너지는데 그걸 막을 때라든지.
이것은 **모계 혈통으로만 내려오기 때문**에 아들은 해당이 안 된다.

강남 전당포 '골드블루' 대표.
자존감 드높은 한강 이남 최고 현금 졸부.

44세라고는 하지만 30대로 보이는 동안인데다
가계의 소명대로 피 끓는 나이 스물둘에 딸을 낳았다.
에너지 과잉으로 생태계를 휘젓고 다닌다.
뭐든 멋대로고 남의 말은 일단 잘 안 듣는다.
일희일비의 일상화. 고독을 많이 느끼는데, 다소 산만한 성인형 ADHD다.
부캐는 "골드". 온몸을 명품으로 휘감은 채 강남 한복판을 누비고 다닌다.
마장동에서 정육점으로 돈 번 휴먼 캐시인 엄마 '길중간'의 영향으로 20대부터 이재에 밝고 돈에 대한 촉수가 발달했다.
이런 금주가 전당포를 차린 건 자신의 딸 남순이를 위해서다.
'졸부 아무나 하는 줄 아나? 부모 잘 만난 재벌 그건 순전히 운빨이고… 내 힘으로 졸지에 부자된 게 진정한 능력이지! 뭐야 저 무능력한 재벌충들~~'
이런 마인드다.

황금주 김정은

그래 우리 집 처음에 소 때려잡고 돈 벌었다.
우리 집 특기가 뭐든 때려잡는 거야.
니들이 그 돈으로 살기 좋은 세상 만들었어?
니들만 살기 좋은 세상 만들잖아.
나는 이 돈으로 사람들이 살기 좋은 세상 만들어!

길중간

남순의 외할머니이자 황금주의 엄마.
힘센 모녀 3대의 대장격.

마장동의 살아 있는 전설, 별명 천하무적 정육 여인.
왕년에 마장동 정육업계의 큰손.
평생 소고기, 돼지고기를 만져 돈을 벌었다.
그 사이 아들딸 낳고, 떡두꺼비 같은 손녀도 보았다지만
동안 DNA의 최대 수혜자인 그녀를 60대로 보는 사람은 아무도 없다.
지금은 은퇴하고 황소 마크가 떡하니 박힌 람보르기니 오픈카를 끌고 다니는 멋쟁이 할매.
그녀는 이제 인생의 4/4분기에 부자 선언을 하고
다른 가치 있는 일을 찾고 있는 중이다.
의식의 흐름대로 스피킹을 하고 유머 감각이 남다를 뿐 아니라
타고난 미모와 젊음으로 시니어계의 팜프파탈이다.
노인들 등쳐먹는 사기꾼들이 많다는 사실을 알게 되면서
그들을 타파하는 일에 남은 인생을 보내겠다고 마음먹은
진격의 할머니, 길중간!!!!

김해숙

경찰대 출신 수재, 지덕체 겸비, 강한 지구대 소속 경위.

이름 강희식. 희식의 이름을 처음 듣는 사람들은 '네 간이식이요?'
라고 물어본다. 물론 남순이도 간이식이란 한국 의학 용어를 알고
있던 터라 그의 이름이 간이식인 줄 안다.
희식은 좋은 집안에서 태어났으며 머리도 좋다. 희식의 집안으로
말할 것 같으면 모두가 서울대 출신 엘리트. 희식이만 빼고!
희식이는 집안에서 유일한 돌연변이로 혼자 경찰대에 진학했다.
그리고 그가 호기롭게 부임한 곳은 '강한 지구대!' 강남 한강
지구대의 준말이다. 이름은 지구대지만 한편으로는 마약 수사를
언더커버로 하는 듀얼 수사대다. 강남 일대에 점점 마약 사건이
심각해지고 있기 때문에 특별히 만들어진 비밀 수사팀.
언더커버란 명분으로 다른 민원팀과 같은 공간을 쓰고 있지만
밀려드는 민원에 언더커버는 커녕 오버커버다.
그 가운데 또 만나게 된 힘쎈여자 강남순! '어떻게 사람이 이럴 수
있지?' 강남순을 보고 새로운 문화 충격을 받는 강희식.
작은 소녀에게 이런 힘이 나온다니… 모든 사람을 다 평등하게
대하며 남녀노소 누구에게나 반말을 서슴지 않고 유목민 특유의
노마드 스피릿의 남순이 신선하다. 체계와 규칙을 중시하는
프로세스 타입인 희식에게는 야생마 같은 남순은 그냥 '충격' 그
자체다. 그런 남순에게 호기심과 묘한 동경심까지 스멀스멀….
이 여자랑 얽히고 싶다. 아니 이미 지독하게 얽혔다.
그렇게 남순 곁에 머물며 점점 그녀의 사생활 일부가 되는 희식.
그렇게 힘쎈여자 강남순과 의기투합해 사회악을 깨부수려 한다!

강희식

옹성우

등장인물

류시오

변우석

커머스 유통업체 '두고' 대표, 사이코패스.

7살 때 버려져 러시아까지 건너갔다. 후에 무슨 일이 있었는지도 모르게 다시 한국에 입성. 1세부터 35세까지 그가 어디서 무엇을 했는지 아는 사람은 아무도 없다. 추적도 불가능하다.
그는 본디 겁먹는 일이 없는 사람이었다. 아니 애초에 겁을 모르는 사람으로 태어났다. 그렇게 그는 이제 오버그라운드로 올라와 제대로 된 캐피탈리스트가 되겠다는 야심을 키운다.
그가 가진 어둠의 인맥과 돈, 그리고 탐심을 활용하여 화려한 빛의 세상으로 걸어 나온 것. 바로 'DOO-GO'라는 유통 판매 회사를 만든 것이다. 지배층 인맥들과 앞선 정보와 유통 네트워크들이 어우러져 그는 성공한다. 그리고 그 과정에서 강남순이라는 여자를 알게 된다. 몽골에서 왔다는 이 여자는 순수하고 매력적이고 힘은 상상을 초월하게 강하다. 이런 남순을 이용하면 자신의 목표를 쉽게 이룰 수 있을 것이란 느낌을 받게 되지만 자신도 모르게 남순을 여자로 사랑하게 된다. 남순을 향해 너무나 복잡한 감정의 소용돌이에 휘말리게 된 시오! 약점뿐만 아니라 자비심과 동정심, 그리고 감정까지도 없었는데… 뭔가 이상하다.
그러던 시오는 결국 남순을 자신의 맘대로 컨트롤하려는 묘수를 생각해 내는데….

검은 돈으로 권력을 잡고, 처세술은 기막히고,
감정은 없는 최고 악당이 온다.

남순의 아빠. 사진작가(이혼 후 사진관 운영).
소심하다. 정직하다. 착하다.
봉고는 황금주가 운영하는 선지 해장국집의 현금을 매일 출장 가서 수거해 오는 신입 은행 직원이었는데 거기서 만난 미소가 예쁜 여자, 젊은 사장 금주를 보고 첫눈에 반했다. 하지만 남순을 잃어버린 후 죄책감에 봉고는 금주와 부부 사이가 틀어졌고, 이혼했다.
그 이후로도 엑스와이프 황금주와는 지독하게 얽히고 떼려야 뗄 수 없는 질긴 인연은 점점 극을 향해 치닫는다.
그렇게 다시 금주와 이혼 부부의 로맨스를 이어 가면서 부성애와 못다 이룬 멜로의 종결자로 거듭나려고 한다.

강봉고 이승준

강남인 한상조

남순의 쌍둥이 동생. 금주의 건물 1층 사주 카페 사장.
이(異)세계에 관심이 많아 사주를 배웠다. 하지만 자신의 앞날은 잘 몰라 지금 4수 중이다.
엄마인 금주는 일찍이 남인에게 경제 활동을 시켜 이재를 가르치는 중이다.
남순에게 힘 유전자가 몰빵 되어 이 집안 남자들은 대대로 힘이 좀 부실하다.
아무튼 할머니가 매일 공수해 주는 소고기를 아무리 먹어도 생기라는 힘은 안 생기고 지방만 생긴다. 그래서 좀 헤비하다. 둥그스름한 외모와 달리 성격은 뾰족하다. 예민한 성격은 몸이 약해서 그렇다며 할머니 길중간에게 오냐오냐 응석받이로 자라 왔다.
엄마인 금주는 잃어버린 누나 생각뿐이다. 그래서 그런지 늘 세상에게 섭섭하고 혼자 삐져 있는 일이 많다. 예민한 촉수 탓에 직관이 살아 있어 타로를 매우 잘 봐 강남 일대의 젊은 여성들 사이에서 '통통 도령'으로 불린다.

등장인물

황금동 김기두

남순의 외삼촌이자 금주의 남동생, 길중간의 아들. 집안의 폭탄.
허덕이는 캐릭터에다 주식에 미쳐 수억 거덜 냈다.
웹소설 작가로 겨우 살아났다.
힘이 금주에게 몰빵 되어 본인은 너무나 맥아리가 없다. 늘 누워 있다. 일어나도 머리는 꼭 어딘가에 기대어 있을 정도로 몸에 힘이 없다. 멘탈도 메롱인 데다 근력도 떨어지고 지구력은 깡통이다. 입에 한약 봉지를 달고 산다.
그러다 한약을 지어 주는 한의사와 리얼 현실 로맨스를 꾸리나 했는데 그마저도 체력이 딸려 '아! 내 인생에 연애는 사치인가~~~' 싶은 순간…
한 여자가 눈에 들어온다.

지현수 주우재

한강에서 남순과 만나 얽히는 노숙 거지.
잘나가던 직장인이었으나 코인으로 벼락 거지가 되어 노숙자 로드를 걷게 된다. 그리고 빠른 승진으로 지금은 코리아 홈리스 협회 총무다.
매일 경제 신문을 읽고 SNS도 하는 인싸형 노숙자로 재능이 많다.
인생의 현란한 희로애락을 적나라하게 보여 주며 거지부터 스타까지 다 맛볼 수 있는 롤러코스터 인생을 사는 캐릭터.
자본주의 시대와 급변하는 사회를 대표하는 문화의 아이콘이다.

노 선생 경리

돈은 없지만 낭만과 남친은 있는 노숙자.
노숙을 하지만 지현수가 함께여서 슬프지도 외롭지도 않다. 한 쌍의 바퀴벌레 같은 커플로 둘이서 아주 애틋하며 늘 서로를 존중한다..
하나뿐인 삼각김밥 중심부를 지현수에게 내어 주고 자기는 맨밥뿐인 끄트머리만 먹어도 행복하다.
추운 날도 서로를 꼭 안고 자면 꽃샘추위도 견딜 수 있다고 생각하는 로맨틱한 여성.

오영탁 영탁

마수계 특수팀 돌직구 형사.
마약 수사대 팀 희식의 파트너이자 선배.
가슴 뜨겁고 외모 신경 쓰는 열혈 형사.
후배인 희식을 갈구다가도 챙겨 주는 겉바속촉 같은 남자다.

진선규 유하성

마수계 특수팀 브레인 막내. 별명은 참마(참치마요의 준말).
합기도 선수 출신 강력 전문. 과학 수사에 능하다.
사이버 수사대에서 오래 일한 지능 범죄 전문. 포렌식도 끈기로 다 잡아낸다.
그거 할 땐 밥도 안 먹고 참치마요만 먹는다 해서 별명이 참마.
머리를 많이 쓰기 때문에 DHA가 풍부한 음식을 먹어야 한다는 뻘소리.
가끔씩 너무 머리만 쓰다 보면 이렇게 삐끗하는 경우가 많다.

김석호 송진우

마수계 특수팀 검객, 별명은 쓰봉(맥스봉의 쓰봉).
경호원 출신 태권도 특채 무도 경찰. 언제나 성심성의껏 임하는 열혈 경찰이자,
영탁과 동기이다. 주머니에 늘 소시지를 넣고 다닌다.
마약견을 부릴 때 필요해서 시작한 일인데 자기 입맛에 맞다.

하동석 정승길

마수계 특수팀 대장(팀장). 특전사 출신 마약 첩보 전문.
다혈질, 욱 조절 장애로 힘 있는 윗사람들에게 사랑 받지 못하는 중 돌이킬 수
없는 사건을 마주하게 된다.

등장인물

리화자 최희진

화자는 금주가 잃어버린 남순과 너무나
똑 닮았다. 금주를 만난 후부터
화자의 인생은 지화자 꽃길이 된다. 진짜 '강남순'이 나타나기 전까지는.
결국 화자는 남순을 없애려 음모를 꾸미는데….

정나영 오정연

금주의 비서. 금주의 일을 도와준다.
그녀의 또 다른 수족인 말 많고 허세 투성이 남자와는 결이 다른 찐 비서.
영어와 불어에 능통하고 배트맨의 알프레드 집사 같은 느낌의 여인이다.

브래드 송 아키라

엄청 섹시하게 잘생긴 희대의 사기꾼.
(미국에 가본 적도 없지만) 월가의 불맨으로 통하는 인물. 투자 전문 회사를
차려 놓고 현금을 굴려 준다고 각종 듣도 보도 못한 사기로 강남 사모들의 돈을
땡겨 간다.
한국 이름이 송수현이라나? 미국 월가에서 일할 때는 브래드 송이었단다.
브래드 피트할 때 brad가 아닌, 크림 빵 할 때 bread라 그런지 달달한 구라가
절로 나온다.
평소 강남의 돈 좀 있는 여자들을 후리며 사모펀드를 모은다는 소문이 돌며
이는 곧 금주와의 만남으로까지 이어진다. 그런데!
금주를 경계하기는 커녕 오히려 금주에게 무한 플러팅을 날린다.
이 남자… 도무지 종잡을 수 없다!

서준희 정보석

남인이 운영하는 사주 카페 바리스타.
증권 회사를 다니다 명퇴 후 바리스타가 되었고 아내는 암 투병하다가 5년 전 사별했다.
이후 혼자만의 시간을 무던히 이겨 낸 채 현재는 바리스타로 활동 중이다.
그러다 그만 길중간의 러브 레이더망에 딱 걸려 버렸고…
그는 초로의 멋진 연하남 바이브로 길중간과 러브 스토리를 만들어 간다.

황국종 임하룡

중간의 남편이자 티베트 구루 경력 보유.
'자아'를 찾겠다며 출가를 감행한 지 어언 10년….
가족들은 그의 생사조차 알지 못했다.
그러던 어느 날, 대책 없이 나타나 중간의 사랑에 브레이크 거는
정말이지 대책 없는 인간!!

윤 비서 윤성수

류시오의 비서.
류시오에게 오랜 시간 가스라이팅 당해 온 비운의 인물.

류시오의 오른팔. 거구의 러시아 출신 주짓수 챔피언.
사기급 피지컬에 주짓수 복싱 등 인간 병기다. 류시오의 보디가드 겸 비서.

카일 알렉산드로스 Vlasov Konstantin

남순을 키워 준 몽골의 엄마. 씩씩하고 더없이 모성이 강하다.
황야에서 말을 타고 달려온 낯선 아이.
말은 잘 타지만 몽골 말은 할 줄 모르고, 부모도 어디 있는지 모르는 작은 아이는 '강남순 강남순' 제 이름만 반복해서 말했다.
신이 주신 선물이라며 그 아이에게 좋은 집터 찾는 법. 게르 세우는 법. 말 도축하는 법 등등 몽골에서 살아남기 위한 모든 걸 다 가르쳐 주었다.

졸자야 Batsumiya Batdorj

코코 Tsegmid Tserenbold

남순을 키워 준 몽골 아빠.
등빨 좋은 남자지만 딸 바보다. 딸과 친구 같은 아빠.

CONTENTS

제1화

괴력 소녀의 탄생

(The Root of A Power Girl)

S#1 대평원(몽골 - CG 대체) /D

<자막: 2013년>

기골이 장대한 몽골 사내들 - 20명은 족히 되어 보인다.

대회에 참가한 씨름 선수들이다.

그들 뒤로 몽골 메탈 밴드 - Uuhai Band의 실제 공연 모습이 교차된다.

(*몽골 전통 씨름 부흐는 아니다)

음악과 함께 흙먼지를 일으키고 괴성을 지르며 씨름을 하는 사내들의 모습이 보인다. 그 가운데 가장 중량이 큰 거대한 사내가 걸어 나온다. 음악마저 뚝 끊어지는.

사회자 (몽골어로) 작년 챔피언인 바타르 선수입니다.

수많은 관중들, 바타르의 등장에 흥분과 환호.

그리고 그 환호에 격한 포효로 반응하는 바타르.

사회자 상대 선수 등장합니다….

관중 (긴장하고)

사회자 체첵~~~!

서서히 존재를 드러내는 상대 선수. 다름 아닌 왜소하고 가냘픈 12살 소녀 체첵이다.
양 갈래로 땋은 머리를 한 주근깨 소녀 체첵! 환하게 웃는다.
관중들, 체첵의 존재에 당황한 듯 웃지도 않고 굳어진 채 보고 있다.
바타르, 몹시 황당해 한다. 체첵, 대련 자세 취하고 바타르를 노려본다.
바타르, 어이없다는 듯 그런 체첵을 보면서 다가와서는 손가락으로 체첵의 볼을 꼬집는다. 관중들, 바타르의 서비스 제스처에 웃음을 터트린다.
심판이 장내를 정렬한다. 두 선수 간격 맞추게 하고 관중들 웃음 멈추라는 시그널.
경기가 시작된다! 바타르는 아기에게 선제공격하라는 여유 있는 미소 날린다.
체첵, 알았다는 듯 다가간다. 체첵의 작은 손이 바타르의 허리춤을 잡는다.
바타르, 간지럽다는 듯 웃는 순간!

- 느린 화면 - 체첵, 그대로 바타르를 집어 들어 내다 꽂는다.
- 느린 화면 - 흙먼지 위에 그대로 내동댕이쳐지는 바타르.

- 느린 화면 - 관중들 그대로 굳어진다.

바타르, 이게 무슨 일인가 싶어 '벙!' 한 채 바닥에서 일어난다. 그대로 체첵에게 다가와 체첵을 잡으려는 바타르의 팔. 체첵은 그 팔을 잡아 그대로 등배지기 해 '휙' 내던진다. 저 멀리 날아가는 바타르.
체첵, 소녀의 예쁜 걸음으로 '탁탁' 걸어와 바타르를 집어 올려 하늘 구경을 시킨다.
바타르를 두 손으로 올려 세우고 귀여운 미소를 짓는 체첵, 아니 12세 강남순의 예쁜 얼굴 위로 강렬한 록 비트의 타이틀 음악이 깔리며.

Title In "괴력 소녀의 탄생 (The Root of A Power Girl)"

S#2 봉고 사진관 /D

사진관 쇼윈도에 가득 찬 어린 소녀의 사진들. 위의 소녀와 웃는 얼굴이 닮았다.
그리고 카메라 그 안으로 들어가면.

남자 (걱정하는) 우리 남순이는 잘 살고 있을까….

다름 아닌 남순의 아빠 강봉고(이하 봉고, 당시 35세)가 이야기 중이다. 사진관 안 가득한 아기 남순의 사진을 보는 김 기자(이하 김 기자).

김 기자 … 이렇게 어릴 때… 잃어버리셨으니….

봉고 내 탓이야…. 내가 몽골에 남순이를 데려가는 게 아니었는데….

몽골의 은하수 아래에서 별을 보고 웃는 소녀의 사진에서.

봉고 그날이 마지막이 될지 몰랐어.

김 기자 그래도 이렇게 사진이 남아서 조금도 잊지 않고 기억할 수 있었잖아요….

봉고 추억으로 두지 않아. 꼭 찾아야 해. 그러니까 기자 양반… 기사 좀 잘 내 줘. 한국에 있을지도 모르잖아.

김 기자 그럼요. 따님만의 특별한 특징이 뭐가 있을까요?

봉고의 깊어지는 눈동자 위로.

금주(소리) 힘이 세. 세상에서 제일 힘이 센 아이를 찾으면 돼!

S#3 전당포 골드블루(Gold Blue)/D

'자비로운 전당포 Gold Blue'라고 금장으로 조각된 화려한 전당포 외경 CUT.

대표 이사실에 앉아 있는 우울 모드의 황금주(이하 금주, 당시 34세) 앞에서 젊은 김남길(이하 남길, 당시 28세)이 그런 금주의 하소연을 들어주는 중이다.

남길　사장님… 제 생각에 전 세계 12세에서 15세 사이 소녀들을 대상으로 힘자랑 대회를 여는 건 어떨까요?

금주　!!!

남길　상금을 10억 정도 내걸면 화제가 될 테고 정말 많은 사람들이 참여할 거 같은데요.

금주　야 김남길… 너 띄엄띄엄하다가 한 번씩 이렇게 사람 구실 하니까 내가 널 안 자르고 붙여 두는 거야. 너무 좋은 생각이야.

남길　(신이 나서 더 가열하게) 동양 소녀에 국한시키면 되니까 그리 어렵지 않을 겁니다. 사장님 따님이니 검은머리의 한국 소녀일 테니까요.

금주　(끄덕이는) 맞아… 몽골에서 벗어나 다른 곳에 갔을 수도 있어.
내가 왜 그 생각을 못했지?
이 세상 어디에 살아만 있음 돼… 더 바랄 게 없어. 난 정말… 내 딸만 찾으면 내 전 재산 내 콩팥 다 줄 거야. 내 영혼도 줄 거야.
내 딸 찾아 주는 사람한테.

남길　(아, 찾고 싶다. 간절하게 찾아서 그 돈 받고 싶다)

금주　(돌연) 퇴근해.

남길　(꾸벅 인사 후 나가는)

금주　하아…. (고민하듯 의자에 앉아 눈을 감는다)

S#4　몽골 평원 /D

'찰칵 찰칵~' 몽골 기자에게 사진 찍히고 있는 우승자 체첵.
구닥다리 카메라가 사진을 찍으며 섬광 같은 빛을 번쩍이는 데서 눈을 감는 체첵.
순간적으로 체첵에게 보이는 무의식 속 환영.

[플래시백]
가족들과 가족사진을 찍던 5세의 남순이다.

- 다시 현재 -
불현듯 떠오른 머릿속 환영에 놀라서 눈을 뜨는 체첵 남순.

S#5　동 사진관 /D

그때의 그 가족사진이 걸려 있는 사진관.
사진 안에 보이는 - 중간, 금주, 남순, 남인, 봉고의 모습.
왠지 기세가 남달라 보이는 여풍.
3대 모녀는 환하게 웃고 있지만 봉고와 남인은 울적한 표정인 그 사진 위로.

김 기자(소리)　힘이 센 게 유전적 특징이라고요?
봉고(소리)　그 집안이 그래… 모계 혈통이야.

김 기자(소리) 얼마큼 센 거죠?

봉고(소리) 측정 불가야. 감히 측정하려다가… 무슨 사달이 날지 몰라.
그 집안 여자들은 정말 다… 무지막지 기절초풍이야.

S#6 동 전당포 객장 /D

대표 이사실에서 나온 금주, 퇴근을 하려는데 전당포 게이트 벨이 울린다.
문을 열어 주는 금주. 범상치 않은 외모의 한 사내(사내 1)가 들어온다. 뒤이어 그 사내의 부하쯤으로 보이는 덩치 큰 사내(사내 2)도 따라 들어온다.
사내 1이 금주 앞에 우뚝 서서는 자신의 키만 한 장도를 턱하니 앞에 세운다.
번쩍이는 칼날. '띠링~' 효과음.

사내 1 집안 대대로 물려받은 가보입니다. 제 조상님이 충무공 이순신 장군과 대련할 때 쓰던 장도입니다.

금주 (이 무슨 개풀 뜯어먹는 소리) 이순신? … (헐)

CUT TO
금주, 사내 1과 마주 앉아 있다. 번쩍이는 칼을 카운터 위에 둔 채.

사내 1 이순신 장군이 무관 급제 때 제 조상님과 검 대련을 하셨답니다.

금주 …

사내 1 그런데 이순신 장군이 이기셨습니다.

금주 (당연한 소리다) 그랬겠지.

사내 1 (비통하다) 이순신 장군은 목검을 쓰셨고 제 조상님은 바로 이 진검인 쇠검을 쓰셨지요. (몸소 일어나 무거운 칼을 들며 휘청~)

금주 (표정 변화 없이 보고만 있는데)

사내 1 (칼을 '확' 금주의 목 바로 앞에 뻗쳐 겨누며) 목검은 가벼워서 길게 만들 수 있잖아요? 쇠검은 무거워 길게 만들 수 없었던 거죠. 결국 머리 딸린 제 조상님이 지신 겁니다. (무겁다. 쇠검 든 손이 툭 떨어지며 검을 거둔다)

금주 결국 이순신 장군님이 쓰신 검은 아니란 소리잖아요.

사내 1 그건 그렇죠.

금주 그 조상님이 이순신 장군과 대련했다는 증거가 역사 야사 아님 어디에라도 남아 있어요? 없죠? (얼척없다는 듯 보며)

사내 1 (수긍) 네, 없어요.

금주 근데요.

사내 1 저를 전적으로 믿으셔야 합니다.

금주 (어이없다) …

사내 1 (얼굴 바짝 들이대고) 내 눈을 바라보세요. 진실이 느껴지지 않나요?

금주 (개무시하고) 됐고! 그러니까 이게 조선 시대 물건이란 소린데… 골동품 감정평가사님이 수요일마다 저희 전당포에 오세요. 물건 두고 가세요. 감정 후에 다시 얘기해요.

사내 1 돈이 급해서… 그럽니다. (간절한) 아내가 수술실에 들어갑니다. 내일… 급한 대로 5백만 원이라도… 부탁드립니다.

금주 (게이트 파티션을 걷고 대형 금고로 다가가 비번을 눌러 5백만 원 꺼낸다. 사내에게 돈뭉치를 건넨다)
이 칼은 가져갔다가 수요일에 다시 가져 와요. (일어난다)

사내 1 (감동하던 눈빛은 이내 싸늘하게 변한다)

사내 2가 금주에게 쇠검이 아닌 과도를 목에 겨눈다.

사내 1 금고 열어. (무거운 쇠검을 금주 눈앞에 겨누고)

금주 …

사내 1 금고 열라고! 죽기 싫으면!

금주 (한숨) 이순신 장군 그거 너 뻥이지?

사내 1 그럼 뻥이지 빙신아… 그걸 믿었냐?

금주 뭐? (빡치는) 빙신? 방금 뭐랬어? 빙신? 이게 진짜 돈을 5백이나 빌려줬으면 납작 엎드려서 고맙다 소린… (하는데)

사내 2 (칼을 바짝 금주 목에 대고 위협하자)

금주 (성가시다. 그대로 사내 2의 발을 밟는다)

[CG] 발가락뼈가 그대로 우지직 부러지는.
그러다 사내의 발이 그대로 땅에 꽂혀 고정된다.

사내 2 아아악~ (살인적 괴성 지르며 발을 빼 보려 하는데)

금주 (사내 1에게) 내가 초등학교 3학년 때 구구단 못 외운다고 내 짝 새끼가 나더러 빙신이라고 했어. 그 새끼 이름이 허태영이야. 나 그 이후로 허 씨랑 겸상도 안 해…. (사내 1에게 다가간다)

사내 1, 금주의 돌진에 당황해 뒷걸음질치고 쇠검을 일단 든다. 들고 있는 쇠검이 무겁다.
금주, 그 쇠검 확 뺏어서 자세히 살핀다.
무거운 장검을 한손으로 가볍게 올려 쥐고 '휙휙' 돌리는 금주를 보고 얼어붙는 사내 1.

사내 1　　컥! 헉!

금주　　뭐야 이거 (칼 '휙휙' 돌리다 칼자루 살피는) 메이드 인 차이나… 이 새끼 싸했는데 뭐 이런 개잡놈이… 야! (한 손에는 쇠검을 들고 사내 1에게 슬슬 걸어와서는 노려본다)

사내 1　　(금주의 도발에 쫄아 있는데)

금주　　넌 뻥치는 아가리도 문제고 (놀고 있는 손으로 사내 1의 입을 톡톡 때린다 - 효과음 '톡' '톡') 이순신 드립 친 이 대가리도 문제고. (머리도 톡톡 때린다 - 효과음 '퉁' '퉁')

사내 1이 괴성을 지른다. 앞니 두 개가 툭 빠진다. 사내 2는 발을 빼려고 안간힘을 쓰다 얼굴이 터질 거 같고.

금주　　발이 끼였어? 빼 줄게. 가만있어 봐. (하고, 발을 잡아당기자)

사내 2　　(발이 빠짐과 동시에 발가락이 부러져 그대로 휘청 나자빠진다)

사내 1과 사내 2, 바닥에서 각자 뒹군다.

금주　　(사내 1에게) 너도 참… 그나저나 이것들을 경찰서에 먼저 보내나 병원에 먼저 보내나.

사내 1, 부상 입은 채 질질 밖으로 도망간다. 사내 2를 버려두고.
금주, 쇠검을 반으로 그대로 '팍!!!' 부러뜨려 던진다.
사내 1이 여는 문 앞에 그대로 꽂힌다.

금주 의리 없는 새끼. 얘 데리고 가 새끼야.

그런 금주의 모습 위로.

봉고(소리) 이 집안 여자들은 대대로 괴력을 가지고 태어나.
그 내력이 500년도 넘는데… 지금 와서 추정하기론, 아마도 X 염색체 변이로 생긴 초능력이라는군.

S#7 동 사진관 /D

봉고와 김 기자가 계속 이야기 중이다. 어느덧 금동이까지 와서 자연스레 같이 듣고 있다. 김 기자는 아예 녹음기 켜 놓고 봉고의 이야기를 심취해서 듣고 있다.
힘센 여자 집안의 히스토리를.

김 기자 (봉고 향해) 그럼 황금주 씨와 강 작가님은 어떻게 결혼하게 되신 겁니까?

봉고 (한숨, 머리를 귀 뒤로 넘기며)
그땐 황금주가 전당포가 아니라 해장국집을 했었지.

<자막: 1999년>

S#8 선지 해장국집 앞 /D

젊은 시절의 금주가 황금주 선지 해장국이라고 적힌 간판집 앞에 서 있다.
금주, 40대 주부 10명의 알바생에게 10만 원씩을 건네고 있다.

금주 이 돈으로 지금부터 오후 3시까지 택시만 타요.
택시 메타 요금이 4천 원 이하 거리에서 내려야 합니다.
택시를 많이 탈수록 내일 일당을 올려 드릴 거예요.

알바 주부들 손에 10만 원 움켜쥐고 눈빛 비장하다. 마치 전쟁에 나가는 스파르타 군인 같다.

금주 그리고 택시 기사에게 얘길 해요. "황금주 선지 해장국" 선짓국 정말 맛있다고!!!
일동 (비장하게 끄덕이는)
금주 (눈빛 찌릿)

S#9 동 해장국집 /D

택시 운전사들로 문전성시를 이루는 가게 안.

봉고(소리) 그 사람은 돈에 대한 촉이 엄청난 사람이었어.
손만 대면 터지는 마이다스의 손!

S#10 동 해장국집 /D

현금 기계로 돈을 세고 있는 그 은행원, 다름 아닌 봉고의 젊은 시절이다.
흰 와이셔츠 가슴팍에 붙어 있는 <동화은행 강봉고 주임>
숙이고 앉아서 대야에 들어 있는 엄청난 현금 다발을 번들로 묶어 자루에 담고 있는 젊은 봉고에게 다가와 아이스크림을 입에 넣어 주는 금주.
아이스크림 하나로 둘이 나눠 먹다 뽀뽀를 하는 금주와 봉고.
그런 두 사람 모습 뒤로 요란한 소리를 내며 끝없이 돌아가는 현금 기계 위로.

봉고(소리) 당시에 은행원이었던 나는 매일 황금주 선지 해장국집에 현금을 수거하러 가는 게 내 주된 업무였지.

[인서트] 동 사진관

비리비리한 금동, 봉고에게 기댄 상태로.

금동　　매형, 늘 궁금했는데… 매형이 사랑한 게 돈이었어요, 누나였어요?

봉고　　(사진관 벽에 걸린 금주 젊었을 적 사진 바라보며 깊은 한숨)

금동　　(봉고의 답을 기다리는데)

봉고　　그때 난 여행 다니며 사진 찍는 게 꿈이었다.
은행 일에 지쳐 있었어. 돈 냄새에 신물이 났지.
그런 나에게…. (아련해지는)

S#11　덕수궁 돌담길 /D

데이트를 하고 있는 금주와 봉고. 돌담길에서 90년대 하이틴 스타처럼 포즈 잡는 금주. 마치 오지에서 다큐 필름 찍듯이 몸을 날려 땅바닥에 붙어 사진 찍는 봉고.
금주는 벽, 봉고는 땅. 각자의 자리에서 각자의 역할에 열심이다.
그러다 할 일 다 하고 다시 붙어 팔짱 끼고 걸어가는 둘. 오붓하다.
금주, 어느 분위기 좋은 스폿에서 긴장한 듯 멈추고 서서는 봉고를 바라본다.
그리고 주머니에서 뭔가를 꺼낸다. 다름 아닌 반지 케이스다.
금주, 반지를 꺼내 봉고의 중간 손가락에 우겨 넣는다.

금주　　우리 결혼하자.

봉고　　(반지 보면서 수줍다. 그리고 놀라는) 허….

금주　　　난 딸을 낳아야 해. 집안 대를 이어야하거든. 너 노력해야 돼.

봉고　　　(끄덕끄덕) 응 노력할게.

금주　　　나 자기 그런 최선 다하는 자세 좋아. 그래서 얘긴데… 직장 그 만두고 집에 들어앉는 건 어때?

봉고　　　어머…. (표정 관리하며)

금주　　　살림만 해. 내가 먹여 살릴게. 내가 호강시켜 줄게. 손에 물 한 방울 안 묻히게 한다는 거짓말은 안 시켜. 그렇지만 자기 눈에 눈물 흘릴일 없게 할게. 꿈이 사진 찍는 거랬지? 그 꿈 내가 밀어줄게. 넌 사진을 찍어! 난 돈을 찍을게!

봉고　　　(감동) 금주야…. (하고, 품에 안긴다)

금주　　　(봉고 얼굴 쓰다듬으며) 오늘 너… 집에 보내기 싫다.

봉고　　　(당황해 딸꾹질하는 데서)

S#12 어느 모텔 /D

샤워를 마친 봉고, 사각팬티에 러닝 차림으로 겨드랑이 냄새를 맡아보고 입에 구강 청결제를 뿌리고 긴장해서는 금주와의 메이킹 러브 시뮬레이션을 해 본다.

욕실에서 샤워를 끝내고 나오는 금주의 인기척 들리자 얼른 침대로 들어가 일자로 뻣뻣하게 눕는다. 바짝 긴장한.

금주, 샤워 가운 입고 터번 두른 채 나온다. 누워 있는 봉고를 일견하는 금주… 다가온다. 금주, 침대를 이리저리 살피다 위치가 맘에 안 든다. 일광도 문제고.

금주 (갸우뚱, 침대 위치가 좀~)

봉고 ??

금주 (한 손으로 그대로 침대를 들어 다른 쪽으로 옮긴다)

봉고 (침대에 누운 채 위치가 변해 천장의 형광등이 휘익 오른쪽으로 향하는 상황에 눈알이 튀어나올 판)

금주 여기도 별로네. (하고는, 다시 한 손으로 침대를 다른 쪽으로 위치 바꾼다)

봉고 (너무나 기가 막혀 그대로 침대에서 벌떡 일어나 꿇어앉는 자세로 바뀐다)

금주 그래 여기서 하자. 안정적이야 여기가.

봉고 (헉! 벙! 헐!)

금주 놀랐구나. 자기 알아야 할 게 있어. 내가 좀… 힘이 세!!!
(하고 그대로 봉고를 가뿐하게 들어 올려 두 손으로 봉고를 받쳐 든다)
(봉고를 내려다보며) 집안 내력이야.
(봉고를 침대로 던지며) 오늘 밤은 나에게 맡겨.

봉고에게 스멀스멀 접근해 봉고를 덮치는 금주의 강렬한 상여자 포스 위로.

봉고(소리) 이 집안 여자들은 스물두 살이 되면 날뛰나 봐. 제어가 안 돼. 어쩌면 이 집안 여자들의 종특! 아무튼 난 거기 말려들어 그녀의 딸도 낳고 아들도 낳았지. 딸을 낳은 선물로 금주는 나에게 최고급 시계를 사 줬어.

S#13 몽타주 1 - 돌잔치 연회장 /D

번쩍 번쩍 과한 다이아몬드 금장 손목시계에서 화면 확장되면 시계를 차고 있는 봉고.

<축 돌 강남순 & 강남인>

봉고와 금주, 한복을 입고 있다.

돌이 된 귀여운 남순이와 남인이가 한복을 입고 돌잡이를 하는 전경.

한복을 곱게 차려 입고 어린 남순을 흐뭇하게 보고 있는 길중간 (이하 중간).

마장동 상인들(3화 회상 씬에 등장할 예정)이 축하자리에 앉아 있는 등.

돌상 위에 놓인 돌잡이 물건들 - 실, 판사봉, 청진기, 돈, 마우스, 마이크 등.

아이들이 무슨 물건을 집을지 기대 가득한 가운데. 남순이는 돌잡이 물건이 놓인 커다란 돌상을 통째 들어서 머리 위로 올린다.

조용해지는 연회장. 커다란 돌상을 그대로 집어던지는 남순.

남순의 행동에 사람들 기가 막힌 리액션 - 멈춤 화면.

남순, 싱글벙글 웃으며 손을 쥐락펴락.

S#13 몽타주 2 - 놀이터 /D

점핑볼 타는 5살 남순이와 남인이.

남인이는 평범한 꼬마처럼 타고 노는데 힘이 좋은 남순이는 점핑 볼이 아파트 2층 높이까지 튀어 오른다. '띠용 띠용 띠요오옹'.

이 모습을 카메라로 찍는 봉고.

[인터컷]
허공에 뛰어오른 극강의 귀여운 모습의 5살 남순.

S#14 현재의 동 사진관 /D

회한에 찬 봉고의 눈시울이 붉어져 있다.

봉고 남순이는 내 딸이기도 했지만 내 뮤즈기도 했지.
그래서 몽골의 별을 찍으러 가면서 남순이를 데려갔어.
남순이를 위해 특별한 뭔가를 남기고 싶었거든.
그런데 그러다… 그만…. (목이 멘다)

[인서트] (회상) 몽골 광활한 대지
젊은 봉고, 울면서 남순을 부르고 있다.

봉고 남순아~~ 남순아~~ 남순아… 남순아….

눈물 콧물 범벅이 돼 남순을 애타게 부른다.
그런 봉고의 모습이 줌 아웃 되다 부감이 되어 점점 더 멀어져서 화면 확장되면 몽골의 광활한 대지가 끝없이 펼쳐지고 봉고의 존재는 손톱보다 작아져 하나의 점이 된다.

- 다시 현재 -

봉고 그렇게 남순이를 난… 잃어버리고 말았어. (소매로 눈물을 훔치는)

금동 (숙연해지는)

김 기자 (안쓰럽다) 그 일로 작가님과 황금주 사장님은 이혼을 하신 건가요?

봉고 (끄덕이는) 내 죄를 속죄할 방법이 없었으니까.

금동 (한숨) 정말 우리 남순이는 어디에 있을까요?
자기 이름이 남순이란 걸 기억이나 할까요?

S#15 몽골 대평원 일각 - 남순이 살고 있는 게르 안 /D

축제에서 돌아온 체첵(이하 남순).
비단으로 만든 명예의 모자를 양엄마 졸자야에게 자랑스럽게 건넨다.
기뻐하는 아빠 코코.

졸자야 (그 모자를 보며 자랑스럽게) 무적 거인 체첵!

코코 장하다.

남순 엄마 아빠 난 왜 이렇게 힘이 센 거야?

졸자야 글쎄. 우리도 네가 어디서 왔을까 알아내려 했지만 알 수 없었어.

남순 내가 누군지 어디서 왔는지 알고 싶어.

졸자야 (그런 남순을 안쓰럽게 보며) 아빠와 내가 너를 처음 발견했을 때 넌 '빠빠'를 타고 있었어. 아마 5살이나 6살 정도쯤으로 보였어.

[인서트] (회상) 몽골 평원, 7년 전인 2006년

졸자야와 졸자야 남편이자 체첵의 양부 코코가 광활한 평원 저 멀리를 보고 있다.

화면에는 아무것도 보이지 않지만 시력이 좋은 몽골인 눈에는 뭔가가 보인다.

대화를 나누는 두 사람.

코코	말이 달려오고 있어요. (화면에는 아무것도 보이지 않는)
졸자야	가만히 봐봐. 말에 어린애가 타고 있어. (당연히 화면에는 아무것도 안 보이고)
코코	여자애야.

화면에는 점처럼 뭔가가 보이기 시작하고.

졸자야	우리에게 오고 있어 여보.
코코	아이가 울고 있어.

드디어 보이는. 말을 타고 달리고 있는 5살 남순의 모습이 보인다.

코코는 옆에 둔 말을 타고 남순에게 달려간다. 코코, 노련한 기술로 남순의 말을 세운다. 졸자야는 뛰어서 그들에게 달려간다.

남순을 말에서 안아 내리는 코코.

코코	무슨 일이야 꼬마야?

남순 (울면서) 아빠… 아빠… 아아아아… 아빠….

졸자야 (숨을 헐떡이며 달려와 남순을 본다)

남순 아빠… 아빠….

코코 빠빠? 빠빠… 빠빠가 뭐지? 말 이름인가?

남순 (울기만 하고)

졸자야 근데 아이가 어쩜 이렇게 예쁠까?

코코 그러게 말이야. 너무 예뻐. 운명이야.
저 아이는 신이 우리에게 준 선물일 거야.

- 다시 현재 -
졸자야의 이야기를 듣고 있는 남순.
졸자야는 함에서 무언가를 꺼내 남순에게 준다.

졸자야 네가 우리한테 왔을 때 입고 있던 옷이야.

S#16 남순의 게르 안 /D

남순, 자신이 입었던 옷을 본다.
무지개 그림이 그려진 예쁜 원피스다. 옷 안을 살펴보는 남순.
옷 안에 붙은 TAG에 적힌 작은 글씨들. '세탁 시 유의 사항', '면'
등의 작은 글씨들.
남순의 게르 안 TV에서 한국 방송이 나오고 있다.
제목이 뜨는데 같은 글씨가 보인다.

체첵 (헉) 한국이야.

S#17 동 게르 안/D

K-방송 챙겨 보는 체첵 남순.
몽골어 자막 달린 한국 드라마 보고 있다.
드라마 속 꽃미남들 보며 흐뭇해한다.
그런 남순에게 간식 들고 찾아오는 코코. 켜진 영상 보며.

코코 남자들이 왜 하나같이 꽃처럼 생겼어?
남순 지켜 주고 싶게 생겼잖아. 한국 남자들 내 스타일이야.

남순이 귀엽다는 듯 간식 두고 나가는, 덩치는 크지만 하는 짓은 조신한 코코.
홀린 듯 계속 한국 방송 보는 남순. 그러다가 강남 스타일 뮤직 비디오가 틀어진다.
체첵이 생각한 한국 남자랑 다른 스타일의 싸이가 나와서 시선 강탈한다. 그렇게 홀린 듯 보던 체첵 남순.
'강남 스타일~ 강남 스타일' "밤이 오면 심장이 터져 버리는 사나이"
'오빤 강남 스타일 강남 스타일 강남 스타일 강남 스타일'
음악을 듣던 남순. 싸이의 '강남 스타일… 강남 강남 강남'이 뇌리를 때린다.

그런 남순의 표정 위로.

금주(소리) 강남순~~~

금동(소리) 남순아~~

중간(소리) 강남순~

봉고(소리) (절규하듯) 남순아!!!!!

싸이의 '강남 강남 강남…'과 그로테스크하게 뒤엉켜 강남순~~ '강남순~' 자신을 부르는 소리가 들린다. 괴로운 듯 뛰쳐나가는 남순.

S#18 몽골의 초원 /D

바람이 불어오는 몽골의 초원. 그곳에 홀로 서 있는 남순.
차가운 바람에 혼란스러운 의식이 점점 명료해진다.

남순 강남순….

S#19 동 메인 게르 안 /D

게르로 들어오는 남순. 그런 남순을 보는 졸자야.

남순 난 한국에서 온 게 분명해. 내 이름은 강남순이야!

졸자야 !!

남순 한국으로 가야 해.

졸자야 한국…. (흔들리는 눈빛)

남순 걱정하지 마. 지금 떠나지 않을 거야.
내가 떠나면 우리 집 힘들어지니까.
양을 더 많이 쳐서 돈도 벌고 한국어 공부도 할 거야!

S#20 게르 안 - 한국어 깨치는 씬 몽타주 /D

한국어 교재로 공부하기 시작하는 남순.

남순 가… 나… 다… 라….

'가나다' 따라 하다가 자연스레 머릿속에 있던 '송창식의 가나다라'가 떠오른 남순.
갑자기 분위기 코믹 바이브로 바뀌며 영상 속도가 2배 빨라진다.
힙합 주크박스처럼 가나다송 부르는 남순.

남순 (마치 랩하듯) 가나다라마바사 아자차카타파하 헤헤~
으헤으헤으허허 하고 싶은 말들은 너무너무 많은데
이내 노래는 너무너무 짧고

일이삼사오륙칠 팔구하고 십이요 헤헤 으헤으헤으허허

어릴 적 기억이 방언 터지듯 터져 엄청난 속도로 한국어 구사하는 남순.
하고 나서 스스로에게 또 한 번 놀란 남순. 뭐지 싶다.

S#21 봉고 사진관 /D

손님 없이 한적한 봉고 사진관.
거기서 베짱이처럼 기타 치며 노래 부르고 있는 봉고.
남순이가 부르고 있는 노래와 똑같은 노래다.

봉고 가나다라마바사 아자차카타파하 헤헤~
으헤으헤으허허 하고 싶은 말들은 너무너무 많은데
이내 노래는 너무너무 짧고

그런 봉고를 지켜보고 있는 듯한 사진 속 5살 남순. (황금 요술봉 들고 있는)

봉고 (사진 보며 아련히) 남순아… 잘 있는 거지?

S#22 게르 밖 + 초원 /D

밖으로 나온 남순, 빠르게 빠빠의 등에 올라탄다. '이랏!' 하는 남순.
그대로 빠빠를 타고 기세 좋게 달리는 남순.
그렇게 달리는 남순의 모습에서 사계절이 변한다.
푸른 초원에서 흰 설원까지. 그렇게 세월이 흐른다.

- 느린 화면 -
12살의 남순에서 긴 머리를 휘날리며, 너무나 아름다워진 22살의 숙녀가 된 남순이 등장한다. 와일드하면서 순수한 스피릿이 느껴지는 남순. 기세가 남다르다.
그렇게 달리는 남순의 뒤로 보이는 수많은 양 떼. 그동안 많은 성장이 있었다.
너무나 아름답고도 예쁜 남순. 말에서 내린다.

<자막: 2023년>

S#23 게르 마당 /D

양을 몰고 돌아온 남순. 그런 남순을 마중 나온 코코.

남순 (한국말로) 다녀왔습니다.
코코 (남순의 한국말이 익숙하단 듯) 그래 양 치느라 고생 많았어.
… 어느새 너도 다 컸… 이제 한국으로 가야지.

남순　　!!

코코　　더 늦기 전에 가.

남순　　… 막상 떠나려고 하니까 아빠 엄마가 걱정이야.

코코　　절대 우린 걱정 마. 대신 결혼해. 결혼해서 같이 떠나.
그래야 아빠도 안심이야.

남순　　!!… 아빠 난 결혼은 한국 남자랑 할 거야.

코코　　한국에서 뿌리도 찾고 반쪽도 찾고?!

남순　　응. 세상에서 가장 청순한 남자 찾을 거야.
내가 지켜 주고 싶은 남자!
반드시 찾을 거야! 한국에서!! (드높은 기상)

S#24　서울 어딘가 실내 체육관 /D

힘자랑 대회가 열리고 있는 2023년이 된 강남.
여전히 빛나는 금주의 눈빛. 선수들을 뚫어져라 쳐다본다. 혹시라도 남순이 있을까.
20대 초반의 아시아계 여자들이 출전한 힘자랑 대회. 결승전이다. 6명의 여자 선수가 남아 있다. 빨간 모래주머니(샌드백)가 가득 쌓여 있다. 건장한 남자 두 명이 그 주머니들을 각 선수들 앞에 쌓아 놓는다. 10년이 지나 머리가 좀 듬성해진 골드블루 실장 남길이 호루라기를 불자 선수들은 40kg 모래주머니를 두 팔 위로 올린다.
버티는 6명의 여인들. 그리고 40kg 샌드백이 하나 더 올려지자 두 명의 선수가 무릎을 꿇는다. 하나의 샌드백이 남은 네 명의 선수에게 올려지자 세 명이 그대로 쓰러지고 끝까지 버티는 한 여인. 작고 귀여운 외모의 아시아 여성이다.

- 관중석 -

긴 챙 모자 화려한 외모의 부티가 미친 듯이 흐르는 금주가 벌떡 일어난다.

금주　　남순아….

좀 떨어진 자리에 앉아 구경 중인 봉고(40대가 되어 머리가 희끗해진)와 금동(40대가 된), 그리고 뚱뚱한 남순의 동생 '통통 도령' 남인(22세). 그리고 긴 한숨 몰아쉬며 보고 있던 60대 노인이 된 길중간의 모습도 보이는데.

봉고와 금동의 사이에 앉아 있던 김 기자, 여전히 그 낡은 수첩을 들고 그 상황을 적고 있다. 김 기자 역시 10년의 세월 동안 노화되어 있다.

김 기자　　따님 같으세요?

봉고　　(그럴 리가) 아니야. (실망한다)

김 기자　　왜 그렇게 생각하세요?

봉고　　난 알아. 한눈에 알아볼 수 있어.

눈시울 붉어져 경기장 쪽으로 긴장해 걸어가는 금주의 발걸음.

샌드백을 내려놓고 금주를 보는 그 여인.

금주 (그 여인 찬찬히 보는) Where are you from?
여인 (조선족이다) 연변에서 왔습다.
금주 이름이 뭐죠?
여인 리화자임다.
금주 화자… (자기 딸 같기만 하고) 나랑 어디 가서 얘기 좀 해요.
화자 1등 했으니까 상금은 주시는 겜까?
금주 그럼 그럼.

금주, 화자를 데리고 체육관을 빠져 나가고. 남겨진 선수들 추스른다.
그 위로 펄럭이는 플래카드 <세계에서 가장 힘 센 여자를 찾습니다. 조건 20 ~ 25세 사이 여성 - 1등 상금 5억 2등 2억 3등 1억> 붙어 있는.

S#25 금주의 프라이빗 레스토랑 VIP룸 /D

산해진미와 큼직한 북경 오리, 오리 궁둥이를 턱 뜯어 게걸스레 먹고 있는 화자.

금주 (안쓰럽게 보며) 화자 양… 혈액형은?
화자 B형임다.

금주 (미치겠다. 남순이 틀림없다) 그래 맞아… 내가 B형이야. 강 작가는 O형이고. 언제부터 연변에서 산 거예요?

화자 제가 다섯 살 때 몽골에서 배에 실려 왔다고 함다.

금주 (미치겠다) 그러니까… 다섯 살 때 몽골에서 연변으로 왔다고?

화자 그렀습다.

금주 (빠렁치는 가슴을 부여잡고) 어디서 살았어 이제껏?

화자 열여섯 살까진 고아원에서 살다가 열일곱부터 혼자 살았습다.

금주 (억장 무너지는) 지금 뭐해요?

화자 제가 배움도 짧고 가진 게 힘 뿐이라서리 연변에 있을 땐 공사판에서 지게를 졌습다.

금주 노동을 하고 살았단 거예요?

화자 그렀습다. 근데 저만 먹는 거 같아서리… 맛이 엄청나스리… 혼자 먹기 거시기 함다. 드세요… 어… 머님….

금주 (어머니 소리에 목이 멘다) 화자야… 하아~ 아니 남순아….

화자 (입 안 가득 물고 있다 눈이 커지는)

금주 지금 몇 살이야?

화자 스물둘임다.

금주 (미치겠다) (전화기 들어 전화한다) 나야… 지금 상투스로 와.
강 작가! 우리 딸 찾은 거 같아. (심장이 터질 거 같은데) 금동이, 엄마, 남인이 다 데려와. 어차피 여기서 저녁 먹어야 하니까.
전화 끊은 금주, 화자를 애틋한 모성의 시선으로 보고 있다.

S#26 어느 신문사 /D

김 기자, 책상에 앉는다. 편집장이 다가온다.

편집장 그래서 그 딸을 정말 찾았단 거야?

김 기자 혈액형은 맞는데 강봉고 씨는 자기 딸이 아닌 거 같다네요.

편집장 유전자 검사 해 보면 단박에 알잖아….

김 기자 그 집안 여자들이 X염색체 이상 때문에 유전자 검사해도 정확하지가 않대요. 조사가 불가능하답니다. (하고, 기자 수첩 서랍 안에 넣으면 10년간 기록한 수첩들이 쌓여 있다)

편집장 참 희한해. 그런 신기한 혈통이 있다는 게 말이야.

김 기자 정말 찾았으면 좋겠어요. 저도 이 기사 그만 쓰고 싶어요. 10년 공 들이면 돌도 뚫겠네… 저도 지쳐요.

편집장 10년 동안 힘자랑 대회 여는 바람에 강남순 찾기 프로젝트 전 세계 사람들이 다 알아. 근데 아직까지 안 나타난 거 보면 몰라? 죽었어.

김 기자 근데 오늘 그 여자애… 힘이 세긴 정말 세더라고요. 모래주머니 120kg을 두 팔에 얹고 제대로 버티던데?

편집장 그럼 정말 그 연변 처녀가 강남순이야?

김 기자 …

편집장 근데 그 집안 여자들은 대체 어느 정도로 힘이 센 거야.

김 기자 그걸 정확하게 안 밝혀요. 기사로 쓰는 걸 원치 않더라고요.

S#27 몽골 대평원 /E

양 떼들이 뛰어다니는 평화롭고 아름다운 자연 경관 위로.
남순 자신의 말 빠빠에게 먹이를 주면서 마치 친구처럼 대화를 한다.
그것도 남순이 모은 한류 남신 콜렉트 북을 보여 주면서 한국말을 한다. 잘나가는 스타들은 취향별로 다 모아 두었다. 용호상박의 미남들.

남순 　애들이 나 좋다고 싸움나면 어떡하지? 난 전쟁은 싫거든. (절레)
빠빠 　(그럴 리 없다는 듯 고개를 좌우로 흔든다)

남순, 빠빠의 소리에 주변을 돌아보는데.
보면, 양들 중 두 마리 커플이 무리에서 빠져 저 멀리 도망간다.

남순 　빠빠~ (하고는 빠빠 등에 타고 그대로 양 떼들에게 향한다)

남순, 내려서는 무리에서 혼자 떨어진 커플 양에게 몽골어로 "니들 사귀지? 가자 저녁 먹어야지~" 남순을 본체만체하는 양 커플.
남순, 미소 짓고 그 커플 양을 그대로 양손에 가볍게 안고 저 멀리 있는 양 떼들을 향해 걸어간다.
묵직한 양을 머리 위로 가볍게 올려 울타리 안으로 넣는다.
빠빠가 그런 남순을 조용히 뒤따라온다.

S#28 동 레스토랑 가족 룸 /N

금주와 중간, 봉고 그리고 금동, 남인이 모여 식사를 하고 있다. 식사 시중을 드는 웨이트리스 등이 보인다.

S#29 금주의 펜트하우스 여러 곳 (거실 - 방) /N

정 비서(40대, 여)가 화자를 안내해 집 안으로 들인다. 집 안을 둘러보고 입을 다물지 못하는 화자. 정 비서, 화자에게 예를 깍듯이 갖춘다.

정 비서 　이 방입니다. (하고, 방문을 열어 주면)

남순의 방이 화려하고도 아름답게 꾸며진 채 주인을 기다리고 있다.

화자 　(남순의 침대에 벌렁 드러눕는다) 우와~~~ 우와~~~

정 비서 　(나간다. 그런 남순이 의심스럽다)

화자 　(정 비서 나가자 야망의 눈빛이 되는)

S#30 동 레스토랑 /N

식사를 마친 가족들 샴페인 슈거볼을 디저트로 먹고 있다.

중간 그러니까 걔가 정말 남순이 같단 거야?

금주 분명해. 남순이야.

중간 좀 더 자세히 알아봐. 남순이가 어떤 특징이 있고 어떻게 잃어버렸는지 10년 동안 신문에 나갔어. 그 기사 그만 쓴대서 네가 어떤 특단의 조치까지 내렸냐?

[인서트] 동 신문사
신문사 전경 보여 주면서 간판 등장 - 다름 아닌 '금주일보'

중간(소리) 그 신문사를 사 버렸잖아.

김 기자 책상에 꽂힌 강남순 파일을 꺼내 보면 10년 동안 스크랩 해 둔 남순의 기사들이 세월의 흐름을 보여 주며 꽂혀 있다.
기사 헤드들 - '우리 아이를 찾습니다. 힘센 아이를 보셨나요?'
'몽골에서 잃어버린 아이 찾는 사람에게 사례금 원하는 만큼!'
'미아 강남순은 모계 유전으로 힘이 매우 센 특징이 있어'
'실종 17년째. 매일매일 남순이를 기다리는 가족들'
'강남 큰손 황금주 잃어버린 딸을 찾기 위해 힘자랑 대회 개최'

- 다시 동 레스토랑 -

중간 기사에 나온 대로 가짜로 얼마든지 조작해서 만들 수 있단 거야.

금주 힘센 건 어떻게 설명할 건데? 우리 집안 여자가 아니면 그렇게 힘이 셀 수가 없어.

중간 그 정도 힘이 세다고 남순이라고 단정 지을 수 없어.

금동 엄마랑 팔씨름이라도 한번… (하는데, 잘린다)

금주 (흥분해서) 나이도 혈액형도 같아. 다섯 살 때 몽골에서 연변으로 가게 된 건? 그게 다 우연이다? (하는데)

봉고 남순이 발바닥에 작은 흉터가 있어.

가족들 (놀라는, 멈춰 서서 보는)

봉고 걔가 네 살 때 옥상에서 뛰어내리면서 나뭇가지에 발이 찔려 다쳤어.

금주 집에서 애 잘 보라고 그렇게 얘길 했는데 왜 애를 다치게 해?

봉고 당신이 그런 반응일까 봐 내가 말을 안 한 거야.

금동 맞아. 남순이는 높은 곳을 좋아했어. 그래서 옥상에서 자주 뛰어내렸어. 그랬지, 맞아.

남인 그 흉터가 아직 있을까 봐요? 20년이 다 돼 가는데.

봉고 있을 거야. 워낙 깊게 찢어져서.

금주 왜 나한테 말 안했어? 애가 그렇게 다쳤는데?

봉고 말을 하면? 당신은 돈 버느라 정신없고 집안일이고 애들이고 다 내가 돌봐야 했는데… 말해 봐야 뭐가 달라져? (전형적인 한국 주부스러운 분노와 말투다)

금주 그러니까 집에서 애 둘 보는 게 뭐가 힘들다고. 말이 났으니 얘기하자.
내가 몽골에 애 데려가지 말라고 했지? 왜 애를 데려갔어? 왜!

봉고 남순이고 남인이고 내가 없으면 안 됐다고! (주부 울분을 터트리는)

당신, 남순이 남인이랑 제대로 놀아 준 적 있어? 남순이가 딸기 꼭지까지 다 먹는 건 알았어? 남인이 탄수화물 중독인 건 알았어?

일제히 남인에게 시선 주면 돼지처럼 먹고 있는 남인.
이하 대사 속사포처럼.

금동 (한숨) 매형 그건 나도 알았어요.
봉고 (인정) 애가 왜 이렇게 돼지인지 사람인지 분간 안 되게 먹기만 하는데?
남인 …
봉고 다 엄마의 사랑이 부족해서야. 애정 결핍이라고. 뚱뚱해서라도 주목받고 싶은 관종이 된 거야!
남인 (서글픈) 아빠, 사람 앞에 두고 너무한 거 아니에요? (하는데, 또 말 잘리고)
금주 남순이가 없는데 내가 제정신으로 살았겠어?
봉고 그랬다고 애한테 자꾸 밥만 먹이니까 이렇게 된 거잖아.
금주 (중간에게) 엄마 잘못이야.
중간 미안하다. 너무 먹였다.
남인 얘기 포인트가 왜 나한테 향하는지 모르겠어요. 부담스러워요.
중간 그만해. 이제 돌이킬 수 없어. 그 여자애가 남순이냐 아니냐가 중요하니까 그 주제에 집중하자고.
봉고 남순이 아니야.
중간 강 작가, 남순이가 아니라고 우길 건 또 뭔가?

봉고　제 예리한 촉입니다.

금주　예리 좋아하시네.

금동　어릴 때 남순이랑 하나도 안 닮았던데.

금주　고생을 해서 그래. 딱해 정말~ (감정 격해지고)

봉고　남순이는 쌍꺼풀이 있어. 당신 닮아 눈이 예뻐.

일동　(그런 봉고 보는)

금동　엑스 매형, 누나 아직 사랑해요?

봉고　그럴 리가.

금주　그럴 리가.

중간　그럴 리가.

금주　어찌 됐건 난 저 아이를 남순이로 받아들일 테니까 다들 그렇게 알아!

봉고　(깊은 한숨 쉬는 데서)

S#31 남순의 게르 안과 밖 /N

자기 전에 상상으로 한국 가는 시뮬레이션 해 보는 남순.

남순　(또박또박) 내 이름은 강남순이야. 강남순… 강남은 어디지?

누워 있는 남순의 발바닥에 작고 연한 흉터가 등불에 어렴풋이 보인다. 그렇게 카메라가 게르 밖으로 빠져나온다.
쏟아질 것 같이 무수히 많은 별들이 반짝이는 몽골의 밤하늘.

몽골 밤하늘의 광활함에서 강남 밤하늘의 화려함으로 바뀌는 화면.

S#32 골든 임페리얼 빌딩 /N

강남의 명품 거리를 지나는 카메라.
강남의 마천루 빌딩 사이에서 유난히 돋보이는 골든 임페리얼 빌딩.
황금으로 된 외관재. 그리고 그 빌딩의 가장 꼭대기. 펜트하우스가 금주의 집이다.
금주는 강남의 야경을 지켜보며 생각에 잠겨 있다.
남순이를 찾았다는 생각에 기쁘기도 하면서 동시에 화자를 보고서는 묘한 죄책감을 느끼기도 한다. 오랫동안 자식을 잘 돌보지 못했음을….

금주 지금이라도, 이제라도, 잘하면 돼….

[디졸브]

S#33 동 집 - 남순의 방 /D

어느새 아침이 밝아오고 방문을 열고 들어오는 누군가. 금주다.

반면 아직도 자고 있는 화자.
금주, 흐뭇하게 웃으며 침대에 걸터앉아 화자를 바라본다.
그러다 생각난 듯 이불을 조심스레 걷고 화자의 발바닥을 살핀다.
놀랍게도 흉터가 보이자 이제 모든 게 확실해진 듯 입을 틀어막는 금주.

금주 이럴 수가… 그래… 남순아… 내 딸 남순이~

그 소리에 잠이 깨는 화자. 금주, 그대로 화자를 안고는 모든 게 확실하다는 듯 오열한다. 그리고 불러 본다. 큰 소리로.

금주 남순아!!!!

S#34 남순의 게르 안 /D

금주(소리) 남순아!!!

남순, 마치 그 소리를 들은 듯 깨어난다.
자꾸만 남순이라는 소리와 기억이 자신을 부른다.

S#35 동 집 - 다이닝 홀 /D

상석에 중간이 앉아 있고 금주와 금동이 마주 앉아 있다.
화자는 이 자리가 낯설다. 그 앞에는 남인이.
카메라 확장되면 족히 20명은 앉을 수 있는 크고 긴 식탁이다.
식사 중인 다섯 사람의 모습, 그리고 화려한 아침 식사 세팅.
갈비, 불고기와 잡채 등 맛있는 한국식 잔치 음식이 차려져 있다.
고개도 들지 않고 밥 먹는 남인과 다시 눈이 커져 남인과 경쟁하듯 먹어 대는 화자.
사람 같지 않게 먹어 대는 둘을 보면서. 흐뭇한 엄마 미소를 띤 금주.
음식 넘어가는 소리가 스테레오로 들린다.

금주 (그 소리 느끼듯 들으며) 자식 목구멍에 음식 넘어가는 소리를 따블로 들으니 황홀하구나.

S#36 메인 게르 안 /D

앞 씬의 식사와 대조되는 식사 풍경.
코코가 몽골 요리 허르헉을 내놓는다.
(*몽골 전통 음식으로 동물의 가죽 안에 고기와 달궈진 돌을 넣고 익혀 먹는 요리)

남순 와 허르헉이잖아. 오늘 무슨 날이야?
졸자야 오늘 양을 다 팔았어. 오늘이 너 몽골에서의 마지막 날이야!

남순 (그런 졸자야 보는 데서)

S#37 동 게르 밖/D

섭섭해진 남순이 빠빠가 있는 곳으로 간다.
그런데 빠빠의 상태가 심상치 않다. 빠빠가 가쁜 숨소리를 내고 있다.

남순 빠빠…. (쓰러져 누워 있는 빠빠의 얼굴을 쓰다듬는다)

그런 빠빠의 곁에서 떠나지 못하는 남순. 그 옆을 지킨다.
코코가 게르 밖으로 나왔다가 그런 남순을 본다.

코코 (슬픈 표정으로) 빠빠와 이별할 때가 된 거야.
네가 한국으로 갈 때까지 빠빠는 기다린 거야.
남순 … 빠빠…. (눈시울 붉어진)

이런 남순의 마음과 달리 빠빠의 눈이 서서히 감긴다.

남순 빠빠… 빠빠…. (절규한다)

빠빠의 숨이 멈췄다. 빠빠를 흔들어 보지만 목에 걸린 방울만이 울린다. 빠빠를 안고 오열하는 남순의 모습에서.

S#38 몽골의 대평원 /E

영화 '포카혼타스' 주제곡인 <Colors of the Wind> 느낌의 음악 (ON)

강렬한 모래바람 위에 우뚝 서 있는 남순의 긴 머리카락이 바람에 흩날리며.

자신을 강인하게 길러 준 몽골의 대륙에서 혼자만의 이별 의식을 치루고 있다.

남순의 눈빛 뜨거워진다. 대륙의 한복판에서 그렇게 멋지게 서 있는 남순.

곧 다가올 자신의 운명, 세상의 악을 타파할 멋진 히어로가 될 거라고는 상상도 못한 채 눈빛이 뜨거워지면서 결심한 듯 빠빠의 목에 걸고 있던 목방울을 저 멀리 던진다. 남순의 힘은 가히 측정 불가. 저 하늘 멀리 끝없이 날아간다.

S#39 한국의 강한 지구대 옥상 /E

대한민국의 하늘에 무언가가 날아온다. 별똥별 마냥 반짝인다.
그리고 그 정체불명의 물건이 날아와 '딸랑~!' 소리를 내면서
누군가의 뒤통수를 친다. 강희식이다.

희식 (뒤통수를 만지며) 아야.

그리고 땅에 떨어진 방울을 줍는다. '이게 뭐지?' 쳐다본다. 빼빼의 방울이다.
어디서 날아왔나 주변을 살펴보는 희식. 한강에 위치한 지구대라 날아올 데가 없는데 이상하다. 방울을 묘하게 바라보는 희식의 표정에서!

S#40 남순의 게르 안 /D

짐을 싸고 있는 남순. 그런 남순에게 오는 졸자야와 코코.
졸자야, 돈뭉치를 툭 하고 내려놓으며.

졸자야 여기서 우리가 변함없이 응원하고 있을 테니까.
힘들면 언제든 돌아와.
남순 엄마…. (눈시울 붉어진다)
졸자야 이게 친 엄마를 찾는 데 큰 도움이 될 거야.

졸자야가 천에 쌓여진 묵직한 무언가를 남순에게 건넨다.
남순, 그 물건을 빤히 본다. 그것이 무엇인지 보이지는 않는다.

S#41 강남의 거리 /D

화자를 데리고 강남의 거리를 기세등등 활보하는 금주.

S#42 토탈 뷰티샵 /D

화자의 헤어를 바꿔 주는 미용사와 얼굴을 꾸며 주는 메이크업 아티스트.
그리고 네일 관리도 받고 있다. 마사지까지.

S#43 어느 백화점 안 /D

화자를 위해 화자용 화장품, 옷, 구두 등 폭풍 쇼핑을 하는 금주.
그들 뒤로 쇼핑 헬퍼 5명이 쇼핑백을 들고 수행 중이다.

S#44 백화점 밖 /D

촌스런 연변 처녀에서 완전 강남 미인으로 변신한 화자의 모습.
그런 화자를 흐뭇하게 바라보는 금주.

금주 가자… 이제 네 맘대로 살아! 다 네 거니까!

화자 (세상을 씹어 먹겠다는 야망의 눈빛에서)

S#45 골드블루 전당포 /E

남길이 손님과 실랑이를 하고 있다.

손님은 중년의 여인이다. 초췌하고 빛바랜 모습의 여인(이하 박 사장).

간절해 보이는 손에는 어떤 서류 봉투를 가지고 있다.

박 사장　한 번만 더… 빌려주세요.

남길　더 이상은 안 돼요. 도대체 일주일 사이 몇 번이나 오신 거예요? 기존에 빌린 돈 갚기 전엔 안 됩니다.

그때 마침 전당포에 들어온 금주. 박 사장은 금주를 보자 금주를 붙잡는다.

박 사장　황 대표님!!

금주　박 사장님….

박 사장　나… 천만 원만 빌려줘.
(떨리는 손으로) 실내포차 권리장 내놓을게.

금주　가게까지 내놓으면 어떻게 살려고요? 무슨 일이에요?

박 사장　(말 못하는) …

금주　(박 사장 의미심장하게 보며 남길에게) 드려.

남길　사장님, 이분 한 달 사이에 집안 살림이란 살림은 다 내놓으셨어요.

금주　그러니까 드려.

남길은 박 사장에게 현금을 그 자리에서 내놓고 박 사장은 떨리는 손으로 가게 권리장을 내놓는다. 그리고 미친 사람처럼 현금을 부랴부랴 챙겨서 나간다.
그 모습을 주의 깊게 보는 금주.

봉고(소리) 전당포의 시작은 돈을 벌기 위해서였어. 근데 차차 그 목적이 변해 갔어.

S#46 강한 지구대 앞 /E

급하게 출동하는 강한 지구대 사람들. 그리고 희식도 보인다.
희식은 다른 차에 올라탄다. 그리고 경찰 셔츠를 벗어서 옆 좌석에 둔다.
흰 티를 입은 희식(언더커버). 그렇게 출동하는 두 차량.
(평소에는 민원 업무로 위장하며 일하는 듀얼 지구대)

S#47 금주의 차고 /N

금주, 손에 가죽 장갑을 끼고 가죽 슈트를 입고 오토바이를 타고 어디론가 향한다.

S#48 인적 없는 도로 /N

떨리는 손으로 차를 타고 가는 박 사장.
그 박 사장 차 옆에 따라붙는 검은색 차량.
그 차량을 확인한 박 사장 차 창문을 내린다.
그러자 옆의 차도 창문이 내려진다. 두 명의 남자가 타고 있다.
박 사장, 그 차로 현금더미를 던진다. 돈을 확인한 남자.
그리고 박 사장의 차로 무언가를 던진다.
보면, 민트 틴케이스인데 그걸 보고 급히 흥분하는 박 사장. 핸들이 흔들리기 시작한다.

S#49 도로 + 희식의 차 안 /N

운전하며 주위를 둘러보는 희식.

희식 여기가 아닌가.

그렇게 계속 가다가 밀접하게 붙어 있는 두 차를 보고서 확신하는 희식.
그리고 속도를 내기 시작한다. 하지만 두 차, 각자 갈길 가며 흩어지기 시작한다.
희식, 어느 차를 따라가야 할지 모른다. 하지만 보면 흰 차가 운전이 불안불안하다.
감이 오는 희식. 그래서 검은 차를 따라가려고 속도를 내기 시작하는데.

그렇게 흰 차를 먼저 추월한다. 하지만… 이렇게 두면 흰 차 곧 사고 날 듯하다.
결국 고민하던 희식, 핸들을 꺾어서 흰 차를 멈춰 세운다.
흰 차가 더 이상 운전하지 못하게 막아 선 희식, 이에 흰 차도 멈춰 선다.
범인을 검거하고 스코어를 올리는 대신 사고를 막는 희식이다.
멀어져 버린 검은 차를 보는 희식의 '젠장' 하는 표정.
희식, 결국 자신의 차에서 내려 흰 차 안에 있는 사람에게 다가간다.
운전석에 있는 박 사장, 상태 좋지 않다. 들숨날숨 하는 박 사장 모습 본 희식.

희식 (이 사람 심상찮다) 일단 좀 내리시죠. (하고는 휴대폰 들어) 차량번호 서울 마 3490 검은색 SUV 차량 검거 요청!

하는 순간 '쒸잉~' 빠르게 달려오는 한 오토바이.
거의 날아가듯 희식의 차를 점프한다. 놀라서 보는 희식.
하지만 오토바이는 빠른 속도로 달려가서 금방 시야에서 흩어진다.
넋 나간 희식의 모습에서.

S#50 다른 일각 /N

금주가 오토바이로 그 문제의 차(검은 차)를 따라잡는다.
하지만 멈추지 않는 차량. 차량 속 남자들, 금주에게 손가락 F**K을 날린다.
결국 금주는 오토바이 운전하던 발로 그 차 사이드를 차 버린다.
오토바이가 밀려야 하는데 오히려 차가 옆으로 쭉 밀린다.
상식을 거스르는 파워를 가진 금주.
금주의 엄청난 힘에 당황하는 사내들. 그리고 검은 차는 옆에 부딪히며 멈춰 선다.
차가 멈춘 걸 보고서 금주도 오토바이를 멈춰 세운다.
그리고 멋지게 헬멧 벗는 금주. 가죽 부츠로 또각또각 이들에게 다가오는 금주.
운전자가 창문 내리고서.

운전자 뭐야 너… 경찰이야?
금주 (씨익) 그럴 리가.

금주의 주먹이 '퍽!!' 그대로 화면 가득해진다.

- 인근 일각 -
검은 차량을 팔로우한 희식의 차, 정차해 있다. 희식 '벙!' 해서 보고 있는.
'퍽! 퍽!' 소리 들리는 위로 그런 금주의 행태를 뻔히 보고 있는 희식.

희식　　뭐야 저 아줌마~

S#51 강한 지구대 (1층) - 마약 수사대 (2층) /N

민원으로 어수선한 1층 지구대 전경이 스케치된다.
(부서진 고물 자전거를 들고 오는 30대, 술에 취해 고성방가 진상 부리는 정장 차림의 40대 남자, 등산복 차림의 60대 아줌마들과 할아버지들이 싸우고 있는 등)
그렇게 1층을 지나 2층으로 카메라 올라가면 철문이 닫혀 있다.
지문 인식으로 문이 열리고 마약 수사대의 비밀 수사 장소가 등장한다.
마약 킹덤 피라미드가 게시판에 붙어 있는 등. 마약 전담 수사반임이 느껴지는 전경.
S#50의 운전자였던 사내와 옆자리에 있던 판매책이 쓰봉에게 조사를 받고 있다.
지문 인식으로 수사대에 들어온 사람은 다름 아닌 희식이다.

팀장　　고생했다. 희식아.
희식　　제가 잡은 게 아니에요. (금주에 대해서 말하려는데)
참마　　(이들에게 급히 오며) 몽골발 11시 비행기에 지게가 탔다는 정보입니다.
<자막: 지게 - 마약 운반책을 칭하는 은어>

팀장　　(시간 확인하고) 시간 얼마 안 남았네. 인천 마수대에 수사 협조 넣어!

참마 네, 바로 할게요.

희식 (팀장 향해) 공항엔 제가 선배님이랑 가겠습니다.

영탁 그러자~ (슬슬 일어난다)

희식과 영탁, 수사대를 다급히 나서는 모습에서.

S#52 몽골 공항 /N

에어 몽(AIR MONG) 비행기가 뻘쭘하게 공항에 떡하니.
남순, 게르 천막을 등에 지고 아무 것도 없이 그렇게 한국으로 가는 몽골 비행기에 몸을 싣는다.

S#53 에어 몽 비행기 안 /N

저가형 비행기다. 몽골스러운 착장의 남순, 자리를 찾아보며 설레는 표정이다. 그리고 자신의 자리를 찾아 앉는데 옆자리에 인상 좋은 중년 여인이 타고 있다.
그리고 이어 기내 방송이 나온다.

기장(F) (영어) 이 비행기는 한국 서울로 향하는 비행기입니다. 한국의 현재 날씨는 섭씨 **도이며, 도착 시간은 밤 10시 45분입니다.
감사합니다. 캡틴 제임스였습니다.

푸근하게 생긴 몽골 남자가 돌아다니며 안전벨트를 매라고 한다. (*이제껏 본적 없는 승무원의 비주얼과 착장이다)
남순, 안전벨트 맨다. 그렇게 비행기가 뜬다.
서비스도 없는 저가 항공.
그런데 옆에 있던 중년 여인이 커다란 가방을 부스럭대며 과자를 꺼낸다.
과자를 먹으며 남순에게도 인심 좋게 건네는 여인. 경계심 없이 받아먹는 남순.

희식(소리) 뭐로 만들어서 반입할지 아무도 몰라요. 심지어 과자일 수도 있어요.
책도 의심해 봐야 돼. 모든 게 다 마약으로 둔갑하니까요.
비누, 빨대, 카트리지, 멀티탭, 연필, 볼펜, 화장품….

카메라 틸트다운 하면 비행기가 싣고 오는 온갖 짐들이 있다.

희식(소리) 몽골에서 들어오는 수하물은 모조리 검사하게 하세요.

S#54 희식의 차 + 도로 /N

희식이 운전하고 영탁이 통화하고 있다. 영탁, 통화를 끝낸.
"검사 시작한대."
빠른 속도로 달리는 희식의 차.

S#55 금주의 집 - 주차장/N

프라이빗 차고 문이 열리면 고급 세단이 종류별로 주차되어 있다.
오토바이를 세우고 헬멧을 벗는 금주. 장갑을 벗고는 헝클어진 머리를 털어 버린다.
그렇게 주차장을 나서는 금주의 멋진 뒷모습에서.

S#56 어느 메이저 비행기 안 /N

퍼스트 클래스에 앉아 있는 반듯하고 정갈한 엘리트, 류시오의 모습.
승무원이 다가와 류시오에게 와인을 따라 준다.

승무원 안전하게 모실 테니 편안한 비행 되세요.
류시오 안전한 게 좋은가? 난 빠른 게 좋던데?

당황하는 승무원과 농담이라는 식으로 웃어 보이는 류시오.
하지만 눈빛은 왠지 모르게 차갑다.

S#57 공항 세관 감시과 /N

공항에 도착한 희식과 영탁. 인천 마수대가 이미 도착해 있다.
희식과 인천 마수대, 서로 경례 주고받는다.
마약 탐지견들을 데리고 들어오는 세관 경찰 팀.

인수대 인천 마수대 이 경위입니다. 어라이빙 타임 5분 전입니다.

공항용 무전 받아 착용하는 희식.
살벌한 분위기 속에서 몽골발 비행기가 도착하기만 기다리는 사람들.

무전(소리) 관제 팀입니다. (다급한)
10시 45분 도착 에어 몽에 이상 신호 발생!
착륙 직전인데 속도를 줄이지 않고 있습니다.

희식 !!!

희식, 바깥 창문을 쳐다본다. 날아오는 에어 몽 기체 보인다.

S#58 인천 창공 /N

창공을 불안하게 날고 있는 에어 몽 비행기.

S#59 동 비행기 조종실 /N

기체의 흔들림이 심해지자 불안해서 식은땀이 나는 백인 기장.
계기판을 확인하면서 불안이 고조되는 기장.
그런 기장을 보는 불안한 부기장(몽골인).
두 사람 절망적인 눈빛이 교차된다.

기장 (영어) 스포일러가 고장 난 거 같아.

S#60 비행기 객실 /N

기체에 문제가 생긴 지도 모르고 아기처럼 잠들어 있는 남순.

S#61 동 집 - 남순의 방 /N

남순이 5살 때 찍은 사진을 이글거리는 야망의 눈빛으로 보고 있는 화자.
문이 열리고 금주가 들어온다.

금주 남순아… 오늘 피곤했을 텐데 일찍 자.
화자 아닙다. 이 사진이 저란 말입까?
금주 응.
화자 제 어릴 때가 분명합다.
금주 그래? 너 어릴 때 사진 있어?

화자 지금은 다 없어졌지 말입다. 머릿속에만 남아 있지 말입다.

금주 너 운전면허 없지? 면허부터 따자. 차 사 줄게… 네가 원하는 거 다 해 줄 거야, 이 엄마가. 일단 자. (하고, 나가려는데)

화자 근데 저는 어릴 때 힘이 얼마나 셌슴까?

금주 (미소) 우리 집안 여자들은 500년 넘게 특별한 힘을 가지고 태어났는데… 그중 남순이는 가장 특별했어.

화자 !!

금주 아마 넌 네가 얼마나 힘이 강한지 모르고 있을지도 몰라.

화자 (동공 지진이 일어나며) 대체… 얼마나 세단 말임까?

금주 (그런 화자 보는 표정) 다섯 살 때 차를 뒤집었지.

화자 !!!

금주 하지만 그게 다가 아니야!!

S#62 동 비행기 안 /N

잠에서 깨어난 남순. 이제 곧 착륙하나 싶은데, 보면 기체가 심하게 흔들리는 중.

기장(F) 저희 비행기는 곧 착륙합니다. 기체 결함으로 몹시 흔들리니 안전벨트를 매고 침착해 주시기 바랍니다.

심한 흔들림. 걷고 있던 승무원 넘어진다. 사람들, 동요하기 시작한다.

[인서트1] 활주로
동 비행기가 공항에 착륙한다.

[인서트2] 조종실
기장, 브레이크에 해당되는 버튼을 내리고 작동시켜도 비행기가 멈추지 않는다.
식은땀을 흘리고 눈알이 터질 듯 충혈 되는 기장과 부기장.

기내의 승무원들은 이제 사태를 직감하고 동요와 소요가 커진다.
울기 시작하는 여자들, 아이들 그리고 짐 가방을 소중히 끌어안는 중년 여인.
비행기가 멈추지 않는다. 요란한 비상벨이 울리고.

[인서트3] 멈추지 않고 활주로에 스키드 마크와 소음을 내고 달리는 비행기

모든 사람들이 무서워하는 가운데 혼자 태연한 남순.
그대로 안전벨트 버클을 풀고 자리에서 일어나
흔들리는 비행기 안에서 어디론가 향한다.
남순, 쓰러진 승무원 아저씨를 업고 자신의 자리에 앉힌다.

남순 (몽골어) 내가 문 열고 나가 볼 테니까 안전벨트 꼭 잡고 있어요.
승무원 (남순이 무슨 말 하나 싶지만 일단 살려고 안전벨트 맨다)

남순, 그대로 문을 발로 찬다. 그러자 문이 튕겨져 나간다.
그리고 그대로 비행기 안에서 점프하고 뛰어내린다.

금주(소리) 그냥 힘만 센 게 아니야! 점프와 스피드!!!

S#63 동 활주로 /N

남순이 비행기에서 뛰어내려 그대로 착지해 미친 듯이 달린다.
엄청난 속도다.

[인서트] 남순의 신체 안
남순, 몸속의 피가 미친 듯이 펌프질하고 염기 서열이 '휙휙' 바뀌면서 몸의 변화를 일으키는 CG.

남순, 비행기 밑으로 들어가 비행기 바퀴를 손으로 잡는다. 비행기의 속도가 느려진다.
남순의 힘이 빠지고 고통이 몰려온다.
'아아아아!' 사력을 다해 비행기를 세우는 남순.

[인서트] 남순의 심장이 과하게 펌핑하는 CG

S#64 3 제너레이션 /N

- 활주로 -

남순이 엄청난 힘을 쓰는 순간.

남들 눈에 보이지 않는 오라가 열기처럼 넘실거리기 시작한다.

그리고 초인적인 힘을 쓰는 남순.

- 화자의 방 -

동 시간에 금주의 세포가 꿈틀꿈틀 움직이며 똑같이 그 오라가 나온다.

- 중간의 침실 -

중간이 심장을 움켜쥐고 고통스럽게 잠에서 깬다.

같은 집안 같은 기운을 가진 세 모녀가 동기 감응을 한 것이다. 그래서 먼 거리에서도 기운이 통하는 이들.

S#65 게이트 연결 통로 /N

희식, 혹시 모를 테러 사건을 막기 위해 게이트 통로를 달려가며 비행기를 실시간 확인하고 있다. 그러다 급격하게 속도가 느려지며 휘청거리는 비행기를 보며 걸음을 멈추고.

희식 (뭔가 이상한 듯) 지금 저 비행기… 누가 뒤에서 잡아당기고 있는 것 같지 않아요?

영탁 (믿을 수 없다는 듯) 그러게.

- 활주로 -

정말로 비행기를 뒤에서 엄청난 힘으로 잡아당겨 멈추게 한 남순.

S#66 공항 내 셔틀 버스 안 /N

이제껏 에어 몽의 불안한 상황을 보고 있던 사람들.
그 비행기를 피해 속도를 내고 달리는 셔틀 버스. 그 안에 류시오가 타고 있다.
하지만 몽골 비행기가 엄청난 파열음과 함께 멈춰지자
셔틀 버스도 놀란 듯 운전자가 브레이크를 밟고 멈춘다.
안에 타고 있던 사람들 누가 먼저랄 것도 없이 무질서하게 버스에서 내린다.

S#67 동 비행기 안 /N

비행기가 멈추자 승객들 일제히 내린다.

S#68 동 활주로 /N

내리는 승객들의 모습을 본 셔틀 버스 승객들. 일제히 박수 치며 안도의 환호를 하고.

그때 그들 사이에서 비행기 쪽으로 걸어가던 류시오. 뭔가를 발견하고 멈춰 선다.
어수선하고 너무나 많은 사람들이 보이는 가운데 류시오의 눈에 들어오는 여인.
바퀴에서 손 떼고 빠져 나오는 남순이다.
남순, 비행기에서 떨어져 나와 걷고 있다.
그런 남순의 뒷모습을 흥미롭게 보며 싸한 미소 짓고 있는 류시오.
힘들었는지 얼굴에 흐른 땀을 손으로 닦아 내며 걷고 있는 남순.

S#69 엔딩/N

- 그 경이로운 광경을 목격하고 놀란 희식.
- 기분이 이상해서 방 밖으로 나가 날뛰던 심장을 부여잡는 금주.
- 남순, 사람들을 벗어나 걷고 있다.

그런 남순의 멋진 모습이 파워풀한 음악과 함께.

<1화 엔딩>

제2화

강남순, 강남에 오다

(Arriving at Gang-Nam)

S#1 활주로 (1화 엔딩시퀀스에서) /N

남순이 엄청나게 큰 힘을 쓰고 나서 숨을 크게 들이마시고 있다. 그러자 빠르게 뛰던 남순의 심장이 점점 안정을 찾아가고 오라도 사라져 간다.

S#2 화자의 방문 앞 /N

남순의 호흡을 따라 숨을 쉬고 있는 금주.
안정을 찾아가며, 가슴을 부여잡고 있던 손을 뗀다.
그때 중간이 들숨날숨 하며 2층에서 내려와 금주에게 다가온다.

중간 뭐야? 너 힘… 썼냐?
금주 (고개를 젓는다) 아니….
중간 (방문을 가리키며) 그럼… 화자가?

금주 (고개를 젓는다. 뭔가 의심스럽다) 아닌데….

중간 … (뭘까, 금주 보는)

금주 … (이상해, 중간 보는)

S#3 인천 공항 화물 검색대 /N

제복 차림의 주무관들이 매의 눈으로 화물칸에 있는 짐들을 엑스레이 판독 중이다.
이상한 물건이 영상에 발견되면 멈추고는 트렁크에 태그를 붙이는 주무관들.
남순의 거대한 트렁크가 엑스레이 판독이 되고 그 트렁크에도 태그가 붙는다.

S#4 공항 수하물 집하장 /N

멈춰져 있는 컨베이어 벨트에 마약 수색견들이 줄지어진 수하물의 냄새를 하나하나 맡으며 마약물을 탐지하고 있다.
조사과 수사관들과, 희식과 영탁이 에어 몽 화물칸에 도착한 모든 수하물들을 샅샅이 체크한다.
컨베이어 벨트가 돌아가기 시작하고 다음 심사인 엑스레이를 통과하는 캐리어들.
엑스레이 화면을 모니터링 하는 세관 팀 직원 2명.

승객 모두가 수하물 검사를 받기 위해 줄 서 있다.
남순 포함 중년 여인과 고상해 보이는 부부도 보인다.
그리고 엑스레이 화면에 잡힌 하얗고 실처럼 얽힌 무언가.
그 고상해 보이는 부부에게 다가가는 영탁.
부부, 침착하게 짐을 열어 보면 천장이 넘는 마스크가 번들로 묶여 있다.
검사하던 인천 마약수사팀 경위와 영탁, 의심 없이 통과시킨다.

희식 잠깐!

희식, 다가가서 마스크를 찢고 털어 보는데 가루 하나 날리지 않는다.
고상한 여자, 전혀 당황하지 않는다.

여자 (여유 있게) 구호 물품입니다. 전 간호사고요.
희식 (알았다는 듯 통과시킨다) 확인 작업입니다.

(시간 경과)
그러다 남순의 몽골 배낭이 지나가고 엑스레이 찍히는데, 희식이 그 엑스레이 화면을 보며 놀란다.
희식이 남순 앞으로 다가가고 남순은 그런 희식을 똑바로 쳐다본다. 긴장감 있는 가운데.

희식 가방 열어 주세요. 마약 수사 중입니다.

남순　　(가방 열어 보여 주며) 나 마약 안 해. 그런 거 안 해도 난 매일 행복한데?

희식, 남순의 짐들 중 스티커 잔뜩 붙은 콜렉트 북 꺼내 보는데, 섹시한 남정네들 사진이 가득하다. 누가 봐도 소나무 취향인. 마르고 청초한데 섹시한 콘셉트의 묘한 사진들이다.

남순　　봐~ 마약 같은 거 안 해도 행복하댔지?
희식　　압수입니다.
남순　　압수? 뺏는다고? 내걸 왜 뺏어가?
희식　　(책을 덮으며) 요즘은 마약을 책으로도 만들어서.

희식, 그 콜렉트 북을 수색견이 냄새 맡게 하고.
별 이상 없다. 통과.
결국 남순에게 건네는, 다음 짐을 뒤지다 보면 털과 이상하게 생긴 모양의 뼈가 보관된 박스다.
딱 봐도 마약 덩어리 같기만 하고. 박스 열어 보고 당황하는 희식. 의심 가득해 그 물건들과 남순을 교대로 본다.

희식　　이게 뭡니까?
남순　　머르니 델.
희식　　(뭐래) ?
남순　　말 갈기털!! (하고, 자신의 머리카락 잡아 올려 보여 주는)
　　　　그리고 그건 아르가이야. 우리 빠빠 복사뼈.

희식 갈기털이랑 뼈를 왜 가지고 들어와요?

남순 우리 빠빠의 영혼을 간직하려고. 몽골 전통이야.

희식 몽골 사람이에요?

남순 강남 사람이야. 몽골에서 자랐지만.

희식 (의심스러움이 계속되는데) 한국 사람이면 한국 사람이지 강남 사람은 뭡니까. 진짜 한국 사람 맞아요?

남순 맞다니까!

희식 ('벙!' 하다) 아무튼 이것들 다 압수예요!

남순 뭐? 마약 아니라니까!

희식 그건 우리가 판단할 일이고!

남순 (짜증나는데)

희식, 이번에는 둘둘 쌓여진 천을 풀어 보려 한다. 들어 보니 꽤 묵직하다. 남순은 거듭된 압수에 골이 잔뜩 나 있는데.

남순 소중한 물건이니 조심히 다뤄.

희식, 아무래도 남순의 행동과 말이 다 의심스럽고 이상한데, 일단 남순의 부탁대로 조심스레 풀어본다.
보면, 반짝이는 황금 요술봉이 나온다. 당황하는 희식과 영탁.

희식 이건 대체 뭡니까?

남순 네 눈엔 이것도 마약으로 보이니?

희식 (그 말투 기분 한번 나쁘고)

영탁 이거… 무거운데… 뭐야 도금인가?

남순 그거 나한테 너무 중요한 거야.

희식 이것도 조사하겠습니다.

남순 이봐, 경찰~ (뭔가 말하려는데)

희식 과학 수사대에 맡길 생각입니다. 이 안에 뭐가 숨겨져 있을지 모르는 거니까. 조사하고 돌려드리겠습니다.

희식이 남순의 요술봉을 가져가려는데, 남순이 요술봉을 딱 잡는다.
희식, 아랑곳 않고 요술봉 뺏어 가려는데 꼼짝도 않는다.
놀라는 희식. 그리고 힘 빼지 않는 남순.

남순 이건 안 돼! 나 이게 있어야 엄마를 찾는다고!

희식 … 엄마… ?

남순 (눈시울) 우리 엄마 찾아야 된다고!

희식 엄마… 잃어버렸어요?

남순 (감정이 연결돼 그렇게 희식을 노려보는)

희식 (남순과 깊게 시선 나누며) 나 경찰이야.

남순 (보는)

희식 당신 엄마… 내가 찾아 줄게!

남순, 그런 희식의 눈빛에 신뢰가 생긴다. 남순, 그제야 손을 놓는다.

남순 알았어… 약속 지켜.

희식 지킬게.

남순 (가려다) 너 이름이 뭐야?

희식 강희식!

남순 그 이름 가슴에 새길게. (손으로 가슴에 '탁' 꽂는 시늉하며)

희식과 남순, 서로를 쳐다보는 눈빛.

S#5 강남 번화가 + 압구정 로데오 거리 /N

남순, 엄청 큰 몽골식 자루 같은 배낭을 메고 트렁크 끌고 강남을 가로질러 걷고 있다. 남순의 시선으로 보이는 강남의 화려한 밤거리 전경.
화려함에 놀라야 정상인데 별로 신경 쓰지 않는 남순.

남순 아 강남 냄새!

남순, K-스타로드에 다다르자 보이는 자이언트 테디베어 조형물을 귀엽다는 듯 보는 남순.
거대한 테디베어 조형물을 하나하나 보다 제일 맘에 드는 조형물 앞에 떡하니 서서는.

남순 (할머니처럼) 으휴 귀여워. 확 깨물어 버릴까 부다.

걷다 보면 보이는 K-Star Road 비석들.
거기 석상을 의미심장하게 노려보다 그대로 손바닥을 딱 찍는다.

남순　내가 왔어! 오래 기다렸지? (귀엽게) 잘해 보자~~~

하고, 뱅글뱅글 행복하게 돌고 있다. 한참을 그렇게 돈다.
팔을 뻗고 '룰룰랄라' 돌아서 걷기 시작하는 남순의 몽골스러운 착장과 칭기즈 칸의 드높은 기상과 하이텐션의 남순.
그런 남순이 멀어지며 보이는 돌비석에 찍힌 남순의 선명한 손바닥.
할리우드 스타로드처럼 찍힌 남순의 손바닥 모양 위로.

Title In "강남순, 강남에 오다 (Arriving at Gang-Nam)"

카메라 그렇게 점점 확장되면 보이는 강남 한복판에 있는 전광판.
에어 몽 비행기 사고 속보 장면이 뉴스로 뜬다.

<자막: 에어 몽 404 기체 결함으로 비상 착륙 충돌 가까스로 피해>
밑으로 에어 몽의 그 승무원이 흥분이 극에 달해 당시 상황을 인터뷰하고 있다.
물론 몽골어로.

승무원　승객은 모두 무사해요. 근데 (윽윽윽) 한 여성분이 문을 발로 차고 탈출했어요. (울다가 뚝) 못 믿는거죠 내 말? 정말 문을 부수고 탈출했다고요. 진짜 진짜 진짜… 그 여자를 찾아서 물어봐요.

억울함 가득해 절규하는 승무원의 표정 위로.

S#6　강남 어느 가정집 (에어 디앤디) /N

만족스럽고 기대에 찬 남순의 표정.
남순, 5만 원권 지폐 150만 원을 건넨다. 받아 드는 친절하게 생긴 30대 여자.
식탁에 마주 앉은 두 사람, 그 여자 남순에게 차를 건넨다. 차를 마시는 남순.

그 여자　이렇게 한강 다 보이는 집 구하기 쉽지 않은데 운 좋으신 거예요. 언니네 부부가 교환 교수로 미국에 가 있어서 일 년 후에나 와요. 세 달 지나서 더 계시고 싶으면 더 있어도 돼요.
남순　(방실방실) 아니. 세 달이면 충분해. 그 안에 엄마 아빠 꼭 찾을 거야.
그 여자　근데 내가 그 쪽보다 언닌데… 반말하시네요.
남순　한국말 공부를 10년 동안 그렇게 해서 못 고쳐.
그 여자　(끄덕) 네. 그럼… 저는 이만 가 볼게요. 궁금한 거 있음 전화하세요.
남순　응.
그 여자　(나가고)

남순 (만족) 한국 사람들 너무 친절해.

그런 남순의 뿌듯한 표정 위로.

[인서트] 공항 (플래시백 동 회차 S#4)

희식 나 경찰이야. 당신 엄마… 내가! 찾아 줄게.

남순, 왠지 뿌듯하다. 뭔가 듬직하고.

남순 (혼잣말로) 그래 믿어 보께.

S#7 금주의 저택 내 금주의 공간 /N

금주의 이너클로짓에 드라이클리닝한 옷들을 넣어 두는 정 비서. 금주의 가죽 부츠와 가죽 의상이 마치 배트맨 의상처럼 세팅되어 벽장 내 이너클로짓에 숨겨진다. 정 비서가 마무리하고 금주에게 다가온다.
금주, 고민에 찬 얼굴을 살펴본다.

금주 화자 좀 따라다녀 봐. 걔가 우리 남순이가 아닐 수도 있어.
정 비서 갑자기 왜…?
금주 우리 집안 여자들은… 동기 감응을 해.

누군가 엄청난 힘을 쓰면… 같이 반응을 하거든.
근데… 그날 화자는 힘을 쓰지 않았어.

정 비서 네. 무슨 말씀인지 알겠습니다. (나가는)

S#8 동 집 - 루프탑 /N

남순, 루프탑에서 서울의 야경을 보면서 흐뭇한 미소를 짓는다.
남순의 첫 시선에서 보이는 어둠 속에서 빛나는 불야성 서울 전경.
그렇게 카메라 다시 남순의 얼굴에 서서히 Z.I 하면서 남순의 눈동자로 C.U 하면 남순의 동공이 동물적으로 커지면서 - 서울의 야경은 이전과 다른 뷰로 펼쳐진다. (*남순의 엄청난 시력을 표현하는)
마치 망원경으로 보는 듯한 선명함, 그리고 어두웠던 배경도 라이트업이 되고.
잘 보이지 않았던 모든 마천루와 남산 타워들이 선명하고
한강이 푸르고 멋지게 남순의 시야에 펼쳐진다.

남순 한강, 좋아!!! 아주 좋아!!!! (미소 짓는)
(외치는) 엄마! 내가 엄마 꼭 찾을게!! 아무리 땅이 크고 넓어도
난 다~~~ 할 수 있어!!보고 싶어 엄마~~~~ 아빠~~~

남순, 패기와 기대가 가득찬 표정으로 서울을 바라보다 시선 떼고 루프탑을 벗어나자 다시 원상 복귀하는 서울 야경. 남산 타워

도 한강도 어둠속에서 그리고 원거리 속에서 저만치 사라진다.
알고 보면 한강은 아주 코딱지만 하게 보인다.

S#9 서울 전경 (타임랩스 - 밤~낮)

카메라 화면 빠르게 밤에서 아침으로 바뀌는 걸 보여 주며
다시 한강을 거슬러 오르며 강한 지구대로.

S#10 강남 한강(강한) 지구대 내 마수대 (다음 날 아침) /D

마약반 팀원들, 참마(진 형사)와 팀장이 있다.
참마가 박 사장의 마약 구매 네트워크를 브리핑하고 있다.
마약 거래 코인믹싱 흐름도가 파워포인트에 걸려 있다.

참마 코인믹싱! 도저히 못 찾게 해 놓은 거예요. 마약 판매상이 일회용 지갑인 A 주소를 받아서 이걸 구매자에게 넘기면서 마약 대금 1비트코인을 입금하라고 요구하면 구매자는 1비트코인을 구입해 해당 주소에 입금해요. 여기서 코인믹싱이 시작되는 거죠.
1비트코인은 쪼개져서 B, C, D, E, F 주소의 다른 지갑들로 이동해요.
다시 쪼개져서… 이렇게 G, H, I, J, K로 입금되는 거죠.

듣고 있던 팀장, 피곤한 듯한 얼굴이다. 이때 영탁이 들어온다.

팀장　　검사 결과 언제 나온대?
영탁　　지금 희식이가 국과수 가서 결과 기다리고 있어요.

S#11 국과수 법과학부 /D

법과학부라고 적힌 팻말이 보인다.
희식이와 법과학자로 보이는 남자가 (고글과 연구용 장갑을 낀) 희식과 남순에게서 압수한 물건들을 앞에 두고는.

법과학자　　(남순의 옆자리 중년 여자 과자 보여 주며) 소맥분 90프로 찐 과자!
(하나 씹어 먹기까지)
(머르니 델 보여주며 - C.U) 이건 말 갈기털이야.
그리고 이건 (아르가이 집어 들며) 이건 말 복사뼈고.
희식　　(황당하다)
법과학자　　그리고 이건 (남순의 요술봉을 힘겹게 들면서) 24K야 순금!
희식　　?? 순금?
법과학자　　여기 박힌 건 다이아몬드고…. (번쩍번쩍)
희식　　(어이없고 놀라서) 다이아요?

하는데, 울리는 희식의 폰. 희식, 전화 받는.

희식　　(법과학자에게 양해 구하고) 여보세요?

영탁(소리)　　희식아 어제 그 여자분 신원 알아냈어. 그 가죽 부츠 말이야!

희식　　그래요?

영탁(소리)　　정말 대단한 사람이던데? 강남의 해결사! 엄청난 자산가야. 자료 보내 줄게.

희식　　(표정)

S#12　희식의 차 안 /D

운전석에 올라타는 희식, 영탁이 보낸 파일을 휴대폰 통해 확인하고 있다.
스크롤하자 금주의 사진과 정보가 쏟아져 나온다.
그리고 보이는 인터넷 신문 기사.
<골드블루 황금주 대표 20년 전에 잃어버린 자신의 딸을 찾다!>

남순(소리)　　우리 엄마 찾아야 된다고!

희식의 의식의 흐름은 자연스레 조수석에 올려져 있는 남순에게서 압수해 증거물 보관 백에 담긴 요술봉에 시선을 두게 만든다. 줌 인 되는 요술봉.

희식　　(어이없다) 황금 요술봉… 뭐 하는 여자야?

S#13 박 사장 집 - 일각 (교차) /D

마약 금단 현상으로 폐인이 된 박 사장의 모습.
박 사장 이미 제정신이 아니고 심각한 환각 상태다.
식탁에 놓인 휴대폰이 울린다. <황금주 대표> 뜨지만 멀뚱히 보고만 있다.
심한 갈증을 느끼는 박 사장, 입술이 바짝 탄다. 그렇게 욕실로 들어가는데.

CUT TO
옷 입은 채 샤워기 틀어 놓고 샤워기 물을 그대로 꿀꺽꿀꺽 마시는 박 사장.

[인서트] 금주의 차 안 - 박 사장 집 인근 /D
금주, 심각한 표정으로 전화 거는 중, 휴대폰 화면 <박 사장>
금주, 아무리 전화해도 받지 않는 박 사장. 결국 음성 메시지 남긴다.

금주 박 사장, 나예요. 걱정하지 말아요. 내가 도와줄 테니까.
내일 경찰에 출두할 때 있는 그대로 정직하게 얘기해요.
지금 경찰이 박 사장 집 밖에서 잠복 중이에요. 아무도 박 사장 해코지하지 않을 겁니다. 박 사장, 재활 받으면 다시 건강해질 수 있어요.
나 믿고 따라와 줘요. (메시지 남기고 전화 끊는)

- 다시 박 사장 집 거실 -

박 사장, 그냥 정신 나간 사람처럼 발코니 쪽으로 걷고 있다.

박 사장의 환청과 환각 - 신경을 거스르는 고주파 음들이 귀를 어지럽히고 현란한 색채감의 네온들이 눈을 어지럽힌다.

발코니 창 앞에 선 박 사장 8층 높이의 밑을 바라보니 너무나 아름다운 해변이 펼쳐져 있다. 박 사장, 희열에 차 웃는다. 박 사장, 다이빙을 해야겠다.

문을 열어 제치고 온 힘을 다해 발코니 위로 올라가서 그대로 떨어진다.

- 느린 화면 / 박 사장의 환각 -

수영복 차림의 박 사장이 해변으로 아름답게 다이빙한다.

S#14 반응 몽타주 /D

- 동 아파트 소방도로, '쿵' 소리와 함께 박 사장이 그대로 바닥에 떨어진다.
  온몸이 물에 젖은 박 사장의 몸이 피로 얼룩지면서.
- 잠복 수사하던 쓰봉. 그대로 밖으로 뛰쳐나간다.
- 금주의 차 안, 멀리 보이는 사건 상황에 얼굴이 허예지는 금주

S#15 마수대 전경 /D

소식을 전해 들은 마수대의 우울한 표정들.

영탁 자살 아니에요. 환각 상태에서 뛰어내린 거지.
그때 구속 수사했으면 그렇게 죽지는 않았을 건데….

팀장 라인을 잡으려면 어쩔 수 없었어!
하… 윗대가리들이 안 잡히면… 이 사태는 안 끝나!
희식이는 아직이야??

영탁 근데 마약 검출 안 됐대요. 아니랍니다.

팀장 그럼 그 정보는 뭐야? 하아… 진짜… 분명히 있댔는데….

S#16 골드블루 내 대표 이사실 /D

강남의 배트우먼으로 살고 있는 금주. 올 블랙 콘셉트로 골드블루에 출근한다.

남길 박 사장 사망 소식 들으셨죠 대표님?

금주 (비통한) 그분 물건 곱게 유족에게 돌려드려.

남길 (놀라서) 그걸 다요?

금주 응.

남길 네. 근데… 따님도 찾았는데 가죽 부츠 일 계속 하실 겁니까?

금주 해야 돼!

남길 ?

금주 이럴 수는 없는 거야. 더 이상 한국은 마약 청정국이 아니야.

특히 강남은 마약 지옥이 돼 버렸어. 지켜야 돼 강남을… 범죄로부터.
내 돈 어디다 써? 1년에 내는 세금만 4천억이 넘는데 내가 낸 세금을 제대로 쓰는지도 잘 모르겠고….
내가 직접 해결할 거야.

남길 그 이유가 전부인가요?

금주 (보면)

남길 늘 궁금했어요. 왜 이렇게 생태계를 솔선수범 휘젓고 다니시는 건지?

금주 시작은 내 딸 남순이 때문이었지. 내가 이렇게 좋은 일을 하면 신이 남순이를 지켜줄 거라고 믿었으니까….
하지만 지금은 내 평생의 사명이 됐어. 내가 이 세상에서 해야 할 일이 많아.

금주의 단호한 눈빛에서.

S#17 강남 한강(강한) 지구대 내 마수대 /D

희식이 다시 마수대로 들어오고, 영탁이는 영양제 먹으며 미모 관리 중. 거울 보는.
"너무 쏘다녀서 얼굴 탔네…."
희식, 책상 위에 올려진 남순에게 압수한 갈기털과 요술봉을 본다.

휴대폰으로 수사 일지 보고는 남순에게 전화를 건다.
신호음이 길어지다 결국 "전화를 받을수 없어…." 음성 안내 나온다.

희식　　빨리 찾고 연락 달라더니 지가 안 받네….
(승객 명단에 적힌 이름을 보고) 한국 이름… (확인하고는) 강남순?

[인서트] (플래시백 2화 S#4)
요술봉을 사이에 두고 남순과 아이 콘택트 진하게 하던 그때.
이때부터 운명적으로 교감을 한 둘.

- 다시 현재 -

희식　　(묘한 느낌에 웃는) 강남순~~

S#18　강남 에어 디앤디 여러 곳 /D

남순, 욕실에서 샤워하고 나와서 머리 털고 있는데 현관 도어 록의 디지털 소리가 들린다. 그리고 문이 열린다. 남순 '뭐지?' 하는 표정으로 현관으로 나가 본다.

- 현관 -
부동산 중개인과 손님이 잠옷 차림의 남순을 보고 눈이 커지고 남순 역시 두 사람을 보고 눈이 커진다. 서로 당황하는 사람들.

중개인　누구세요?

남순　누구야?

중개인　아니 이 집 매매 나온 물건인데?

남순　나 에어 디앤디로 어젯밤부터 세 달 동안 이 집에서 지내기로 한 사람인데?

중개인　??? 뭐라고요? (어이없다는 듯) 있어 봐요. 주인하고 통화 좀 해 볼게요.

남순　(별 의심 없이 편한 얼굴로 그런 중개인 보는 데서)

CUT TO

울상이 된 남순과 그런 남순을 딱하게 보는 중개인.

남순, 자신의 여권 가방에서 여권과 돈, 그리고 휴대폰을 싹 다 도난당한 걸 안다. 남순의 큰 트렁크와 배낭은 남겨 두고 여권 가방을 통째로 가져갔다.

중개인　신고 못하게 휴대폰이랑 여권을 싹 가져갔나 보네.

남순　친절한 사람이었어. 날 속인 거야?

중개인　쯧쯧 사기꾼들 다 친절해. (뭔가 생각해 보더니) 이 집이 매매로 나와서 나랑 인근 부동산은 비밀번호를 알아요. 손님인 척 집 보고 나서 비번 외워 사람 들이고 (세상에) 그랬나 보네.

동반 손님　어머나… 그럴 수 있겠네.

중개인　안 그러고서야 어떻게 이 집 비번을 알아요?

남순 (절망한다)

중개인 아가씨 당했네 당했어. 사기꾼한테.

남순 (기가 막힌) 말도 안 돼.

중개인 사기꾼은 못 잡아요. 시간 낭비 말고 해지기 전에 지낼 곳이나 빨리 찾아봐요. 돈은 있수? (아이구) 말해 뭐해, 싹 다 훔쳐 갔겠지.

남순의 절망하는 표정에서.

S#19 금주의 집 내 지하 웨어하우스 /D

금주의 서재 밑에 위치한 비밀 지하 창고.
엄청난 현금이 숨겨진 금주의 집 웨어하우스다.
누군가 그런 금주의 웨어하우스 비밀 통로를 열고 안으로 들어온다.
다름 아닌 화자다. 엄청난 크기의 금고에 눈이 커지는 순간.

정 비서(V.O) 여기 함부로 들어오시면 안 되는데요.

깜짝 놀라는 화자.

화자 정 비서님은 되는데 딸인 저는 왜 여길 들어오면 안 되는 검까?

정 비서 저 대표님 모신지 10년입니다. 이 방에 들어올 수 있는 유일한 사람이죠.

화자 문이 잠겨 있지 않아서리… 들어와 봤습니다.

정비서 문을 잠글 이유가 없죠. 가족들만 사는 집이고 온통 CCTV인데….

화자 저건… 금고임까?

정비서 네. 회장님만 열 수 있습니다. 지문 인식이라서요.

화자 (야망의 눈빛에서)

정 비서 (그런 화자 보는 데서)

S#20 압구정 토끼굴 /D

남순, 트렁크를 끌고서 한강으로 가는 길.
한강 공원이라고 적힌 푯말을 따라서 '드르륵' 트렁크를 끌며 길을 가는 남순.
그러다 지하 통로 압구정 토끼굴을 지난다. 어지러운 그래피티 낙서들을 지나며.

남순 한국이 나한테 이럴 순 없는 거야. 어떻게 나한테 사기를 쳐.

그렇게 오늘 당한 사기를 구시렁대며 길을 가던 남순.
어두운 토끼굴을 다 지나 빠져 나오자 급 표정이 밝아지는 남순.
빛나는 한강이다! 남순의 메가 시력으로 보이는 한강.
남순, "그래 여기야!!! 한~~강!!!" 하는 남순의 커진 동공에서.

S#21 한강 /D

텐트와 돗자리를 펴고 치킨 맥주를 즐기는 시민들.
그런 시민들을 뚫어져라 보는 남순.

남순 와~ 한국에도 게르가 있어?

주변을 두리번거리는 남순, 좋은 생각이 난 듯하다.

S#22 게르 만들기 몽타주 (S#22 ~ S#24 까지 빠른 편집) /D

남순의 위로 밀레니엄 세대들의 추억의 BGM, 딩동댕 유치원의 만들기 교실 노래가 나온다.
'심심할 때~ 친구가 필요할 때 나는 나는 친구를 만들죠~'
그 위로 게르 만들기에 돌입한 남순의 모습이 빠르게 보인다.

CUT TO
가로수 공사하고 남은 나무받침대, 장작, 돗자리 등을 줍는 남순. 어깨에 산더미다.
지나가던 사람들, 가냘픈 몸매의 남순이 나무를 한 움큼씩 집어가는 걸 흘깃 쳐다보기도 한다.

CUT TO

돗자리가 곱게 깔려 있는 게르 터.

이소룡이 손가락 끝 수련하듯 땅끝에 손가락을 빠르게 '파바바박' 때려 박는 남순.

그러자 딱딱했던 땅에 구멍이 여러 개 뚫린다.

뺑 돌아 동그란 원을 만드는 남순. 구멍에 각목들을 힘주어 꽂아 게르 틀을 만든다.

주변을 두리번거리던 남순, 도시로 나가는 계단 일각에 놓인 광고 게시대가 보인다.

여러 현수막들이 광고처럼 펄럭이면, 인부들이 광고 현수막을 수거 중인데.

S#23 한강 일각 /D

남순, 가지고 온 현수막을 텐트처럼 올리면 보이는 문구들.

<상쾌한 동군영을 되찾으세요 - $$항문외과>

<무진장 큰 스님 초청 법회>

<뚱뚱해진 비둘기 먹이주기는 이제 그만 - 강남구청 공원 녹지과>

<우리는 당신을 영원히 기억합니다 - 스티브잡스 추모기념 사과 원가 세일>

고개 숙이고 들어가야 하는 남순의 게르. 다시 빠져나오는 남순, 이건 아니다 싶다.

주변을 두리번거리다 게르의 주기둥으로 쓰면 좋겠다 싶은 나무를 본다.
힘을 본격적으로 쓰기 전 나무를 살짝 흔들어 보는 남순.
나무를 무 뽑듯이 뿌리째로 뽑아 버린다. '두두두두' 효과음 (E)
나무뿌리를 우지끈 우지끈 정리하고는 게르 중앙으로 가지고 와 냅다 꽂는다.
단단하게 박히는 기둥. 남순, 살짝 떨어져서 한 번 보고는 이제 만족스럽다는 듯한 표정.

S#24 한강 공원 밖 /D

러브하우스 BGM 흐르며.
남순, 밧줄 달린 현수막을 위로 던져 반대편으로 내려오게 한다.
그렇게 현수막으로 지붕을 만드는 남순. 마치 서커스장처럼
알록달록한 현수막 지붕 아래로 보이는 현수막 광고.
<세상의 중심에 우뚝 세워 드립니다. 상남자 비뇨기과>
새롭게 마련된 자신의 거처에 만족해하는 남순의 표정에서.

S#25 봉고 사진관 /D

영탁이가 슈트에 중절모를 가슴에 대고 똥폼 가오 포즈를 취하고 있다.

봉고, 프로정신 발휘해서 사진 찍고 있다.
그때 봉고 사진관으로 들어오는 희식. 영탁을 발견하고 한심하게 지켜보다.

희식 선배는 지금 이 상황에 그런 걸 찍고 싶어요?
봉고 스튜디오 예약 당일 취소는 안 됩니다! 금방 끝내 드릴게요.
영탁 (포즈 놓지 않고 웃는 얼굴로 복화술 하듯)
나 결혼 정보 업체에 보낼 사진이야… 정성을 다 불어넣어야 돼.
희식 그런다고 결혼을 할 수 있을까요?
영탁 뭐 인마? 내 꿈이 현부양부야.
깜빡하고 혼기 놓치면 팀장님 꼴 난다고.

희식, 못마땅하게 그런 영탁 보다가 시선 사진관 쪽으로 돌리면.
남순의 어릴 적 사진이 시선을 사로잡는다.
묘한 시선으로 그 벽에 붙은 사진들을 돌아보는 희식.
한편 바디프로필 찍는 거에 전혀 관심 없고 자극도 안 받고
그저 짜장면 먹으며 유튜브로 먹방 보고 있는 남인이.
남인이가 가리고 있는 남순이 요술봉 들고 있는 사진.
떡대 너머로 뭔가 보려고 하는 희식, 그때 희식의 폰에 울리는 알림. 출동하라는 메시지다. 놀라는 희식.

희식 콜이에요. 옷 입어요 선배.
영탁 (입고 있던 설정 코스튬을 벗기 시작하는)

희식, 급하게 나가려는데 봉고가 그런 희식을 잡는다. 희식, 그런 봉고 보면.

봉고 (할인 쿠폰 건네며) 저희 스튜디오 할인 티켓입니다.
잘생긴 피사체 찍어 보고 싶어서… 꼭 오세요.

희식 (정신없어서 일단 받는) 아… 네….

그리고 빨리 나가보는 희식과 따라 나가는 영탁.
그렇게 손님들이 나간 스튜디오. 남인이 젓가락을 바닥에 떨어뜨려 몸을 숙이자 보이는 남순의 독사진 - 문제의 그 황금 요술봉을 들고 웃고 있는 5살 남순의 사진.
다시 몸을 들어 젓가락 먼지 털어 남은 짜장면 먹는 남인. 사진은 가려지고.

봉고 남인아… 맛있어?

남인 맛있어.

봉고 넌 참 성격이 좋아.

남인 맞아. (먹을 뿐이고)

S#26 동 강한 지구대 1층 /D

남순, 지구대 여자 순경에게 자신의 사기 사건을 진술한다.
사건을 담담히 노트북에 적어 내려가는 여 순경.

여 순경	그러니까 몽골에 있을 때 에어 디앤디로 예약을 하고 오셨단 거죠?
남순	응.
여 순경	루프탑이 있는 방이라고 월 5만 원을 더 줬고요?
남순	응. 선불하면 그걸 깎아 준대서 선불로 줬어.
여 순경	근데 한국말 참 잘하시네요.
남순	한국 사람이니까. 내가 한국말 공부할 때 존댓말을 안 배웠어. 그래서 이러는 거니까 이해해 줘.
여 순경	(웃는) 그럴게요. 일단 그 사람 얼굴은 기억하죠?
남순	응. 기억해.
여 순경	됐습니다. CCTV가 확보됐으니까 용의자 특정되면 연락드릴게요. 근데 휴대폰을 분실해서 연락을 어떻게 드리죠?
남순	그렇네. 우선 경찰 하나를 찾아야 돼.
여 순경	??
남순	내 물건 가져간 경찰이 있다. 공항에서 마약 수사한다고….
여 순경	???
남순	나한테 연락하기로 했거든.
여 순경	그 경찰 이름 아세요?
희식(소리)	강희식!
남순	간이식!
여 순경	네?
남순	간이식!
여 순경	간이식요?
남순	응. 간이식. 이름이 특이해서 도저히 잊을 수가 없어.

여 순경　얼굴 기억해요?

남순　잘생겼어 완전. 하지만 내 스타일이야.

여 순경　(그런 남순 보는)

S#27 한강 /D

로맨틱한 BGM 흐르고.

덥수룩한 수염, 꼬질꼬질한 얼굴의, 그렇지만 젊고 잘생긴 노숙자 지현수. 그리고 만만치 않게 더러운 얼굴과 산발한 머리, 하지만 눈빛은 뭔가 지적인… 오묘한 분위기의 여자 노 선생.

지현수와 노 선생이 손깍지 끼고 한강 데이트 중이다.

그런 지현수와 노 선생 시야에 들어온 남순의 게르.

두 사람, 그런 게르를 보고 발걸음 멈추고 빤히 게르를 본다.

두 사람의 묘한 시선.

S#28 강한 지구대 내 마수대 /D

마수대 형사들 중 팀장과 참마만 있다. 참마는 컴퓨터 작업에 한창인.

팀장　(전화 끊으며) 오늘 부산 세관에서 90kg 밀반입 하다 잡혔대.
베트남 쪽이었나 봐.

참마　　와~ 90kg이면 마약으로 한국 사람 1년 먹여 살릴 양이네요.

팀장　　근데 말이야. 국정원 정보는 뭐야. 몽골에서 지게가 가져오는 게 진짜라고.

참마　　걔들 요새 타율 안 좋아요.

팀장　　그러게… 근데 이것들 잘하고 있나.

S#29 강남 백화점 모유 수유실 인근 /D

희식이 여장(애기 엄마 분장)을 하고 어깨띠에 가짜 아기를 안고 있다.
영탁과 부부 같은 모습이다. 영탁은 손에 애기 딸랑이 들고 딸랑거리더니 뭔가 마음에 들지 않는 듯 미용 가위를 꺼내 희식 앞에 선다.

영탁　　야. 일로 와 봐. (하더니, 희식의 가발 앞머리를 처피뱅으로 싹둑 자른다)

희식　　뭐해요?!!!

영탁　　귀여워졌어. 이래야 신혼부부 같지. 나 동안인 거 몰라? (희식 옆구리에 손 얹고) 자~ 드가자~

희식　　이거 성추행인 거 알죠? 신고할게요.

영탁　　(능치듯 달라붙으며) 뭐. 우리 둘만의 혼인 신고?

희식　　(애 엄마 발견하고는 밀치며) 아오 들어가요… 저기….

초췌한 얼굴의 애기 엄마가 애를 안고 모유 수유실로 들어간다.

희식의 엉덩이 툭 치는 영탁.
희식, '아 진짜….' 화 삭히며 나름대로 조신하게 걸어간다. 하지만 누가 봐도 부자연스러운 걸음걸이.

S#30 모유 수유실 안 /D

그 애기 엄마, 모유 수유실로 들어와 손에 들고 있던 가방에서 뭔가 꺼낸다.
분유가 들어 있는 젖병이다. 그렇게 두고 밖으로 나가는 애기 엄마.
그 젖병 바라보던 희식, 조심스레 애기 엄마 뒤로 가서.

희식 (굵어진 남자 목소리로) 물건 건넨 사람 지금 주차장에 있죠?
애기 엄마 (기겁하며 깜짝 놀라는, 그러다 어쩔 수 없이 고개 끄덕이는)
희식 다음 행선지는 어디에요?
애기 엄마 케이마트 모유 수유실….
희식 주차장으로 갑시다.

희식이 나오면 자연스럽게 그 애기 엄마 뒤따른다.
애기 엄마, 겁에 잔뜩 질려 엘리베이터 타고. 밖에서 지켜보던 영탁도 희식과 함께 엘리베이터에 오른다.

S#31 동 백화점 주차장 /D

쓰봉이 맥스봉 소시지 먹으며 상황을 주시하고 있고 옆자리에는 수갑을 손잡이에 걸쳐 차고 1화에서 금주에게 처맞아 얼굴이 퉁퉁 부어 사람 꼴이 아닌 운전자가 앉아 있다.

운전자 정말 감형해 주는 거죠?

쓰봉 당연하지. 판매책 대가리 잡으면 너 잘하면 상패도 받아.

운전자 아 됐어요. 그딴 건.

쓰봉 근데 넌 약 안 해?

운전자 안 해요. 마약하면 몸 망가지고 인생 끝나는 거 아는데 왜 해요.

쓰봉 (둘러보다 발견하는 애기 엄마) 저 사람이야?

운전자 네.

쓰봉 (매의 눈이 되어 그 여자 동선 살핀다)

쓰봉의 시선에 들어오는 어설픈 분장의 희식.

운전자 비주얼 뭐야… 아 저 형사 너무 허접한데요 분장이?

쓰봉 그러게 예산 부족이야. 연극 팀에서 일하는 분장사를 데려와야 되는데 지구대 여 순경이 화장을 해 줘서 저래.

운전자 우리나라도 미국처럼 경찰에 예산 좀 더 몰아줘야 해요. 저래 가지고 디지털 포렌식이며 과학 수사가 되겠어?

쓰봉 맞아…. (하다가, 운전자 꼴쳐본다)

쓰봉 시선 다시 그 애기 엄마 쪽 두고 차에서 서서히 나온다.
애기 엄마, 어느 차로 간다. 조수석에 타려는 애기 엄마.
운전석에 앉아 있는 사내에게 '들켰다' 눈신호 보내는.
이때 희식이 그 운전자에게 다가온다.
희식, 배시시 웃으며 손에 든 젖병을 흔들어 보여 준다.
그 옆에 웃으며 걸어와 경찰 신분증 보여 주는 쓰봉.
운전자(이하 빡빡이), "씨발." 하며 그대로 운전해 도주한다.
빡빡이의 차가 도주하고 영탁과 쓰봉이 얼른 쓰봉의 차에 올라 탄다.
빡빡이의 차와 쓰봉의 차 추격전이 주차장에서 벌어지고.
결국 쓰봉의 차를 따돌리고 빡빡이의 차는 출구를 빠져나가는데.
출구를 턱 하니 막고 역진입해 들어오는 희식의 차.
빡빡이 어이없는 표정으로 "야 이 씨발 뭐야… 차 안 빼?"
분노하는데 희식이 창문을 열고 "못 빼. 네가 빼!"
뒤에 바짝 붙어 있는 쓰봉의 차. 빡빡이, 결국 포기하고 고개 젖히는 데서.

S#32 동 마수대 /D

손에 수갑 차고 연행되어 들어오는 빡빡이와 머리에 가발 쓴 채 들어오는 희식.
그리고 빡빡이의 차에서 가져온 2개의 분유통을 품에 안고 들어오는 영탁.

뒤이어 들어오는 쓰봉.
카메라 2개의 분유통 가득한 마약과 그 마약에 모여 있는 팀장의 몰린 눈동자에서.

S#33 한강 공원 /D

신고하고 돌아오는 길의 남순. 처음 보이는 쓸쓸하고 슬픈 남순의 표정.
남순, 그렇게 자신의 게르 앞에 도착한다.
그런 남순을 반겨 주는 환영 문구 <상쾌한 동군영을 되찾으세요 - $$ 항문외과>
그걸 커튼 삼아 열고 들어가는 남순.

S#34 남순의 게르 안 /D

게르 안으로 들어온 남순, 놀란다. 이 무슨 황당한. '헉! 벙!' 하는 남순.
게르 한구석에 지현수와 노 선생이 다정한 암수처럼 껴안고 누워 있다.
남순, 지현수와 노 선생이 누워 있는 곳으로 다가간다. 발로 툭 치는 남순.

남순 어이… 어이~

그 소리에 눈을 뜨는 노숙자 커플. 부스스 일어나는 지현수와 노 선생.

남순 당장 나가. 내 집에서….

노 선생 (눈을 비비며, 잠 덜 깬) 이게 왜 그쪽 집이에요?

남순 그럼 네 집이니?

지현수 (노 선생 보호한답시고 앞으로 나서며) 네. 우리 집입니다. 비록 등기는 없지만.

남순 뭐라고? (허) 니들 누구냐?

지현수 ('내가 누구냐고?' 피식, 일어나 걸으며) 나요? 나는 보헤미안입니다. (개소리 넘실댄다) 머리 붙일 곳만 있으면 그곳을 집으로 삼는 자유 영혼!

남순 (대뜸) 거지구나?

지현수 (기분 나쁜) 거지? 노노! 우린 거지같은 사회적 시스템에 의해 생겨난 한시적 거취 불명자일뿐입니다.

남순 한국에 오자마자 만나는 인간들이 다 왜 이래 진짜?

지현수 외국인이세요?

남순 (얘들한테도 그런 걸 말해야 되나 싶다) 알 거 없잖아.

노 선생 맞네 맞네. (얕보기 시작) 엄연히 여기는 나라 땅이에요. 토지 소유자도 아니고 여기 이렇게 텐트 계속 치고 있으면 무단 야영이에요.

남순 뭐?

지현수 (노 선생 진정 시키는) 너무 그렇게 법리적으로 접근하면 대화가 안 되잖아 자기… (남순을 향해) 왜 여기다 이렇게 거창하게 제대로다 텐트를 지었어요? 거의 몽골 게르 수준이네. (능치듯)

남순 게르 알아?

지현수 알쥐. 근데 무슨 사연입니까? 왜 오자마자 여행자에서 노숙자가 된 건가요? 본적 없는 경우라….

CUT TO

지현수 (사연 다 듣고) 우리나라가 다 좋은데… 사기꾼이 많아요.
세계에서 사기꾼이 젤 많은 나라예요. 왜 그런지 알아요?
사기를 쳐도 처벌이 너무 약해. 그게 문제예요.
우리 노 선생도 사기 당해 이렇게 홈리스가 됐잖아요?

노 선생 (분노, 입술 질끈) 트라우마~

남순 그러니까 여기서 두 사람은 계속 지낼 생각인 거 같네.
내 생각이 맞나?

지현수 (뻔뻔하게) 네 맞습니다.

남순 그래. 그럼 이렇게 하자. 내가 옆에다 다른 게르를 하나 지어 줄게.

지현수 !!!! 우릴 위해 집을 지어 준다고요?

남순 응. 어렵지 않으니까 해 줄게. 그러니까 일단 나가! 여기서. 냄새나!

지현수 (신경 안 쓰고) 세상에 공짜는 없어요. 우린 뭘 제공하믄 되나요?

남순 거지가 나한테 뭘 제공할 수 있나 생각해 볼 테니까 나가 일단.

지현수 돈에 상응하는 가치를 제공하겠습니다. 무료 급식소 미쉐린 가

이드편, 대동여지도에 대적할 강남의 교통과 지리. 쾌적한 샤워 가능 화장실 무료 통화 가능한 장소 등, 돈 없이 살아 갈 수 있는 모든 노하우를 제공해 주겠습니다. 인터넷 검색으로 나오지 않는 것들루다….

남순　고맙긴 고마운데 뭔가 거지 된 느낌이야… 그치만 (좋다) 그렇게 하자. 그리고 일단 저녁을 좀 먹자고.

지현수　그럼 밥은 우리가 대접할게요. 곧 저녁 식사 시간이거든.

S#35 무료 급식소 /E

밥을 먹는 남순, 지현수, 노 선생의 모습. 한국 와서 밥을 처음 먹는 남순.

찰기 도는 흰밥에서 김이 모락모락 난다. 그리고 빨간 김치까지.

남순, 밥을 한가득 퍼서 먹는다.

남순　맛있어. 달아. 고소해. 그래서 행복해. (귀여운 미소)

지현수　금요일에는 사당동 쪽, 주말엔 종로가 좋은데 사람이 너무 많아요. 거긴 고기반찬이 나오거든.

내일은 용산으로 갈 겁니다. 지덕구 신부님이 운영하는 곳인데 나주 쌀을 쓰고 재료를 아끼지 않아요.

운영 잘해 아주~~ 칭찬해.

남순　거지가 당당하네… 칭찬해. (입 한가득 밀어 넣고 먹는 데서)

S#36 동 마수대 /E

희식, 남순에게 전화를 걸지만 연결되지 않는다.

희식 뭐야… 전화를 하루 종일 안 받아? 무슨 일 있나? (걱정되는) (다시 전화해 음성메시지에 남기는) 강남순 씨. 왜 이렇게 전화를 안 받아요? 이 메시지 받으면 전화해요 바로. 특별히 내 개인 번호 남깁니다. 010-0491-1077. (전화 끊는다. 그리고는 취조실로 발걸음 옮기는 데서)

S#37 동 마수대 취조실 /E

한 손이 의자에 수갑으로 묶여 있는 빡빡이와 마주 앉아 취조 중인 영탁.
팀장과 참마가 앉아서 지켜보고 있으면, 가발 벗은 원래 차림으로 들어오는 희식.

희식 식사하세요. 제가 할 테니까.
빡빡이 (울먹이는) 아 빨리 풀어 줘요. 진짜 난 아무것도 모른다니까요!
희식 당연히 모르겠지. 마약은 보니까 하늘에서 떨어지나 봐. 아무도 모르더라고.
빡빡이 아이그램으로 한 번 던져 주고 나면 바로 날아간다고 내가 몇 번을 말해요.

희식 그러니까 아이그램으로 만난 새끼가 누군지 불라고.

빡빡이 어떤 놈이 파는지 얼굴도 이름도 번호도 아무것도 모른다니까요. 어차피 걔네 닉네임이며 주소며 이런 거 하루에 수만 번도 더 바꾸는 놈들이에요.

희식 이봐. 성수창 씨. 피곤하게 하지 말고 그냥 내려놔.

빡빡이 내려놓으면, 뭐 해 줄 건데요?

희식 뭘 해 주긴. 성은을 베풀지. 협조의 정도에 따라 감형이 얼마나 달라지는지 알잖아. 왜 이래 아마추어처럼.

하는데, 빡빡이 문자 알림음이 울린다. 희식, 받으라는 시늉한다. 빡빡이, 남은 한 손으로 주머니에서 폰을 꺼내고, 지문 인식으로 잠금을 푸는데.
그때 잽싸게 빡빡이의 폰을 낚아채는 희식.
빡빡이, 폰 뺏기자 일어서는데, 희식은 빡빡이의 나머지 손까지 잡아 꺾어 수갑을 채워 버린다.

희식 (빡빡이의 폰 영탁에게 주며) 이거 잠금 풀었으니까 안에 있는 거 싹 털면 될 거 같아요.

영탁 오케이.

쓰봉 (밥 다 먹고 빡빡이 머리 쓰다듬으며) 뽕 안 걸리려고 대가리 빡빡 민 거 봐라… 누가 대한민국이 마약 청정국이래? 천지삐까리가 뽕쟁인데….

희식 도대체… 무슨 일이 벌어지고 있는 거야?

S#38 마약 제조 공장 /E

마스크를 물이 든 비커에 넣으면, 넣자마자 마스크에서 거품이 나면서 물에 녹기 시작한다.
라텍스 성분인 마스크 끈과 플라스틱 코지지대만 녹지 않고 물 위에 둥둥 떠 있는.
고글에 작업용 마스크와 장갑, 연구원 복장을 한 사내와 얼굴이 보이지 않는 다른 의문의 사내 뒷모습.

연구원　화학식으로는 $C_{69}H_{26}N_7$. 고체 상태에선 휴지 가루나 다름없는데, H_2O와 반응하면 이렇게 물에 녹아. 그리고 화학식으로는 $C_{69}H_{28}N_7O$의 신종 합성 마약이 되는 겁니다.

의문의 사내　…

연구원　현존하는 최고 마약인 펜타닐의 200배, 헤로인으로 치면 400배. 0.00001g이면 바로 즉사예요.

의문의 사내　…

연구원　마약계의 혁명이 될 겁니다.

비커를 건조기에 넣으면, 순식간에 물이 증발하고, 흰 가루가 된다.
연구원, 면봉에다 가루를 찍고 난 후.

연구원　흡입도 주사도 아니에요. 귀로 꽂으면 되는 겁니다. 호흡기를 통하는 것보다 뇌로 300배나 빠르게 가거든요. 반감 속도는 20배나 빠르고. 소변으로는 검출도 안 돼요.

카메라, 마약 흰 가루에 줌 인 하고. 그리고 그 의문의 사내의 뒷모습과 실루엣.

S#39 동 강한 지구대 1층 /E

희식, 지구대 밖으로 나가려는데 지구대 여 순경이 부른다.

여 순경 강 형사님.
희식 (보고는 여 순경 쪽으로 가는) 네.
여 순경 24일 인천 공항 세관 현장 근무셨죠?
희식 네.
여 순경 혹시 그때 강남순이란 여자분 기억하세요?
희식 네. (반가운데)
여 순경 그분이 한국에 오자마자 사기를 당하면서 폰까지 신고 못하게 가져갔나 봐요.
희식 하아… 그래서 연락이 안 됐구나. 그래서 지금 어딨어요?
여 순경 연락처가 없어서 연락할 방법이 없어요. 다시 오겠다고만 했어요.
희식 (걱정되는) 왜 그런 일을 당해. 오면 무조건 저한테 바로 연락 주세요. 꼭 부탁드립니다.
여 순경 그럼요.
희식 (가려는데)

여 순경　그 여자분이 강 형사님 더러 잘생겼다던데요? 그래서 바로 강 형사님인 거 알았어요. (수줍)

희식　(등 보인 채 피식 웃음이) 보는 눈은 있어가지고….

S#40　커플의 게르 안 /E

너무나 튼튼하고 재활용 소품 이용해 잘 지어진 게르 안.
지현수, 어디서 쓰던 그래피티 스프레이 주워와 크고 힙하게 허세 가득 적는다.
<한강 아라베스크크라운열나이럭셔리파크맨션>, <한강 메트로트럼프스퀘어졸라이조타타워> 볼만하다.
TV에 소형 냉장고, 컴퓨터까지 있다. 행복한 거지 커플, 눈시울 붉어져 끌어안고 이마를 비비고 있다. 그 모습 보는 남순.

노 선생　(남순 향해) 정말 고마워. 어떤 집도 안 부럽다.
강남 아파트 한 채가 얼만지 알아? 보통 20억이 넘어. 우린 평생 집을 가질 수 없어.

지현수　(감개무량) 이 집… 등기 치고 싶다.

남순　(웃다가 지현수가 들고 온 재활용품들 보고) 저렇게 멀쩡한 걸 강남 사람들은 다 버린단 거지?

지현수　응 버리지. 옷도 다 버려. 이거 봐. (입고 있는 옷들이 명품이고)

노 선생　내 것도 다.

남순　발전기만 있음 돼. 발전기만 있음 전기가 들어와.

발전기를 사서 TV도 보고 컴퓨터도 하자.

지현수 오오….

남순 돈을 벌어야 해. 그래서 발전기를 살래. 근데 뭘 해서 벌지?

하는데, 들리는 소란스러운 소리… 세 사람 밖으로 나간다.

S#41 동 게르 밖/E

'환경 보호 단체' 띠를 두른 중년 남자 네 명과 '한강 지킴이' 띠를 두른 중년 여자 네 명, 사이클링 동호회 남녀 네 명이 사이클복 차림을 하고 떡하니 서 있다.
남순, 지현수, 노 선생이 나가자.

남자 1 이게 뭐야 지금? 자연경관 훼손으로 신고했어. 당장 철거해.

여자 1 한강만큼은 노숙자들에게서 안전하라고 우리가 얼마나 신경 쓰는데 여기다 이딴 걸 짓고 앉았어? 당장 철거 안 해?

사이클인 1 여기 이렇게 막아 놓으면 진입 방해예요. 상식이 없어도 분수가 있지. 빨리 치워요.

지현수 여기 일반 야영객들 야영 가능한 곳입니다. 내가 구청 가서 허가받을 겁니다.

일동 (마구 웃는다) 허가래. / 미쳤나 봐. / 제정신이 아니네. …

남자 2 마… 더 들을 것도 없어… 그냥 철거해.

지현수와 노 선생, 한강 메트로트럼프스퀘어졸라이조타타워 앞에서 두 손 깍지 끼고 그들을 막는다.

- 느린 화면 -

12명의 사람들이 난폭하게 노숙자 커플과 몸싸움을 하고 있다.

그 가운데 지현수와 노 선생, 그들과 몸싸움이 나고 개 난장이 벌어진다.

남순, 싸움에 개입하지 않고 지켜보다가 노 선생을 발로 차는 몸 좋은 사내를 보자 화가나 그대로 그 사내를 집어 던지자 사내(사이클 맨)가 저만치 날아간다.

정지 화면 되면서. 현장에 있던 모든 사람들 어이가 털린 듯 '벙! 헐~ 허~ 악~ 아~!'

확성기 사이렌 소리(E) 들리자 정지 화면 풀어진다.

지구대 순경들 2인 1조(박 순경, 김 순경)가 순찰 중 달려오고 있다.

노 선생과 지현수는 맞아서 쓰러져 있고. 남순이 날린 사내는 50m 날아가 대자로 뻗어 있다.

(시간 경과)

박 순경 　개판 오분 전이네.

김 순경 　개판 오분 훈데요.

박 순경 　여기 계신 분들 전부 연행하겠습니다.

S#42 강한 지구대 1층 /N

복작복작 사고 현장의 모든 사람들이 모여 있다.

"우리가 뭘 잘못했는데. 한강을 못 지킨 건 경찰이지"

"저런 노숙자들 텐트 치라고 내가 세금 낸 줄 알아?"

"집 없으면 차라리 감옥이 낫지."

순경들은 한 명 한 명 조서 받고 지장 찍고 마무리하는 와중이다.

지장 찍은 사람들, 지구대 밖을 나간다. "당장 철거 안 돼 있으면 청와대에 민원 넣을 거야. 경찰 공무원들이 나랏밥 먹으면서 일을 뭐 이따위로 해?"

노숙자 커플, 무참하게 앉아 있다.

남순 (눈시울 붉어진) 난 그냥… 엄마를 찾으러 온 거 뿐인데….

내가 원한 건 이게 아닌데….

한국 오는 걸 10년간 기다리며 양을 키우고 돈을 모았는데.

매일 5시간씩 한국말 공부하고… 밤마다 꿈 꿨는데….

음악 (ON)

그렇게 울고 있는 남순의 눈망울이 맑아진다. 남순, 고개 들어 보면.

- 느린 화면 -

희식이 남순에게 걸어오고 있다. 희식의 뒤로 후광이 보이고.

마치 자신의 인생 구도자처럼 다가오는 희식의 모습, 마치 운명처럼.
남순의 눈동자에 눈물이 별빛처럼 반짝이며 그런 희식을 본다.

희식 (남순의 슬픈 모습 한참 본다. 짠한 눈빛으로)
남순 …
희식 밥은 먹었냐?… 하루 종일 찾았잖아.
남순 (눈물이 흐른다)

두 사람, 서로 바라보고 있다. 두 사람의 모습에 소란스럽던 지구대가 정적이 흐른다.
모두가 두 사람을 보고 있다. 멜랑꼴리한 운명적 오라와 바이브가 가득한.
이때 빠빠 말방울 소리가 울린다. 남순이 희식을 만날 때는 종소리가 운명처럼 울리는.

S#43 강한 지구대 옥상 /N

지구대 옥상에 따로 나와 이야기하는 남순과 희식.
희식은 남순에게 머르니 델(말갈기 털), 아르가이, 남순의 황금 요술봉을 다 돌려준다.
남순, 그 물건들 보면서 가슴이 짠한데.

남순 너 때문에 이거라도 건질 수 있었어.

희식 …

남순 그 사기꾼이 내 물건을 다 가져갔거든. 옷만 빼고 돈이랑 여권이랑 전부다. 네가 이걸 안 뺏어 갔으면 이것도 가져갔을 거야.

희식 몽골에서 한국말 배울 때 반말만 배웠다며 지구대 순경이 그러던데?

남순 나한테 한국말 가르쳐 준 선생님이 93세 된 몽골 할머니였어. 한국에서 50년 산. 그래서 다 반말이었어. 나중에 드라마 보면서 존댓말도 알게 됐는데… 입에서 잘 안 나와. 한국에 있다 보면 고쳐지겠지. 기분 나쁜가 경찰…?

희식 응 나빠! 그래… 조기 교육이 이래서 중요한 거야. 대신 나도 반말한다?

남순 이미 한 걸로 아는데.

희식 (삘쭘) 그지.

남순 진짜 우리 엄마 찾아 줄 거야?

희식 (보는) 난 말한 건 지켜.

남순 우리 엄마 이제라도 만나서 내가 꼭 지켜 줄 거야.
돈이 없으면 매일 매일 돈 벌어서 맛있는 거 사 주고.
집 없으면 게르도 지어 주고….

희식 게르는 안 돼….

남순 …

희식 (그 마음 씀씀이에 울컥한다) 엄마 얼굴이나 이름 기억나?

남순 아니… 아무것도 기억 안 나. 몽골에서 처음 발견한 날 키워 준 부모님이 주신 거야. 내가 손에 그 요술봉을 들고 있었대.

희식 (시선은 황금 요술봉과 남순을 교대로 보고) 어머니 만나면 돈 벌 필요 없을 것 같은데? 이거 황금이야.

남순 (표정)

S#44 금주의 집안 웨어하우스 내 금고 안 /N

황금과 다이아는 기본으로 온갖 오색찬란한 귀금속들이 가득한 금주의 금고 보인다.

S#45 차이나타운 내 중국 음식점 /N

화자와 조선족으로 보이는 사내 4명이 게걸스럽게 마라룽샤(가재)를 뜯어 먹고 있다.

화자 (서울말로) 그 아줌마 정말 돈이 많은 거 같아. 지하 금고는 털기 힘들어 보이고… 안방에 있는 귀금속이라도 털어 나와야겠어. 니들이 도와줘.

남자 2 그냥 그 집에서 딸로 사는 게 낫지 않갔나?

화자 진짜 딸이 나타날 수도 있잖아.

남자 1 아직까지 안 나타난 거 보면 죽었을 수도 있자네.

화자 (연변 말투로) 아이야… 어딘가 살아 있을 거 같아. 내 촉이 그래.

남자 3 니는 연변말을 우리보다 더 잘한다.

화자　　여서 10년을 일했자나. 10년 서당개는 한글도 뗀다자네.
근데… 한 가지 문제가 있어. 그 집 여자들이 대대로 힘이 세다 해.
그 남순이란 딸은 어마삐까 힘이 셌대.
그 어무이도 힘이 장사라 하드라고. (연변말로)

화자의 청바지 주머니 위에 붙은 청바지 박음 징이 반짝. 알고 보면 도청 장치다.

S#46　금주의 집 - 정 비서의 방 /N

도청 장치 통해 화자의 말을 이어폰 꽂아 듣고 있는 정 비서.

화자(F)　　(다시 서울말로) 많이 먹어. 나 지금까지 그 아줌마한테 벗겨 먹은 돈만 거의 1억이야. 상금 빼고도 옷값만 그래….

정 비서, 더 이상 들을 필요가 없다는 듯 끊는 데서.

S#47　한강 일각 - 게르 가는 길 /N

희식과 남순, 걷고 있다. 남순, 황금 요술봉을 미스코리아 봉 들듯 들고 걷고 있다.
그런 남순 보는 희식, 웃음이 피식 난다.

남순 엄마 찾으면 알려 줘.

희식 어떻게 알려 줘? 휴대폰도 없는데?

남순 네가 나 있는 데로 와.

희식 나 바빠. 폰 구해 빨리.

남순 그럼 그 사기꾼부터 잡아 빨리.

희식 아무리 내가 경찰이지만 너무 이래라 저래라 아닌가?

남순 범인을 잡는 게 급한 거 아닌가?

희식 범인 잡는 건 당연한 거 아닌가?

남순 나 저 게르에서 계속 살 거야. 방해하지 말라고 다른 경찰들한테 전해 줘.

희식 너 저 게르에서 계속 살면 안 돼.

남순 니들 경찰들은 잘 곳 없는 사람 쫓아내는 게 급하니? 아님 사기꾼을 빨리 잡는 게 급하니?

희식 알았어. 사기꾼부터 빨리 잡을게.
(하고는, 지갑 꺼내 현금 다 건네는데) 너 사기 당해 돈 없잖아.
이걸로 다른 데서 자. 위험하게 밖에서 자지 말고.

남순 (그중 오만 원만 쏙 빼서) 일자리 구하는 대로 바로 갚을게.

희식 일자리 구하려면 여권부터 새로 만들어.
내가 신원 보증을 해 줄게. 같이 대사관 가. (하다가, 생각난 듯 봉고 사진관 쿠폰 건네며) 가서 여권 사진 찍고.

남순 고맙다. 근데 경찰! 너네 집 어디야?

희식 집? 왜? 연락 안 되면 찾아오게?

남순 똑똑해.

희식 쪼오기… 저기 보이는 아파트 꼭대기 층에 살아.

남순 멀미나겠네. 알았어. (툭, 할머니 같은 손짓) 가!

희식 또 필요한 건 없고?

남순 (툭) 차차! (훽 간다)

S#48 강한 지구대/N

기분 좋은 표정으로 지구대로 돌아온 희식.

그러면서 CCTV 곳곳마다 잘 작동되는지 확인한다.

같이 보던 소장과 지나가던 경찰1.

소장 아 진짜 보기 안 좋게… 한강에 저게 뭐야~~

(경찰 1에게) 한강 노숙자 천지 안 되게 빨리 철거시켜.

2주나 기다려 주지 말고.

희식 왜요?

소장 왜긴 왜야. 저 상황을 저렇게 넋 놓고 지켜볼 거야?

민원 계속 들어올 텐데?

희식 (남순 말투 흉내 내며) 느그 경찰들은 사기꾼 잡는 게 급한지.

사기당해서 잘 곳 없는 사람 쫓아내는 게 급한지.

먼저 물어보라던데요? 그 게르 건축가가?

소장 건축…? 뭐가 어째?

희식 사기꾼부터 잡고 법의 보호를 보여 준 다음 '법 법' 하세요.

권리 보장은 해 주지도 않으면서 법대로 하라면

사기꾼이나 경찰이나 둘 다 나쁜 놈인 건 똑같지 않아요?

소장 너 뭐야? 지금 누구 편드는 거야?

희식 촌스럽게 편이 어딨어요? 굳이 말하자면 무고한 사람 편을 드는 시민의 심부름꾼…? 사기 당해서 잘 곳 없는 시민을 보호해야 할 의무가 먼저인 거 같습니다만….

일동 ('벙' 해서 희식 보면)

희식 그럼 일단 전 퇴근합니다. 참고로 할 얘기 있으시면 전화 부탁드려요. 내일 저 종일 외근이라…. (휙 나가는 데서)

S#49 희식의 집 /N

평범한 경찰 집이라고 보기 힘든 꽤 비싸 보이는 투룸 오피스텔이다.
정갈한 성격을 얘기하듯 칼처럼 정리된 집안 인테리어와 가구들.
도착하고 바로 욕실로 들어가 손부터 씻는다.
그렇게 냉장고에서 캔 맥주 꺼내 마신다. 희식, 어딘가에 전화 건다. (휴대폰)

희식 어 선배 제가 부탁한 거요. 딸 찾는 실종 접수 데이터요. 2006년부터 2023년 오늘 날짜까지 리스트 업 해 줘요. 몽골에서 잃어버렸다니까… 해외 실종 미아로 축소하면 일이 쉽겠죠. 네 고마워요. 연락 기다릴게요. (끊는)

희식, 일어나 발코니로 간다. 음악을 들으며 맥주를 마시며 흥에 겨워 춤을 춘다.

S#50 한강 공원 /N

남순, 손에 황금 요술봉을 쥐고 막연히 희식의 집 쪽을 응시한다. 망원경을 들이댄 것처럼 가까워지는 희식의 집. 그리고 춤추는 희식의 모습.

남순 아주 신났네… 신났어… 뭐 잘했다고… 빤쓰 바람으로 저렇게 신날꼬. (피식)

S#51 한강의 아침이 오는 풍경

S#52 한강 공원 /D

새벽부터 한강을 뛰는 부지런한 시민들. 눈을 비비며 일어나 그 광경을 보는 남순.
남순, 한강 메트로트럼프스퀘어졸라이조타타워 앞에 가서 소리친다.

남순 이봐 커플 일어나!

그런데 뒤에서 약수 들고 나타난 지현수.

지현수 난 이미 일어났어요. 일찍 일어난 새가 먹이를 먹는 법이죠. 가요 아침밥 먹으려면 서둘러야 해요. 늦게 가면 줄이 길어집니다. (앞서간다)

남순 거지가 왜케 부지런해.

지현수(V.O) 게을러서 거지 된 거 아니에요. 운이 없어 된 거지.

S#53 금주의 펜트하우스 주차장 /D

중간, 멋들어지게 차려입고 터벅터벅 걸어온다.
주차장에는 누가 봐도 억 소리 나는 람보르기니가 주차돼 있고, 중간은 리모컨을 '탁' 눌러 차 문을 연다.
중간, 차를 향해 다가가는데… 람보르기니 앞에 다른 외제 SUV 차량이 가로막고 있다.

중간 아이 씨… 누가 주차를 이따위로….

중간, 살짝 빡친 표정으로 운전석에 써 있는 전화번호 눌러 전화 건다.

줌간	예 여보세요? 아 여기 골든임페리얼 주차장인데요. 차 좀 빼 주셔야겠는데요? (좀 신경질적으로)
남자(F)	아이 씨… 자는데 씨 알아서 밀든지 해요.
줌간	(근데 난 진짜 밀 수 있지) 타이어 다 째져도 괜찮아요?
남자(F)	(비웃듯) 아 진짜 이 할망구 귀찮게 하네. 짜증나게. 할머니. 날도 더운데 어디 돌아다니지 마시고. 집에서 손주들이나 보세요. 바빠 죽겠는데 씨.

전화가 끊긴다. 줌간, 어이없다.

줌간	아니 뭐 이런 개 씨밤바 같은 시키가 다 있어. 확 죽이 삘라….

중간, 주위를 두리번거리더니. 사람 없는 거 확인하고.
중간, SUV 차를 한 손으로 살며시 들고, 옆에다 놓는다.
보더니 갸우뚱.

줌간	그 시키는 이래가지곤 말귀 못 알아 먹겠지?

S#54 동 주차장 /D

40대쯤, 덩치 크고 문신 있는 남자가 주차장으로 오는데.
자기 차가 없다. 두리번거려보니… '헉!' 자신의 SUV차가 저 멀리 전복돼 있다….

남자, 소리를 지르고 기겁을 하며 달려간다. '악!'

S#55 금주의 집 - 드레스 룸 /D

정 비서는 옆에 서 있고 스타일리스트가 다양한 드레스와 악세사리를 보여 주며 금주에게 고르게 한다. 금주, 화려한 목걸이와 드레스를 고른다.
그에 맞춘 스타일링이 시작된다. 메이크업 아티스트가 메이크업을 해 주고 파티 드레스로 갈아입는다. 멋지게 변신한 금주.

정 비서 헤리티지 클럽에서 요구하는 드레스 코드가 있습니다.
금주 드레스 코드 맞추고 싶음 교복이나 입으라 그래.
정 비서 피라미드 정점에 서야 피라미드를 뒤집을 수 있다고… 세상을 바꾸고 싶으면 최상류층에 들어가야 한다고 하셨잖습니까.
금주 그래 맞아… 내가 가진 힘으로 살기 좋은 세상 만든다 했지?
정 비서 네 그게 남순이를 위한 길이기도 하다고….
금주 (정 비서에게) 그래… (참) 화자… 확인은… 해 봤어?
정 비서 네.
금주 (동공이 흔들린다) 얘기해 봐.
정 비서 따님이 아닙니다.
금주 (절망하는, 그렇게 한참을 서 있다)
정 비서 관련 녹음 파일 드릴까요?
금주 아니… 듣고 싶지 않아.

정 비서	저 아이는 어떻게 처리할까요?
금주	일단… 가만히 지켜봐. (나가려는데)
정 비서	너무 실망하지 마세요. 대표님… 따님 분명히 찾으실 겁니다.
금주	내 딸 지금 한국에 있어. 그것도 아주 가까이. 난 느낄 수 있어. (눈빛)

S#56 금주의 집 - 거실 /D

화자가 유튜브 보고 있다.
보면, 추천 영상 밑에 '한강에 출현한 괴력 소녀' 있다.
남순의 모습을 보고 있는 화자의 표정이 어두워진다.
이때 금주가 그들에게 다가온다. 화자, 얼른 영상 오프 시킨다.

화자	어무니 외출 하심까?
금주	(표정 관리하는) 응.
화자	그럼 오늘 친구들 집에 좀 불러서 놀아도 되겠슴까?
금주	그래. 얼마든지. (표정)

금주, 그렇게 출근한다. 화자, 남겨진 채 표정.

S#57 한강 공원 /D

남순의 게르에 찾아온 희식.
보면, 지현수와 노 선생은 일각에서 고장 난 자전거 수리 중이고.
수거해 온 재활용품 분리 작업을 하는 등 바쁜 거지 커플.

희식 외근 가는 길이야.
남순 안 물어봤다.
희식 (휴대폰 건넨다) 이거 써. 내가 개인용으로 쓰던 폰인데.
당분간 써.
남순 이런 걸 뭘~~~ 하면서 안 받을 줄 알았지? 아니~ 받을 거야.
희식 1번 꾹 누르면 내 번호야. 연락해.
남순 (할머니 말투) 고맙다잉.
희식 (구시렁) 할머니한테 한국말 배웠다더니… 할머니 다 됐네.
남순 뭐라고 구시렁대냐 시방….
희식 (어이없게 보자)
남순 일하러 가… 빨리 사기꾼도 잡고 우리 엄마도 찾아.
넌 경찰 치고 표정이 너무 한가해.
희식 (미소가 걷히고 뒤돌아 가려는데)
남순 너 맥주 팡따오 마시드라? 마시면서 춤추드만~
희식 뭐?
남순 그것도 파란 스파이더맨 빤쓰 입고.
희식 ('벙') (뭔가 말하려 하자)
남순 나 오늘 바쁘니까… 너랑 대화 오래 못 해. 내일 와.
희식 내가 왜?
남순 대사관 가야지.

남순, 노숙자 커플과 당당하고 신나게 어디론가 샤워하러 가는.

희식　뭐야 저 근본 없는 당당함은… (돌연) 근데 스파이더맨 팬티…
어제 날 어떻게 본 거야? 헉… 뭐야? 저 여자…. (기가 막힌 듯)

S#58 헤리티지 클럽 룸 /E

금주, 실크 드레스 밑에 스니커즈를 신고 화려하고 프라이빗한 곳에 들어선다.
그런 금주를 쳐다보는 시선들. 쑥덕거리는 사람들.
그리고 그런 금주에게로 다가오는 사람들.

금주　(드레스를 다리까지 까 보이며) 이 두 발로 여기까지 올라온 거라
이 발이 비싼 발이에요. 이 발에 아무거나 못 신죠.
젠틀맨　(그런 금주를 의미 있는 시선으로 보는)
금주　원하는 곳 어디든 가려면 아무쪼록 발이 편해야 하잖아요?
일동　(그런 금주의 도발이 불편한데)
사내 1　그럼 축하와 환영의 의미로 다 같이 건배하시죠.
새로 오신 뉴 멤버 황금주 씨를 위하여!
일동　위하여!
사내 2　한마디 하시죠?
금주　돈 많은 사람들만 잘 사는 세상 말고
모두가 잘 살 수 있는 세상을 위하여!

사내 3　　　아직 이 바닥을 몰라서 패기가 넘치네요.
해 보세요. 세상 안 바뀝니다.

금주　　　제가 한번 해 볼까 하는데… 지켜보세요.
지켜보는 거 잘하실 거 같은데… 아까부터 저기 저 여자분 지켜보느라 정신 없는 거 제가 봤거든요. 하하하하~

일동 얼음이 되고 금주 "익스 큐즈 미" 하고 자리를 뜬다.
파티 계속 되는 가운데.
헤리티지 클럽을 혼자 돌아다녀 보는 금주. 굳게 닫힌 문들도 있다.
그런데 사람 소리는 들려오고. 금주, 힘으로 열어 볼까 싶은데 그런 금주의 어깨에 누군가의 손이 톡톡.
보면, 피지컬 끝내주는 아까 그 젠틀맨이다.

젠틀맨　　　잘못 찾아오셨어요.

금주　　　??

젠틀맨　　　(의미심장한 명함을 건네며) 세상을 바꾸고 싶으면 여길 찾아가요. 이곳이 진짜 특별한 사람들이 들어갈 수 있는 곳이니까.

금주　　　!!

S#59　한강 아라베스크크라운열나이럭셔리파크맨션 안팎 /E

명물이 된 게르를 촬영하는 사람들 풍경.

지구대 순경들이 순찰 돌다 그런 모습 보고 있는.

- 안 -

남순, 희식이 건넨 휴대폰으로 알바 구직을 검색하고 있다.

그러다 발견한 <영화 보조 출연>

이때 전화기 울리는 보면 '간이식'이다.

- 교차 -

희식　　내일 대사관 가려면 여권 사진 있어야 돼. 찍었어?

남순　　(바로 일어나는) 알았어. 지금 찍으러 갈게. (끊는)

희식　　(전화 끊어지자 황당하게 보면서) 묘하게 질질 끌려 다니는 이 느낌…
나쁘지 않아~ 나 좀 SM인가? 뭐지 이게?

S#60　봉고 사진관 /E

셔터 내리고 퇴근하려는 봉고에게 누군가 다가와서는.

남순　　잠깐.

봉고　　(남순 쪽 보지도 않고) 매주 수요일은 6시에 문을 닫습니다.

남순　　나 여권 사진 찍어야 되는데?

봉고　　(그 반말에 기분이 상하지만) 죄송합니다.

남순　　할 수 없지… 딴 사진관 갈게.

봉고　　근데 젊은 분이 왜 반말을….

하다가, 남순의 찰나적 옆모습을 보고는.
순간 얼어붙는. 운명적인 느낌을 받는 봉고.

봉고　　잠깐!
남순　　(돌아보고)

두 사람 서로를 보는, 그런 둘의 조우에서.

<2화 엔딩>

제3화

쓰리 제너레이션

(3 Generation)

S#1 봉고 사진관 (2화 엔딩 연결) /E

음악 (ON) '누가 이 사람을 모르시나요~' (이산가족 다큐 음악)
봉고, 남순의 찰나적 옆모습을 보고, 순간 얼어붙는다.
운명적인 느낌을 받는 봉고.

봉고 잠깐!
남순 (돌아보고)

봉고, 남순의 얼굴을 찬찬히 본다.
남순, 자신에게 각별한 시선을 주는 봉고의 시선을 맞받아 본다.

봉고 (운명적 끌림) 여권… 사진 찍겠다고 했죠?
남순 (끄덕이는)
봉고 내가 찍어 줄게요. 안으로 들어가요.
남순 …

봉고, 사진관 도어 록을 열고 안으로 들어가려는데.
남순의 휴대폰 벨소리가 울린다. 아따맘마 주제곡 '안녕하세요. 감사해요. 잘 있어요.' - 희식이가 남순에게 존댓말을 가르쳐 주기 위해 세팅해 둔.

남순 (전화 받는) 여보세요.
희식(F) 강남순.
남순 응.
희식(F) 너 여권 찾았어. 에어 디앤디 사기꾼 잡았어.
남순 진짜? 다행이다. 그럼… 여권 사진 찍을 필요 없겠네. 알았어. (전화 끊고는)
봉고 사진 찍을 필요가 없대요?
남순 (끄덕이는)
봉고 네… 알았어요.
남순 (가려다가) 고맙습니다.
봉고 …
남순 고맙습니다. 존댓말 한국 와서 첨 해 봐요. 입에서 안 나올 줄 알았는데…. (따뜻한 시선으로 보는)
봉고 (눈빛, 표정) …
남순 (목례 후 돌아서 간다)

봉고, 남겨진 채 묘한 표정이 되어 잔상을 곱씹고 있다가 "저기… 학생…."
불러 보지만 이미 홀연히 사라지고 없다.

그런 봉고의 표정에서.

S#2 동 지구대 안 /E

늘 언제나 여전히 어수선한 지구대 전경.
여권과 남순의 소지품 지갑을 돌려주는 여 순경.

여 순경 돈은 이미 써 버렸더라고요. 그 사기꾼 다른 사기를 치다가 현장에서 체포돼서 유치장에 있대요. 도주의 우려가 있어서.

남순 …

여 순경 고소하시겠어요? 그 에어 디앤디 사기 친 여자요. 돈 찾으려면 민사 소송해야 하는데….

남순 고소?

하는데, 2층에서 내려오는 희식.

희식 (여 순경 향해) 당연히 고소해야죠. 그 사기꾼!

남순 (희식 보는데)

여자(소리) 고소하겠습니다.

희식, 남순, 여 순경, 모두 시선 두는 - 30대 중반 한 여자가 씩씩대고 있다. (당시 현장에 있던 사이클 멤버 중 1인이기도 하다)

여자 (실룩실룩) 고소하겠어요.

희식 ??

남순 ????

CUT TO - 동영상 화면 -

2화 S#41에서 남순이 밀어서 50m 날아간 남자의 병원 입원 동영상.

병상에 엎드려 누워 끙끙대며 말을 이어 가고 있다.

남자 꼬리뼈가 아작이… (기침) 그 여자가 날 밀어서 아스팔트에 (캑캑) 엉덩이가 부딪히는 순간… 정신을 잃었습니다. 깨어 보니 내 몸에는 엉덩이만 붙어 있는 참을 수 없는 존재감과 고통이 몰려왔어요….

난 이제 사이클도 못 타고…. (엉엉 울기 시작한다)

동영상을 끄는 여자.

여자 (남순에게 진단서 내밀며) 전치 8주예요. 병원비에 정신적 피해 보상 업무 불가로 인한 기회비용 등… 두루두루 고소하겠습니다.

희식 (기가 막힌) 남자 여자 소리 여기서 하고 싶지 않은데~ 여자가 밀었다고 50m 날아간 거부터가 말이 된다고 생각하세요?

남순 (그 상황에 끄응)

여자 아니 그럼 이 진단서 뭐예요? 의사가 구라라도 쳤단 거야?

희식 (지극히 편파적이다) 다른 데서 다쳤겠죠.

여자 근데 그쪽은 경찰 아니에요? 경찰이 이래도 되나?

희식 경찰이 이런 거 하는 거예요. 무고한 시민을 음해하는 나쁜 시민으로부터 법의 남용을 막는 일도 업무 중 하납니다. (하는데)

남순 내가 그런 거 맞아. 내가 밀었어. 다쳤을 거야.

일동 ????

남순 (여자에게) 고소해. 한국에서 이런 거 저런 거 배워야 하니까….
(여 순경에게) 그 사기꾼도 고소해. 당신한테 고소 받고. 그 여자는 내가 고소하고.

희식 그렇게 공사다망 바쁘고 싶나?

남순 할 수 없잖아. (여자에게 다가가) 근데 당신 남편이 내 친구를 먼저 밀어서 그랬어. 너 그거 진짜 알아야 돼. 먼저 때린 건 당신 남편이야. 가만히 두면 내 친구가 다칠 거 같아서.

여자 얘 뭐야 어린년이 따박따박 반말이네~

남순 당신 남편한테 일단 미안하다고 전해 줘. 근데 나 (엄지손가락 딱 세워 보이며) 손가락 하나 썼어. 두 손으로 밀면 죽을까 봐.

여자 뭐야?

남순 내가 힘이 좀 세서…. 병원비는 아르바이트해서 갚을게. 그리고 나도 네 남편 고소할 거야.
내 친구 밀었잖아. 그럼 나 간다? (하고, 나가려 하자)

희식 야 그냥 가면 어떡해?

남순 그럼 뭐 노래라도 부르고 가야 해?

S#3 동 지구대 앞 /E

희식, 남순을 배웅하는.

희식 (남순을 이리저리 살피며) 이렇게 뼈밖에 없는 여자한테 맞아서 꼬리뼈가 나갔다는 게 말이 되냐고. (구시렁)

남순 (휴대폰 벨소리 울리며) 벨소리 뭐야. 경찰 네가 고른 거지?

희식 존댓말 좀 배우라고. 너 그렇게 버르장머리 없이 말꼬리 다 자르고 여기서 살면 너 하루에 세 번씩 시비 붙고 정상적인 사회생활 못해.

남순 (O.L) 너 참… 잘생겼어요.

희식 …

남순 너 잘생겼다고요. (미소)

희식 (설레는)

남순 됐지? (뛰어가자)

희식 (뛰어가는 남순을 향해) 잘하네… 존댓말… 아주 좋아! 하~ (히죽거리며 지구대 안으로 들어간다)

S#4 동 지구대 내부 /E

지구대 순경들, 우르르 모여 뭔가를 보고 있다. 그 틈에 끼어 있는 고소 여인.
유튜브에 올라온 게르 짓는 남순의 유튜브 영상을 보고 있다.
남순이 나무를 손으로 부러뜨리는 장면에선 다들 입이 쩍 벌어지는데.

소장 저 여자 헐크야 뭐야?

여 순경 어머… 말도 안 돼.

소장 몽골에서 왔댔지? 뭘 먹어서 저래?

희식 !!

순경 1 그때 한강 천막 테러 진압 때요 노숙자 둘이서 진술을 했어요. 힘이 정말 영화 CG급으로 세다고.

희식 (표정)

[인서트] 당시 현장 동영상 (플래시백) /D

지현수 제 생각엔… 칭기즈 칸의 환생 같아요. 강남순 씨는 일반적인 사람이랑 달라요. 너어무… 너어어어무 힘이 세더라고요. (인터뷰하듯)

멍하게 보고 있던 희식의 구영탄 같은 표정 위로.

남순(소리) 너 스파이더맨 팬티 입고 있더라.

희식 저기… 몽골 사람들 시력 좋죠?

소장 그지 좋지.

희식 하아… 그거네… (혼잣말) 정말 내 팬티를 본 거야… 말도 안 돼.

일동 (그런 희식 보는 데서)

S#5　헤리티지 클럽 (2화 S#58에서 연결) /E

금주의 손에 쥔 명함 - 오플렌티아(Opulentia)라고 적힌.
금주, 주변 살피면 명함 건넨 젠틀맨 사라지고 없다.
그런 금주의 어깨를 툭 치는 어떤 남자의 손.
다름 아닌 류시오다. 말쑥하고 최고급 명품 슈트를 입은 류시오의 모습.

류시오　안녕하세요. 황금주 대표님.
금주　네. 안녕하세요? (누구냐 넌?)

브라스밴드가 스윙 음악을 연주하고 고급스런 파티 분위기가 한창이다. 그런 금주와 류시오에게 다가오는 헤리티지 클럽 마담(30대, 이하 김 마담)

김 마담　여긴 두고 대표 류시오 회장이에요. 코스닥 상장을 코앞에 두고 있는 이커머스 유통업체 두고… 아시죠?
금주　아아… 그 땅 빼고 다 판다는 두고?
김 마담　그리고 이쪽은 황금주 대표님.
(작은 목소리로) 이 클럽에서 현금 제일 많은 분이에요.
두 분 얘기 나누세요. (하고는, 다른 자리로 향하는)
류시오　(여유만만 - 건배하는) 우리 둘 뿐이네요.
금주　뭐가요??
류시오　이 헤리티지 클럽에서 정통 재벌이 아닌 사람….

금주 어! 류 회장님도 졸부시구나?

류시오 (졸부란 말에 표정이 굳는)

금주 (와인 원 샷 하면서) 난 재벌 2세랑 코드가 안 맞아.
재벌 아버지 만난 운 좋은 애들이잖아요. 뭘 알겠어 걔들이~
스스로 일궈본 게 있어야 알지. 졸부 아무나 하는 줄 알아요?

류시오 (표정 관리하며) 멘탈 한번 특이하시네.

금주 아무튼 우리 자주 봐요. 졸부끼리! (잔을 부딪힌다)

금주의 립스틱 자국 묻은 텅 빈 와인 잔과 류시오의 와인 가득한 글라스가 쨍그랑 부딪히면서.

S#6 헤리티지 클럽 여러 곳 - 비밀 룸 /E

헤리티지 클럽 여러 룸들 - 포카를 치는 사람들, 마작을 하는 재벌들. 그리고 일각에서는 그들의 구두를 닦고 있는 슈샤인맨.
그리고 마지막 - 어둡고 단단하게 닫힌 비밀 룸.
그 룸 안 - 모여 물담배(후카)를 하는 재벌들 모습이 묘사되는.

S#7 금주의 집 /E

화자의 친구 조선족 4명이 다이닝 홀에 앉아 있다.
셰프와 어시가 음식을 만들어 푸드웨건에 싣고 그 고급 퀴진

(cuisine)들을 나르는 메이드들의 모습. 럭셔리한 금주의 집을 두리번거리며 구경하는 조선족들.
음식이 식탁 위에 세팅된다. 그들에게 다가오는 정 비서.

정 비서　　많이들 드세요.
화자　　고마워 정 비서.
정 비서　　네. (표정 관리)
화자　　그럼 기도하자이.
어떤 남자　　(중국말로 식사 기도)
일동　　아멘.
정 비서　　(마뜩찮은 표정이고)

CUT TO
음식이 다 비워져 있다. 배를 쓰담 하거나 트림을 하는 조선족들.

화자　　우리 정원에 나가스리 식후 티나 하까이?
정 비서　　그러시죠.

S#8　금주의 집 - 테라스 루프탑 정원 /E

메이드, 정 비서 오더에 따라 중국차를 가져와 그들 앞에 내어놓고.

가든 테이블에 앉아 여전히 구경하느라 목이 빠지는 조선족들.
정 비서와 메이드, 아웃되면서 문이 닫힌다.

남자 1　내 눈알 지킨다고 밥을 못 묵었다. 우째 이래 부자가.
남자 2　방구 좀 낀다는 강남 부자 마이 봤지만 이래 잘 사는 집은 첨이다.
남자 3　우리가 뭘 어캐 널 도우까….
남자 1　저 증 비서 내보내야 안방을 털지 않캈나….
화자　(야망의 눈빛으로) (서울말) 나 목표를 바꿨어.
일동　(집중)
화자　니들도 봤으니 내 맘을 알 거야. 나 그냥 이 집 딸 할래.
남자 1　리화자. 니 그건 욕심이야. 짝퉁 오래 안 간다.
나 심천에서 산 가짜 롤락스 시계 (보여 주며) 맷기 벗겨져서 쇠독 올랐으. (냄새 맡으며) 내 몸에서 철 냄새가 얼마나 나는 줄 아니… 내 그래가 업소에서 별명이 아이언맨이야.
다른 이들　(키득대는데)
화자　(진지한) 진짜를 없애면 돼!
일동　(웃음이 딱 멈추고)
화자　(휴대폰 유튜브 동영상을 그들에게 링크 걸어 보낸다)
일동　(휴대폰 알림음 각자 울리고 동영상 확인하는)
화자　몽골 게르야.
남자 2　힘이 황소래. (영상 보고 놀라는) 주먹이 함마(망치)자네.
화자　몽골에서 온 여자인데… 엄마를 찾는대. 왠지 얘가 강남순 같아. 얘 한국 사람 아니야. 경찰들 얘 죽어도 크게 신경 안 쓸 거야. 없애자.

남자 3　　살인을 하잔기가.

화자　　우리 엄마 내가 원하는 건 다 해 줘. 내가 니들 원하는 거 다 해 줄게.

일동　　(그 소리에 눈은 작아지고 입이 쩍 벌어져 '벙!')

화자　　이 여자 힘이 정말 세대. 엄마한테 들었어.
그러니 니들만으로는 안 될 거야. 대림동 애들 싹 다 불러. 조져!
(눈빛)

S#9　도로 /E

중간, 람보르기니 타고 미친 듯이 달린다. 옆에 다른 스포츠카 타고 있던 젊은 여자들 그런 중간에게 엄지 척!
중간, 윙크 해 주고 그녀들 추월해서 분노의 질주 드립을 한다.
'부우웅~' 달리는 중간의 차.
노을이 아름답다.

S#10　주차장 /E

그렇게 중간의 차가 주차장으로 '부웅~' 들어온다.
그때 절규하는 소리가 쩌렁쩌렁 주차장을 울린다. 사복 경찰 두 사람이 사건 조사 중.
중간이 뒤집은 차 주인이 성토 중이다.

"그 미친 할망구가 이렇게 해 놨다고요!!!"
중간, 표정 변화 없이 주차하고 차에서 내린다.

중간　그 미친 할망구가 나니?
일동　(그런 중간 보는)
그 남자　(눈이 희번덕) 당신이야? 목소리 들어보니 이 할망구 맞네.
중간　내가 미친 할망구면 넌 더 미친 개**(새끼 - 삐음 처리)야.
경찰 1,2　(그런 중간을 당황해 보는)
중간　이렇게 럭셔리한 빌라에 이런 거지발싸개 같은 후진 새끼가 살다니. 확 이사 가고 싶네.
그 남자　뭐야? 이런 썅, 도랐나 이 할망구. (들이대듯)
중간　(훽 밀쳐 내며) 절루가~ (훽 밀자)
그 남자　(저 만치 밀려 나간다) 어어어….
중간　(경찰들에게 고상하게) 여기 주차장이에요. 엄연한 주민들 공간입니다. 여기서 이렇게 장시간 삐대는 게 에티켓이 아닙니다.
갑시다 서(경찰서)로~~ 거기 내가 당당히 이용 좀 하자고.
나 세금 *나(존나) 많이 내거든. (앞서간다)
경찰들과 남자 (전반적으로 정신없다. 어쨌든 고분고분 뒤따라간다)

S#11　강남 경찰서 /E

CCTV 보고 기겁하는 경찰 1,2 그리고 그 남자(이하 오형곤).

경찰 1　　정말 맨손으로 차… 차를 뒤집으셨네요.

오형곤　　(막상 CCTV 보고는 중간에게서 떨어져 앉는다)

중간　　(명함 꺼내 그들에게 돌린다)

경찰 2　　(명함 보고) 마장동 정육협회 회장 길중간? 그 전설의 마장동 여왕?

중간　　(보는) 나에 대해 들어 봤어요?

경찰 2　　들어 본 정도가 아니죠. 좌우우돈!

오형곤　　(뿅 맞은 표정으로 보는)

경찰 2　　왼쪽 어깨엔 소 한 마리, 오른쪽 어깨엔 돼지 한 마리를 이고 마장동을 접수했다는 전설의 여왕님이잖아요.

중간　　뭐 또 전설까지….

경찰 1　　장 형사님 아는 분이에요?

경찰 2　　내가 처음 부임한 곳이 성동 경찰서였거든. 성동 경찰서에 전설처럼 내려오는 얘기야. 모를 수가 없지.

<자막: 1983년>

S#12　마장동 상권 한복판 /D

20명 정도의 정육점 상인들이 정육점 앞치마에 식칼을 들고 도열해 서 있다.
그들이 노려보는 시선 따라가면 조폭 100여 명이 택도 없다는 듯한 비웃는 표정으로 대치 중이다. 마장동파 한 발 조폭파 한 발, 그렇게 한 발 서로 가까워지다가 결국 싸움이 시작되는데.

경찰 2(소리) 전설의 시작은 바야흐로 1983년. 조폭 패거리가 모든 영세 시장을 장악하던 무법천지 야인 시대… 마장동을 장악하기 위해 남한 땅 최고의 폭력 카르텔 서문파가 마장동에 쳐들어왔어.

뜬금없는 메가폰 시그널 위이잉(E).
싸움을 멈추는 사내들.
20대의 가녀리지만 생활감 강한 차림(앞치마 차고 한 손에는 정육점 칼, 화장기 없는)의 중간이 아수라장 가운데 저 끝에서 나타나 사뿐사뿐 걷기 시작한다.

경찰 2(소리) 가냘픈 여인 길중간은 이름처럼 길 중간을 그렇게 걸었대.
들은 바론 그때 아이를 낳은 지 3일째 되던 몸이었다나?

사내들, 중간의 등장에 어이없이 보고 있는데.

중간 (확성기 대고) 마장동은 이 땅에 건강한 육식 문화를 선도하는 신성한 곳이다. 이곳은 그 누구도 독점하거나 장악할 수 없다. 소비자에 의한 소비자를 위한 소비자의 시장이며 피를 보아선 아니 된다.

사내들, 어이없어 코웃음만 나는데.

중간 당신들이 진정한 깡패라면 깡패답게 맞다이를 뜨자!
니들 중 가장 센 놈 다섯 명만 대표로 붙자!!

서문파 1 누구랑!!

중간 (눈빛 찌릿) 나랑!!!

중간, 메가폰과 식칼을 뒤에 서 있던 마장동파 한 사내에게 고개 돌리지 않고 휙 넘긴다. 빈손이 된 중간. 어이없어 웃는 사내들.

중간 무기 없이 하자! 살은 건들지 말자… 마장동은 살이 중요하거든!
뼈는 부러져도 팔 수 있으니까!!!

웃기다는 듯 서문파 사내 하나가 중간에게 다가와 중간의 뺨을 사정없이 갈긴다.
중간, 휘청해 쓰러진다. 당황하고 분노하는 마장동파 상인들. 나서려는데 그런 상인들 딱 저지하고 지켜보자고 끄덕이는 (중간의 괴력을 아는 듯) 마장동파 1.
중간, 일어나서 입에 나는 피를 닦는다.
중간, 그대로 사내 1에게 다가와 사정없이 따귀를 날린다. “왜 따귀를~ 우라질”

- 느린 화면 -
사내의 타격 부위가 너덜너덜 덜렁거리고 얼굴은 휙 돌아가면서 아구창이 ‘빠지직’ 날아가는 소리가 들리면서 사내가 그대로 저 멀리 날아간다.
일제히 정적이 흐른다. 이 무슨 시추에이션?

서문파 1, 몸 숙여서 쓰러진 사내를 살피다 숨이 붙어 있나 콧구멍에 손가락 대 보면서 '살아 있네.' 하고는 어이없다는 표정으로 '벙!' 일어난다.

중간 드루와! (손짓한다)

서문파 1 (그대로 중간을 주먹으로 갈기려는데)

중간 (자신의 오른손 중지로 서문파 1의 주먹을 딱 막는다)

서문파 1 (온갖 힘을 써도 중간 손가락 하나를 못 이긴다. 얼굴이 터질 거 같은데)

중간 (뻗은 중지 손가락 접어 주먹을 만들어 사내의 주먹을 툭 친다 – 효과음 '쿵!')

서문파 1 (주먹이 힘없이 우수수 부서진다~ '빠드드드!')

서문파 1, 주먹이랑 팔이 따로 놀며 이전의 근엄하고 카리스마 넘치던 모습은 온데간데없이 손목을 잡고는 그 고통에 절규하며 길바닥을 구른다.

중간 넷 남았다. 들어오라고! 겁나냐? 쪽수로 덤빌 땐 언제고! 빨리 와 이씨! 새끼들 밥 주러 가야 하니까!

사태의 심각성을 깨달은 가장 덩치 좋은 네 사내가 중간을 공격하기 시작한다.
중간, 하나하나 뼈를 부러뜨리고 저 멀리 날려 보내며 영화 같은 다찌마리(격투 씬) 끝에 싸움을 끝낸다. 정지 화면이 된 듯 멈춰 있던 화면. 그러다 물러나는 서문파 조폭들.

경찰 2(소리) 그렇게 마장동엔 평화가 찾아왔다지?

어떤 깡패도 마장동 근처엔 얼씬하지 못했어. 성동 경찰서 강력팀이 인원 감축을 했을 정도니까.

- 다시 현재 -

중간을 존경스레 보는 경찰 2, 그리고 경찰 1도 동화되는. 뻘쭘한 오형곤.

중간 차 견적 뽑아 봐. 너 막상 차 다시 뒤집어 보면 지붕만 긁혔어. 별로 스크래치 안 났다고. 내가 신경 써서 조심히 작업했다고.

오형곤 정신적 피해 보상은요? 내 자식 같은 차를 저렇게 뒤집어 놨는데….

중간 어디서 들은 건 있어 가지고… 이 시키가… 내 정신적 피해 보상은?

(경찰 향해) 난 가만두면 절대 누굴 건드는 성격이 아니야 경찰 양반들. 내가 차를 빼려고 보니까 이 차가 내 차를 탁 막고 있더라고. 우리 펜트하우스 주차장에 주차 공간이 얼마나 많은데.

근데 거기다 차를 대는 거 자체가 이 시키 술 처먹었단 거야.

오형곤 술 안 먹었어! (버럭)

중간 술 안 처먹고 그런 거면 너 사이코패스야?

오형곤 뭐야 이 할망구 뒈지고 싶나. 야, 너 미쳤어?

중간 (드디어 남자 손댄다, 머리 뒤통수 스냅 넣어 살짝 한 방 때린다)

어디서 반말이야? 못생긴 게.

오형곤 (앞으로 확 고꾸라진다)

중간 (남자는 자연스레 화면에서 프레임 아웃된 상태에서) 아무튼 그래서 내가 차 빼달라고 전화했더니 너무나 무례하게 나한테 모욕적인 언사를 했어. 뭐라더라? 할망구 집구석에서 손자나 봐라고 했던가? 녹음도 했걸랑? 녹음 틀까?

오형곤 (서서히 몸을 들어 화면에 등장하면 맛이 갔다)

중간 (휘청이는 몸의 중심을 잡아 주며) 1시간 정도 있음 돌아와. 저~기 가서 기대고 있어. 이 시키 찬물 한 잔 줘요. 피의자가 정신을 차려야 조사가 될 거 아니야.

경찰 1, 그 사내 끌고 일각에 가서 벽에 기대게 하고 물을 마시게 한다.

중간 이 시키가 나한테 씨부린 언어폭력 녹음 파일 넘길 테니까 공용번호 하나 줘요 경찰 양반.

경찰 2 (포스트잇에 번호 적어 재깍 두 손으로 건넨다. 굽신)

중간 나 배고파. 저녁 시간 지났잖아. 집에 갈래.

경찰 2 네 어르신 살펴 가세요. 연락드리겠습니다.

중간 채식하지 마! 고기 먹어! 그래야 나처럼 힘이 세지지.

경찰 2 명심하겠습니다.

중간 나 가요. (하면서, 선글라스 쓴다)

경찰 2 (일어나 90도 인사)

중간, 가다가 정신 줄 놓고 벽에 기대고 있는 그 남자가 보인다. 다가간다.

중간　　(남자 손에 5천 원 쥐어 준다) 너 집에 가면서 구강 청결제 하나 사.
입 냄새 너무 나드라… (절레, 또각또각 걸어가며) 똥을 입으로 싸나….

중간, 경찰서 나가고 그런 중간 멍하게 보는 경찰 1과 여전히 축 늘어진 오형곤.

경찰 1　　뭐야… 저 할머니. (감탄)

S#13　남인의 사주 카페 /N

타로 카드를 넘기고 있는 통통한 남인의 손 위로.

봉고(소리)　　운명 같은 느낌… 남순이 같았어.

남인은 타로점을 보고 있다.
사주 카페 내부 전경, 손님들이 제법 있는 카페 안.
봉고가 남인의 앞에 앉아 있다. 표정 아련해져서.

남인　　아빠도 남순이 누나 생각밖에 안 하나 봐.
여권 사진 찍으러 온 손님을 뜬금없이 누나라고 생각하다니.
봉고　　아니야… 보는 순간 뭔가 찌르르 했다니까.
남인　　(하는데, 나는 소리 꼬르륵…)

봉고 (처연히 보면서) 방금 저녁 먹었잖아.

남인 아빠 나 소화가 되게 빨리 돼. 빛의 속도까진 아니지만 달 속도는 될 걸? 배가 너무 고프네. 저기 탈라라 샌드위치 하나씩 시킬까?

봉고 아빠는 너랑 같이 먹은 피자가 아직 식도에 남아 있는 느낌이구나. 배가 아직 불러. (배 내밀어 보는 - 불룩)

남인 그럼 나만 시킬게. '한 입만'… 하지 마?

봉고 그럴 리가. (하다가, 한숨 쉬며) 아무리 봐도 화자는 내 딸이 아니야.

남인 엄마도 아닌 거 같대.

봉고 (놀라는) 그래? 너 요새 엄마랑 대화해?

남인 안 하지. 그냥 정 비서랑 얘기하는 거 엿들었어.

봉고 왜 엿듣고 그래.

남인 나 엿듣는 거 좋아해. 버릇되면 재밌어. (어플로 배달 완료, '띠링') 샌드위치 여섯 개 시켰어.

봉고 (한숨) 너 너무 먹는다. 그러다 죽어.

남인 나도 그만 먹고 싶어. 괴로워 아빠. 난 뭐 자꾸 먹고 싶은지 알아? (절절하게 자신의 심정을 성토하는데) 뇌에 문제가 있나 봐. 모든 음식이 너무 달고 맛있어. 미칠 거 같아. 라면에 찬밥이 들어가면 거기 빠져 죽고 싶다니까.

봉고 (미치겠다. 치를 떨며 남인을 보는) 안 돼 남인아… 너 심각한 중독이야.

남인 탄수화물 중독 재활 센터는 왜 없는 걸까?

봉고 엄마한테 만들어 달라고 해 봐.

남인 (새초롬) 나 엄마랑 말 안 해.

하는데, 다가오는 너무나 멋진 초로의 바리스타 서준희, 그들에게 커피 건넨다.

준희 오늘 탄자니아에서 새로 가져온 원두예요. 끝 맛이 다를 겁니다.

남인 네 감사해요 바리스타님.

봉고 감사합니다.

남인 아빠 우리 카페 새로 오신 바리스타님이셔. 2018년 월드 바리스타 그랑프리 먹으신 실력자.

봉고 아 네. 우리 남인이 잘 좀 도와주세요.

준희 제가 잘 부탁드려야죠. 그럼 좋은 시간 되세요. (물러나고)

봉고 남인아, 남순이 지금 어디서 뭐하는 지 타로나 봐 줘.

남인 (현란하게 타로를 섞고는 깐다) 세장 뽑아 봐.

봉고 (뽑는)

탑카드, 포춘카드, 썬카드 이렇게 나왔다.
탑이 불타 무너지는 그림, 운명의 수레바퀴 그림, 백마 탄 소년 그림.
남인은 무슨 신 내린 것처럼 급 분위기 바뀌며 진중하게 말한다.

남인 모든 게 무너져 내리는 상황 속에서
운명처럼… 이 모든 걸 구할 구원자가 나타날지니….

봉고 그래서 만난다는 거야? 뭐야? 목소리 깔지 말고 쉽게 말해.

남인 (눈이 커져서) 우리한테 지금 오고 있어!!!

카메라, 그 카드에 C.U 하면서.

S#14 마수대 (다음날 아침) /D

희식, 에어 몽에서 압수한 물건들 사진을 쭉 보고 있다. 그러다가.

희식 (전화하는) 마수대 강희식입니다. 네… 수고 많으시죠?
그날 에어 몽 비행기 입국자들 전원 신상 조회 좀 부탁드립니다.
(전화 끊는)

영탁 가자 희식아. 참마 끝났나 봐.

희식 네.

S#15 디지털 분석 방 /D

빽빽이 사진 붙여져 있고, 옆에 스마트폰 놓여 있다.

참마 지금 다른 포렌식팀에서 다시 털고 있어요. 너무 치밀하게 조각조각 내고 도망을 치니까… 도저히 잡을 수가 없어요.

희식 아이피 주소는 다 중국이야?

참마 네.

희식 던지고 그대로 아이피는 뭉갰겠네.

참마 네. 못 잡아요, 이 휴대폰으로는요. 뛰는 경찰에 나는 마약범이에요.

그때 희식의 전화 울리고. 받는다.

희식 예, 여보세요. (놀라는) 입국자들 중에 사망자가 있다고요? (듣는)

희식, 전화 끊고 심각한 표정이 되는데, 스마트폰으로 사진이 날아온다.
희식의 스마트폰 보면, 2화 S#4에 나왔던 간호사의 얼굴이다.

영탁 입국한 지 얼마 됐다고 그새 죽냐… (희식의 폰 같이 보면서) 누군지 알 거 같아?
희식 네. (심각한, 확 나가자)
영탁 같이 가… 저 새낀 맨날 혼자 가…. (따라 나가는데)

S#16 국과수 부검실 /D

2화 S#4의 간호사 시신이 베드에 눕혀진. 앙상하게 말라 있는 시신이다.
법과학자, 희식과 영탁이 있다.

법과학자 죽은 박광자 몸에서 나온 것과 같은 성분이야.

희식　　갈다고요?

법과학자　　코카인도 필로폰도 아니야. 아무래도 합성 마약 같아.

희식　　펜타닐도 아니죠?

법과학자　　응, 아니야 신종이야. 정확한 건 분석을 해 봐야겠지만, 엄청 무서운 놈이야.

<자막: 펜타닐 – 현존하는 세계에서 가장 센 마약. 치사량이 0.002g에 불과하다.>

영탁　　(부검 결과지 보더니) 위에서 검출된 양이 이것 밖에 안 되는데 죽어요?

법과학자　　그러니까 펜타닐이 개면, 앤 늑대야. 내가 선물 하나 줄까?

희식/영탁　　(보면)

법과학자　　(하고는, 분유통 들고) 이 분유 성분이랑 부검에서 검출된 성분이 같아. 같은 마약이야.

그 분유통을 보고 있는 희식의 매서운 표정에서.

S#17　어느 복도식 아파트 입구 /D

폴리스라인 쳐져 있는 아파트 현관 입구. 영탁과 희식이 들어와 안을 살펴보고 있다.
집 안으로 들어온 희식과 영탁.

영탁 근데 이 집, 사람 사는 집이 맞나 싶을 정도로 먹을 게 없어.
냉장고엔 생수랑 맥주밖에 없고.

희식, 쓰레기통을 보면 먹다가 토한 음식들이 가득하다.

희식 사체 봤죠? 몸무게가 10킬로가 넘게 빠졌어요.
음식을 거부한 거예요.

영탁 !!

희식 아무 음식도 먹을 수 없게 만드는 약이란 거지.
분명히 이 여자가 가져온 물건 중에 마약이 들어 있었어요.
우리가 상상할 수 없는 것으로 둔갑해서…. (심각한)

S#18 마약 제조 공장 /D

2화 S#38에 나온 그 마약 공장. 고글에 작업용 마스크와 장갑,
그 회차에 보였던 연구원과 공업용 대형 비커 열 개가 보인다.
수분이 증발되고 남은 하얀 가루들.
그때 그 미스터리한 사내 걸어오는 뒷모습.
서서히 드러나는 미스터리한 사내의 정체.
다름 아닌 류시오다!!!
카메라, 마약 공장의 천장을 비추다가 환기구를 비추고,
화면 빠르게 감기고, 클로즈다운 되며 공장의 지붕 보인다.
오버랩 되며 다음 씬과 이어진다.

S#19 마약 제조 공장 전경 /D

부감으로 보이는 공장 전경. 공장 규모는 그리 크지 않다.
황량한 야산이다. 공장 외에는 아무것도 보이지 않는다.
엄청난 거구의 러시아 보디가드 카일 알렉산드로스(이하 카일)가 서 있다.

S#20 동 집 /D

희식과 영탁, 물건을 찾다가 포기하고 나서려는데 옷걸이에 걸린 여자의 외투 밖으로 삐죽 삐져나온 마스크. 희식, 그 마스크 지나치려다 다시 온다.
그리고 다시 그 마스크 보는 희식의 심상찮은 표정에서 컷!

S#21 촬영장 - 트레일러 /D

조선 시대 사복 의상들로 가득 찬 트레일러.
그 안으로 들어오는 단역 알바 3명과 남순, 그리고 조연출.
조연출, 건장한 남자에게는 금속이 달린 붉은색 멋진 갑옷을 준다.

조연출 (다른 알바에게) 옷 갈아입고 대기해요.

남순 나는? 나도 저거 입고 싶다.

조연출 뭐래. 너는 이거야.

남순 (보면)

S#22 민속촌 /D

흰 소복을 입고 의자에 묶여 있는 남순. 형벌 받는 촬영 중이다.
같이 고문 받는 사람들 서넛과 포졸도 함께.
그중 남순은 주리를 틀리는 역.
그런데 남순의 주리를 트는데, '우지끈' 고문 도구인 나무 막대기가 힘없이 부서진다.

감독 (짜증내며) 컷 컷. 소도구 준비 제대로 안 하지?

조연출 (달려와서) 새로 산 건데 이게 왜 부서져?

남순 미안하다. 힘을 뺀다고 뺐는데 그러네.

조연출 뭐라는 거야….

남순 나 그냥 장군 시켜 주면 안 돼?

조연출 네가 무슨 장군이야. 그냥 하던 일이나 똑바로 해.

남순 장군하면 진짜 잘할 수 있는데….

조연출 그래? 그럼 너 나와. 나와서 곤장 맞아.

남순, 형틀에 눕고 다시 촬영 계속된다. 진짜 억울한 표정의 남순.

사람들의 곡소리, 페이드아웃 되며.

S#23 민속촌 일각 /D

식사 시간. 밥 차가 들어와서 주요 배우들과 스텝들 밥 차 배식 받는다.
동체 시력 센 남순, 밥 차 메뉴 보는데 불고기에 잡채에 알찬 식단이다.
동체 시력에서 빠지면. 남순이는 이들과 동 떨어져 단역 알바들끼리 줄 서서 은박에 싼 김밥 한 줄씩 배급 받는다.
실망과 피곤함이 역력한 단역 알바들.

남순	뭐야? 왜 음식이 달라? 나 저기 줄 서서 밥 먹음 안 돼?
조연출	아이 씨. 단역이면 단역답게 굴어. 어디 주인공들이랑 같은 밥을 먹을라고 들어!
남순	같은 일 하면서 다 같이 고생했는데! 왜 다른 밥 먹어? 넌 일도 안 했는데 왜 저 밥 먹어?
조연출	이게 어디서 말대답 따박따박이야. 너 잘리고 싶어?
남순	네가 잘리고 싶어?
조연출	(황당 그 자체)
남순	아무튼 나 저 밥 먹을 거야!!!

남순, 밥차 앞으로 다가가려는데 막아서는 조연출과 그 소란에

다가오는 감독.

감독 무슨 일이야?

조연출 감독님, 아니 보조 출연이 밥 차를 먹겠다고 해서….

감독 (성가신) 그냥 당장 잘라. 어디 저런 걸 데려와서….

남순 날 왜 잘라? 일을 얼마나 열심히 하는데 잘라?
너나 잘려. 일 안 하고 뒤에서 소리만 지르드만.

감독/조연출 (황당해서 말이 안 나오는)

남순, 밥 차 쪽으로 가서는 그 밥 차를 그대로 손으로 밀어 단역 팀 쪽으로 가져온다.
감독과 조연출, 눈이 튀어나온다. 밥 먹던 사람들 밥을 입에서 쏟아 내는 등.

남순 야. 밥 차 한 대 더 불러. 밥 모자라겠다. 니들은 이따 먹어.
일 별로 안 했으니까!

단역들, 눈치 보다가 배식을 받기 위해 당당히 줄을 선다.
소복 차림의 남순, 배식 받아 씩씩하게 먹방을 한다.
보고 있던 드라마 주인공으로 보이는 왕 복장의 남자 배우, 흐뭇하게 웃으며 다가온다.

남자 성격 맘에 들어. 이름이 뭐?

남순 난 너 맘에 안 들어. 가~

남자 (삘쭘)

멀리서 보고 있던 감독.

감독 쟤… 자르지 마. 물건이야!

S#24 동 게르 인근 /D

희식, 남순의 게르인 한강 아라베스크크라운열나이럭셔리파크 맨션에 와서 노크를 하고 게르를 들어가면 남순이 없다.

희식 게르에 있어도 걱정, 없어도 걱정… (하다가)
내가 왜 걱정을 해? (혼잣말로) 아니지… 일단 걱정은 하는 걸로.
왜냐… 난 좋은 경찰이니까. (하고, 남순에게 전화 하는)

[인서트] 촬영 현장 /D
전화를 받지 않고 '아따맘마' 벨 소리가 울리며 혼자 소복 차림으로 단역들과 식사 후 뱅글뱅글 돌면서 웃으며 놀고 있는 남순.
휴대폰 화면 <간이식>

다시 게르 인근 상황으로.

희식 어디서 뭐하는 거야 정말. (하는데, 전화가 울린다)

(전화 받는) 여보세요?

선배(F)　희식아 나야.

희식　네 선배.

선배(F)　네가 부탁한 거 미아 실종 신고 데이터… 2006년부터 2023년까지 몽골에서 사람이 실종돼서 신고가 들어온 사건은 총 스물세 건이야. 모두 다 20세 이상 성인들이지.
근데 미아 신고는 딱 네 건 밖에 없어.

희식　아 네.

선배(F)　관련 정보 바로 폰으로 보낼게.

희식　고마워요 선배.

선배(F)　마수대 할 만해? 정신없지?

희식　네. 워낙 꽁꽁 숨어 있어서… 찾기 힘드네요.

선배(F)　그래 고생해.

희식　네 연락할게요, 선배. (전화 끊는다)

파일이 전송되어 온다. 희식, 남순의 게르에 자리 잡고 앉아 그 파일 열어 보는데.
세 건의 실종 미아 케이스 자료를 스크롤해서 본다.
<2006년 실종 미아 남 8세 / 이름 정해인 / 부 몽골 선교사 - 실종 당시 아이 사진과 부모의 사진이 뜬다>
그렇게 스크롤 다운하면서 희식의 눈이 커진다.
<2006년 실종 미아 여 5세 / 이름 강남순 / 부 사진 작가 강봉고 / 모 - 골드블루 대표 황금주>

C.U - 황금주의 사진.

희식 강남순? ('이럴 수가.' 하는 표정이다, 계속 스크롤하는 진지한 표정)

<2023년 6월 13일 친딸 강남순 찾음, 사건 종료>

희식, 의구심 가득한 표정에서.

S#25 금주의 집 - 금주 서재 /D

금주, 서재에 앉아 있다. 손에는 그 젠틀맨이 건넨 명함이.
금주, 명함에 있는 주소에 로긴한다. <Opulentia> 에 접속.
오플렌티아에 대한 소개가 나온다. 영어로 된 홈페이지, 한국어로 번역되어 지원된다.
한 미국 여성의 사진이 뜬다.

- 이하 자막 처리 -
1883년 미국의 한 생선 도매업자 도나 스미스가 만든 자선 단체,
세계 20개국의 자본가들이 모여 만든 비밀 소사이어티.
지금은 도나 스미스의 5대 외손녀 알렉스 브라운이 회장직을 맡아 운영 중이다.
선한 세상을 이룩하자는 목표로
'지구 온난화를 막는 환경 보전', '여성 인권 탄압 문제', '아프리

카 기근', '아동 노동 착취', ' 마약과의 전쟁'

5개 이슈에 기부를 하며 공권력이 해결하지 못하는 문제를 배후에서 서포트 한다.

그리고 화면 줌 인 하면 영어와 한국어가 동시에 뜬다.

(Please Click the Category that you want to volunteer?)

(5개 항목 중 자신이 기부하고 싶은 카테고리를 클릭 하세요.)

금주, 그 다섯 개의 카테고리를 향해 움직이는 눈동자들. 그리고 바로 클릭하는 손.

"WAR TO DRUG0"

"클릭이 끝나면 기부금을 지원하세요."

금주 시작은 간단하게! (하고는, 원화로 10억을 이체한다.)

이체가 끝나자 울리는 알림음, '당신의 이름과 전화번호를 기입하세요.'

금주, 네임 칸에 "GOLD"를 적어 넣고, 자신의 전화번호를 적어 넣는다.

미소를 짓는 금주의 모습.

이때 정 비서 노크 소리 들리고 들어온다.

정 비서 (목례)

금주 화자 살피고 있어?

정 비서 어제 식사 때 조선족 친구들과 뭔가 작당을 하는 거 같았습니다.

금주 지금 어딨어?

정 비서	사람 붙였습니다 대표님. 행선지 보고 받는 대로 그때그때 말씀 드리겠습니다.
금주	잘해 줘. 불쌍한 애야. 세상 누구한테도 함부로 할 권리는 없어. 내가 누군가를 막 대하면 다른 누군가가 내 딸 남순이를 막 대할 거야. 그게 세상 이치야.
정 비서	명심하겠습니다.
금주	남순아… 어딨어…. (애절한)

S#26 동 병원 /D

남순, 병원 로비를 걸어 어느 병실을 노크하고 들어간다.

S#27 동 병실 /D

그때 그 50m 날아간 사이클 선수가 곤장 포지션으로 누워 있다. 옆에는 그런 그 선수를 간호하는 아내가 있는데, 경찰서에서 난리친 여자와 다른 여자다.

남순	괜찮냐?
그 남자	(흘낏 보고는) 누구?
남순	네가 나 고소했잖아. 그때 한강 게르….
그 남자	아아… 나 날린 여자. 아 골반… 아아…. (끙끙)

남순　(주머니에서 돈 봉투 꺼내) 일단 이 돈 받아. 내가 버는 대로 더 줄게. 지금은 이거밖에 없어.

그 남자　근데 내 병실 번호는 어떻게 안 거야?

남순　너네 부인이 가르쳐 주던데?

그 남자　부인???

그 남자　!!!

남순　경찰서에 와서 고소도 너 부인이 대신했어. 부인 착하드라. 욕은 좀 잘하지만. 암튼 나 간다. (나가려다) 그리고 너도 내가 고소할 거야. 내 친구 밀었잖아. (나간다)

- 병실 밖 -

병실 문을 나서는 남순, 병실 안에서 들리는 극악스런 싸움 소리.

여자(소리)　야 이 개자식아. 너 동호회에서 바람났지? 어떤 년이야.

남자(소리)　아아아아… 아파 여보… 아아아… 희동이 엄마 나 아파!

여자(소리)　그냥 죽어 죽어 이 개자식아….

남순　왜 저래? (빠른 걸음으로 걸어가는데 휴대폰 울린다)

활기찬 휴대폰 벨 - 아따맘마 '♩♪♬ 안녕하세요 감사해요 잘 있어요.'

남순　(보면, 꽃거지 1) 여보세요? 야 니들 어디야? 밥은 먹었어?

그렇게 병원을 벗어나는 행복한 남순의 모습에서.

S#28 한강 일각 - 게르 1, 2 /D

- 느린 화면 -

손에 장도와 망치, 톱, 전기톱 등 무시무시한 무기들을 들고 진격하고 있는 험상궂은 표정의 조선족 상남자 20명이 마스크를 쓰고 게르를 향해 걸어오고 있다.

어떤 사내는 도베르만까지 끌고 오는.

그들의 험악한 진격에 주변에서 러닝을 하거나 사이클을 타거나 하던 사람들 두려운 표정으로 보고 있다. 평화롭던 한강에 어둠의 그림자가 압도한다.

그들 뒤로 사탕을 입에 물고 여유만만하게 걸어오는, 모자 뒤집어쓰고 마스크 쓴 화자.

한강 메트로트럼프스퀘어졸라이조타타워의 문을 열자 지현수 커플 없다.

한강 아라베스크크라운열나이럭셔리파크맨션 문을 열자 남순이 없다.

화자, 처리하라는 수신호 하자 게르를 박살내기 시작하는 조선족들.

칼과 전기톱으로 게르를 붕괴한다. 뼈대가 부서지자 작신작신 그대로 밟기 시작하는 조선족들. 차차 무너지는 한강 메트로트럼프스퀘어졸라이조타타워와 한강 아라베스크크라운열나이럭셔리파크맨션.

현수막을 그대로 찢어 버리고 하늘에 나부낀다.

일각에서 그런 화자의 작태를 감시하는 어느 시선.

[인서트] 금주의 집 /D

전화 받는 정 비서. "그래 알았어."

정 비서, 전화 끊으며 "한강 천막은 왜~~" 갸우뚱하는 정 비서.

S#29 거리 /D

남순과 거지 커플, 명랑 핫도그를 먹으며 걷고 있다.

지현수 그래서 더 큰 배역을 맡았단 거예요?

남순 응.

노 선생 남순 씨 사회생활 짱 잘하는구나. 진짜 신기해. 힘이 원더우먼보다 더 세. 어쩜 그래?

남순 몰라 나도. 아무튼 내가 니들 얘기도 했으니까 다음 촬영 때 보자. 니들 일자리도 준다고 약속했어.

지현수 고마워요. 아아… 집이 생기고 나니까… 의욕이 넘쳐요… 나도 이제 일하고 돈 벌 거예요.

노 선생 고마워요 남순 씨.

하는데, 남순이 발걸음 멈춘다. 굳어지는 남순의 표정, 눈시울 붉어진다.

남순의 시선 따라가는 지현수와 노 선생. 하지만 그들 눈에는 아무것도 보이지 않는다.

- 남순의 시선 -

게르가 거의 초토화된 현장.

남순, 그대로 게르 쪽으로 뛰어간다. 엄청난 속도로 뛰어가는 남순.

그런 남순 따라 뛰기 시작하는 거지 커플.

S#30 강한 지구대 /D

희식, 지구대 여 순경에게서 금주 연락처를 받아서 나서려고 한다.

여 순경 골드블루 전화번호고요. 이게 황금주 씨 개인 폰입니다.

희식 고마워요. (하는데)

전화 받던 지구대 소장 "네 뭐라고요?"

소장 게르 부수고 있대. 폭력배 무리들이 와서 그대로 박살내고 있다고 신고 들어왔어. (순경들에게) 출동해!

지구대 김 순경과 박 순경, 그대로 나가고. 희식, 그 소리에 뛰쳐 나간다.

S#31 한강 여러 곳 /D

초토화된 두 게르.
출동하는 경찰차 / 출동하는 희식의 차 - 차 위에 사이렌 올린다.
게르에 도착한 숨 가쁘지만 분노한 표정의 남순.

남순　(분노) 이게 무슨 짓이야?

그런 남순을 멀리서 보고 있던 화자.

남순　누가 감히 내 집을!!!! (분노의 눈빛) 다시 붙여 놔. 이 집들 다시… 붙여 놔. 안 그럼 니들 다! 내 손에… 죽는다!!
덩치남　아이구 무서워스리… 죽여 봐… 죽여 봐….
남순　(그대로 덩치남의 목을 잡고 손을 뻗어 위로 올린다)

덩치남 얼굴에 피가 쏠리고 발버둥 친다.
남순과 덩치남의 투 샷을 보고 있던 인근 조선족들 순간 당황.
사탕을 물고 있던 화자는 여유가 무너진다.

남순　(그 사내를 그대로 던진다)

그 사내 거의 100m를 날아가 저 멀리 나무에 제대로 박힌다.
놀라는 조선족들. 한 명 한 명 도망가기 시작하자
남순, 도망가는 그들을 하나하나 그대로 잡아 주먹으로 갈기고
너클로 날리고 발로 차고 한 명 한 명 재낀다.
도망가는 두 남자들 향해 달려가 머리 박치기하자 그대로 기절
하는 남자들.
근처의 남자들 따라가 야구 선수 도루하는 폼으로 다리를 걸어
쓰러뜨리고 다른 남자 하나는 저 멀리 짐짝처럼 날려 보낸다.
그 와중 전기톱 들고 있던 사내가 전기톱으로 위협하자,
남순, 전기톱을 그대로 발로 차고, 전기톱은 하늘 위로 솟아오
른다.
일각에서 보고 있던 화자, 물고 있던 사탕이 떨어진다.

- 게르 인근/ 희식의 차 안 -
드디어 희식이 내리고… 희식의 시선은 하늘 높이 소음을 윙
윙대며 춤추고 있는 전기톱에 향하고.
- 느린 화면 -
남순, 에어워킹으로 날아 그 사내의 얼굴을 주먹으로 날린다.
얼굴이 후덜덜 바람에 날리는 기저귀처럼 흐느적거린다.
- 일각 -
보고 있던 희식의 눈과 입이 다물어지지 않고.

남순의 시선에만 보이는 저 멀리 도망가는 개 끌고 가는 견주.
남순, 그대로 '두두두두두' 달려서 그 견주에게 향한다.

남순이 지나가는 곳에 바람이 휘익 불고.
남순, 그대로 그 견주의 앞을 가로막고. 견주, 땀에 흠뻑 젖어 있다.
견주, 쥐고 있던 도베르만을 남순 앞에 풀지만 도베르만은 남순 앞에서 꼬리 내린다.
견주, 다시 도망가자 남순 그대로 사내를 잡아 게르 쪽으로 날린다.
그 견주, 하늘로 날아간다.
현장에 출동한 순경들과 희식 그리고 화자, 날아가는 견주 쪽으로 향한다.
그 견주, 결국 초토화된 게르 중심에 착지하고 기절한다.
사태가 다 진정되는 듯 보이는데 화자의 절친인 남자 1이
오토바이를 몰고 그대로 남순에게 돌진한다.
남순, 휘이익 오토바이를 뛰어넘어 가볍게 땅에 착지하고.
속도를 너무 낸 그 상태 안 좋은 오토바이는 남순이 아무 짓도 안 했는데, 브레이크 고장으로 한강 일각 어느 난간에 부딪혀 그대로 고꾸라진다.
드론 카메라로 보이는 한강의 테러(?) 현장.
사내들이 뿔뿔이 한강에 쓰러져 있고 게르 두 대는 부서져 있다.

- 다른 일각 -
지현수와 노 선생, 끌어안고 흐느낀다.

그렇게 머리카락을 날리며 걸어오고 있는 분노한 남순의 모습,
그런 남순을 향해.

희식 강남순!!

남순 (멈춰 선다)

화자 (혼잣말) 강남순… 하… 진짜구나…. (좌절한다)

희식 (뛰어와 그런 남순 보는) 괜찮은 거지?

남순 (땀을 닦으면서) 나 얘들 병원비 다 물어 줄 필요는 없지? 얘들이 먼저 잘못한 거니까….

희식 (남순의 괴력에 넋을 잃어 말문이 막혀 있는데)

남순 (걸어가며) 하아… 오늘 밤 어디서 자냐….

하면서, 시선 주면 울고 있는 거지 커플. 남순, 그들 짠하게 본다.

남순 울지 마. (눈가 붉어져) 내가 다시 지어 줄게. 걱정 마.

지현수 우리가 집을 가지는 거부터가 욕심이죠. (노 선생 일으키고 옷을 털어 주며) 남순 씨 그동안 정말 고마웠어요. 잊지 않을게요.

남순 어디 갈 건데?

지현수 (자조하듯) 우리야 뭐… 대한민국 다 우리 땅이잖아요. 걱정 말아요.

(희식에게) 남순 씨 따뜻하게 잘 수 있도록 도와주세요.

그렇게 거지 커플은 손을 꼭 잡고 어디론가 떠난다.

남순 무너지고, 시끄러운 앰뷸런스 소리 들리고, 쓰러진 사내들을 여러 대의 앰뷸런스에 나눠서 싣고 간다.

남순 갈게. (하는데)

희식 (그런 남순의 손을 딱 잡고) 어딜 가 가긴.

남순 재들이랑 같이 있을래.

희식 눈치 없긴… 왜 자꾸 커플 노는데 끼냐? 재들은 너 귀찮아 해.

남순 …

희식 따라와. (손을 끌고 가는)

남순 어딜 가는데.

희식 우리 집!!

S#32 희식의 오피스텔 입구 - 안 /E

희식, 도어 록을 열고 남순을 안으로 들인다.
집 안으로 들어온 남순, 뻘쭘하다.

희식 샤워부터 해. 1대 20으로 싸움을 했는데 땀범벅일 거 아냐.
괜찮아. 미안하게 생각할 필요 없어. 고마워 할 것도 없고… 당(연)
(하는데, 주위 둘러보면 남순이 없다) 어디 갔어. (하는데)

들리는 샤워기 물소리.

희식 강남 스타일이야 몽골 스타일이야. 아무튼 빨라.

희식, 소파에 앉아 그대로 전화한다.

희식 난데요. 사건 현장에 있던 놈들 다 잡아서 심문해 보세요. 단순한 폭력범들이 아니에요. 다 대림동 애들이었어. 네….

(전화 끊는다. 생각에 빠지는데)

남순(소리) 야 경찰 나 입을 옷 좀 줘.

희식 알았어. (하고는) 여자 옷이 어딨어 내가…. (주섬주섬 일어난다)

(자신의 방에서 자신의 흰 면 티와 바지를 가지고 와서는 욕실 문고리에 건다)

문 앞에 걸어놨어. 내 옷이야. 이거밖에 없어.

남순(소리) 알았다.

희식 (구시렁) 신경 써서 반말하네 아휴…. (하다가)

희식의 뇌리 속에 떠오르는 남순이 힘쓰던 장면.

[인서트] 한강 (플래시백) /D
에어워킹 하는 남순의 모습.

희식, 절레절레 거린다. 그러다 희식의 폰으로 전화가 온다. 받는다.

S#33 어느 병원 입원실 (8인실) - 희식의 집 (교차) /E

남순에게 맞은 사내들이 걸레가 되어 8개의 침대에 누워 있다. 간호사와 의사, 신음이 깊은 그들을 보살피느라 정신없는 상황 스케치되고.

여 순경 진술을 받은 듯 - 남순에 의해 옆 박치기한 두 사내 얼굴이 부어서 (한 사내는 왼쪽이 붓고 다른 사내는 오른쪽이 부어 있는) 나란히 침대에 누워 끙끙 앓고 있다. 여 순경, 그 사내들 중간에 서 있다. 여 순경, 희식에게 전화 중이다.

여 순경 강 경위님, 저 여지현입니다. 게르 테러 주범을 알아냈어요.
리화자? 본명은 이명희래요.
오늘 번호 받아 가신 황금주 씨 딸이랍니다.

희식 (표정) !!

S#34 금주의 집 - 다이닝 홀 /E

금주와 중간, 과일을 먹으며 얘기 중이다.
금주에게서 화자가 친딸이 아님을 듣게 되는 중간.

중간 나도 걔가 남순이가 아닐 거 같았다만… 거짓말을 시켰단 거잖아.
고얀 거 같으니….

하는데, 화자가 집으로 들어온다. 눈시울 붉어지고 기운 없는 채로.

금주 (미소 가득해 맞아 준다) 어서 와.

화자 (꾸벅 인사하고는 그대로 방으로 들어간다)

이때 금주의 휴대폰이 울린다.

- 이하 교차 - 희식의 집

금주 여보세요?

희식 황금주 씨 되십니까?

금주 그런데요.

희식 안녕하세요. 저는 서울 경찰청 강희식 경위입니다.

금주 네 무슨 일이시죠?

희식 따님을 찾고 계시죠?

금주 ?!

희식 따님 이름이 강남순이고요.

금주 네…. (눈가 떨리고)

희식 따님 정말 찾으셨습니까?

금주 아뇨.

희식 !!

금주 찾은 줄 알았는데… 제 딸이 아니었습니다.

희식 !!!! 그렇군요. 그럼 제가… 제보 드리겠습니다.

금주 정말이에요? 저기… 강희식 경위? (하는데)

희식의 표정이 굳어진다. 희식의 시선 따라가면.
희식의 흰 셔츠와 짧은 바지를 입고 있는 너무나 청순하고 이쁜 남순이의 모습.

희식 (말문이 막힌)

금주 여보세요? 혹시 제 딸을 아세요?

희식 (시선은 남순에게 두며) 그런 거 같습니다.

금주 (미칠 거 같은) 지금 내 딸 어딨습니까?

희식 제가 다시 연락드리겠습니다. (하고, 끊는)

희식, 남순을 보며 정신을 잠시 잃다가 정신 차리자는 듯 절레절레 한다.

남순 나 어디서 자?

희식 강남순! 너 엄마 찾은 거 같아!

남순 !!!

S#35 금주의 집 - 다이닝 홀 /E

금주, 멍한 채 서 있다가 바로 전화 건다.

금주 여보세요? 납니다.

정보원(F) 네 대표님.

금주 강희식이란 경찰에 대해 빨리 알아봐 줘요. 어느 소속인지. 당장요.

정보원(F) 네 바로 알아보겠습니다.

금주 (전화 끊고는 길중간에게) 엄마, 남순이 찾은 거 같아.

중간 (놀라는) 뭐?

S#36 동 집 - 화자의 방 /E

화자, 침대에 앉아 입술을 부들거리며 눈물을 흘린다.

S#37 동 마수대 /N

팀장, 참마, 쓰봉만 남아 있는 마수대 안, 놀라는 팀장 얼굴에서.

팀장 여자 하나가 그렇게 만들었다고? 조선족 20명을?

쓰봉 그렇다니까요. 박 소장이 살다 살다 이런 사건 첨 봤다고….

팀장 (짜증) 우리도 독립된 공간이 필요해. 지구대랑 같이 있는 거 피곤해.

참마 독립 공간 안 되죠. 비밀 수사팀인데….

팀장 그니까 우리가 강한 지구대 2층에 왜 있냐? 비밀 수사팀까지 꾸려서.

참마/쓰봉 (참마는 집중해서, 쓰봉은 소시지 먹으며 그냥 듣고만 있는)

팀장 서울 관할에 마약 수사대 겨우 열 개밖에 없어. 근데 마약범은 기하급수적으로 늘어나니까, 청장님 특별 지시로 은밀히 만들어진 비밀 마약 수사팀이라고! 우린 강남의 약쟁이 새끼들만 잡으면 돼.

그걸 1분 1초도 잊지 말라고! 저런 잡사건에 흥미조차 갖지 마.

참마 잡사건 아닌 거 같은데요?

쓰봉 잡사건은 무슨~ 대형 사건이죠. 대림동 애들 20명, 경찰 20명이 와도 한 방에 못 잡아요. 그걸 여자 하나가 했다는데~~

팀장 (뻘쭘) 어이없긴 하네… (그러다) 근데 희식이, 영탁이는 왜 없어?

쓰봉 오늘 오프잖아요. 열흘 동안 못 쉬었어요. 걔들….

팀장 걔들은 뭐 좀 찾았대?

쓰봉 쉴 땐 좀 쉬게 두세요.

팀장 뭐 인마? 그럴 거면 너도 서울역 가서 평생 쉬어~

S#38 서울역/N

서울역에 보이는 노숙자들 그 가운데 나란히 앉아 있는 거지 커플.

노 선생, 삼각김밥 끝부분을 다 먹고 중간 부분을 지현수에게 건넨다.

노 선생 자기 이거 먹어. 끝은 내가 먹었으니까 중간 참치는 자기가 먹어.

지현수 고마워요 노 선생. (하고, 삼각김밥이 동그란 김밥이 된 걸 먹는다. 울고 있다) 삼각김밥이 아니라 동그리 김밥이네요.

노 선생 눈물 젖은 삼각김밥, 오늘을 기억해요 우리.

그렇게 서울역 일각에서 웅크리고 잠을 청하는 노숙자 커플의 모습에서.

S#39 희식의 집 /N

희식, 모든 것을 확신하는 표정이다.

희식 모든 걸 알겠어. (남순에게) 오늘 게르 부순 사람이 가짜 강남순이래.

남순 !!!

희식 네가 살아 있는 게 싫었겠지. 네 엄마가 널 20년 동안 찾았어.

남순 (눈시울 붉어지고)

희식 10년 전부터 힘자랑 대회를 열었대. 자기 딸이 힘이 세니까… 그렇게라도 널 찾았던 거지. 그러다 가짜가 나타난 거야.

남순 (눈물이 맺히는)

희식 하지만 가짜란 걸 알게 된 거고.

남순 우리 엄마… 아빠… 다 잘 있는 거야?

희식 (웃는) 잘 있는 정도가 아니야.

남순 ???

희식 너 이제 게르에서 안 살아도 돼. 네 엄마 강남에서 젤 높은 빌딩을 가진 엄청난 부자야. 강북에만 건물이 열두 개고….
비공식 정보로 남한 땅에서 제일 현금이 많은 사람이래.

남순 …

S#40 금주의 집 /N

금주, 초조하게 기다리고 있다. 이때 전화가 울린다.

금주 여보세요?

정보원(F) 대표님 강희식 경위, 경찰대 37기고요. 현재 서울 경찰청 마약 특수수사팀 소속입니다. 비밀 업무팀이라 현재 강한 지구대에 본부가 있답니다.

금주 마약 특수 수사팀요? (눈빛, 표정)

S#41 희식의 방 /N

희식이 남순을 자신의 침대로 안내한다.

희식 여기서 자.

남순 넌 어디서 자?

희식 난 작은방에서 자면 돼.

남순 알았어. 잘 자.

희식 (나가려다) 너 힘 말이야… 어떻게 된 거야? 사람이 어떻게 그렇게 힘이 셀 수 있는 거야?

남순 모르겠어. 몽골에서도 나보다 힘센 남자를 본 적이 없었으니까.

희식 너…. 초능력자 같아.

남순 (보면)

희식 네 엄마도 그런 거 같거든?

남순 (반응, 놀라는 표정) 엄마도?

희식 늦었어. 일단 자. (나가려는데)

남순 고맙습니다.

희식 (보면)

남순 우리 엄마… 찾아 줘서 고마워.

희식 (눈빛, 표정) 내가 약속했잖아. 난 약속을 지켰을 뿐이야.

(문을 닫는 데서)

S#42 금주의 서재 - 희식의 작은방 (교차) /N

희식의 폰이 울린다.

희식 여보세요?

금주 황금주입니다.

희식 네. 안 그래도 전화 드리려고 했습니다.

금주 내 딸… 어딨어요?

희식 저랑 지금 같이 있습니다.

금주 (눈물 가득 고여) 바… 바… 꿔 줄… 수 있나요?

희식 오늘 좀 피곤했을 거예요. 지금 자게 하고 싶어요.

여사님과 통화하면 오늘 못 잘 거 같아서.

금주 그렇죠. 맞아요. 나 혼자 못 자는 게 나아요. 그래요.

내일 아침에 깨면 내가 주소를 줄 테니까 내 딸 그리로 오게 좀 해 주세요. 내 프라이빗 식당입니다.
조용하게 단둘이 얘기하고 싶어요.

희식 네 그러겠습니다.

금주 강희식 경위님? 진심으로 감사해요. 은혜 잊지 않을게요.

희식 아닙니다. 제가 오히려 감사해요. 네…. (끊는다)

금주, 전화를 끊고는 오열한다. "남순아… 내 딸… 남순아…."
희식, 전화 끊고는 미소. "다행이야 찾아서…." 그렇게 일어나는 희식.

S#43 금주의 서재 - 어느 포장마차 (교차) /N

금주, 울먹이며 봉고에게 전화한다.

봉고 (술을 마시는) 여보세요?

금주 남인 아빠. 아니 남순 아빠….

봉고 …

금주 우리… 남순이 찾았어.

봉고 (표정, 눈빛)

금주 지금 경찰이 데리고 있나 봐.

봉고 정… 정말이야? … 이번엔 정말인 거 같네.

금주 응 정말이야.

봉고 잘 있는 거지?

금주　　그럼… 잘 있대.

봉고, 전화 끊고는 묵혀온 설움이 폭발한다. 울기 시작한다.
그런 봉고의 모습에서.
[디졸브]

S#44　희식의 집 /D

아침 햇살이 밝은 희식의 집. 남순에게 배송 온 옷을 건네는 희식.

희식　　한국 끝내주게 살기 좋지? 옷도 새벽 배송으로 와.
부모님 만나러 갈 땐 깨끗하고 좋은 옷 입고 가는 거야.
내 새끼 잘 살고 있구나~ 안심할 수 있게.
남순　　알았어…. (미소)

CUT TO
남순, 그렇게 새 옷 입고 나온다. 그런 남순을 보는 희식의 마음.
남순, 신나는 마음으로 나간다.
남순을 보낸 희식, 자신도 이제 나갈 준비를 한다.

S#45　희식의 집 - 화장실 - 희식의 방 - 동 화장실 /D

희식, 세수하는 와중에 방에 둔 폰이 울린다.
희식, 물 묻은 채 타월 목에 걸치고 욕실 밖으로 나가 자신의 방으로 향하는데.

희식 여보세요?
영탁(F) 제출한 물건 아무것도 마약 성분 검출된 게 없어.
희식 (실망하는) 네.
영탁(F) 너 어제 거기서 뭐 더 찾은 건 없었어?

그런 영탁 소리 위로 - 책상 위에 보이는 자신의 휴대폰과 비닐에 든 마스크.

희식 있긴 한데… (그게) 증거품일리는 없어서요….

희식, 비닐에 든 마스크 끈이 살짝 삐져 나와 마스크 끈을 비닐 안으로 집어넣고는 잠그려는 카메라, 희식의 눈이 되어서 그 비닐 속 마스크에 줌 인 하다 C.U 하면.
서서히 녹기 시작하는 마스크 끈. 희식, 놀라는 표정으로 그 마스크 보는.

희식 선배 찾은 거 같아요!!!

S#46 교차 장면 /D

금주와 남순, 각자 설레는 마음으로 약속 장소로 향한다.
금주는 기사 차량을 타고 평생을 그리워하던 두근거림으로.
남순이는 걸어서 지도 앱을 보면서 설레는 마음으로.

S#47 거리 일각 /D

남순이 먼저 목적지 건물에 다 와가자 건물에 들어가려고 하는데, 어디선가 '불이야~~', '사람 살려요~~' 소리가 들려온다.
남순, 동체 시력으로 돌아보면 강남의 4층짜리 건물에서 불이 난다.
남순, 시간을 보고서 그 건물로 들어갈까 망설이다 바로 발길을 돌려 그 문제의 장소로 엄청난 속도로 뛰어간다.

S#48 금주의 차 안 /D

금주, 빨리 약속 장소로 가고 싶은데 차가 가득 막혀 있다.
금주, 시계를 보면 만나기로 한 12시가 다 되어가서 초조한 마음이다.
사이렌 소리가 점점 가깝고도 크게 들려오는데 차가 꽉 막혀서 소방차가 지나가지 못한다. 차들 자리를 비켜 주려고 하는데 교통 혼잡 때문에 여의치가 않다.

기사 좀 늦을 것 같은데 괜찮을까요?

금주 안 괜찮아!

금주, 차창 밖을 바라본다. 연기가 올라오고 있는 어딘가 보인다.

기사 화재가 발생한 거 같습니다.

금주, 그 소리에 차 문을 열고 뛰쳐나간다.

S#49 도로 /D

비장한 표정의 금주, 교통정리를 시작한다. 삐뚤빼뚤 자리 못 잡고 있는 차들을 힘으로 밀어서 길을 터주는 금주. 금주 덕분에 소방차가 지나갈 자리가 점점 생긴다.
그렇게 강남의 길 중간을 뚫어 버리는 금주.

[인서트] 미술 학원 건물 안 /D
불타고 있는 4층 미술 학원. 사람들 모두 건물 밖으로 도망치는 가운데.
빈 기름통을 든 채 힘없이 걸어오는 미술 학원 선생. 초점 잃은 눈동자에 거센 불길이 비춰지자. '툭' 기름통을 떨군다.
선생의 시선으로는 불길이 아닌. 붉은 꽃과 나무가 만발한 평원이 보이는데!

미술 학원 선생! 그대로 불길을 향해 뛰어드는 모습에서!

S#50 화재 장소 /D

먼저 화재 장소에 도착한 남순.
화재로 인해서 출입구가 막혀 건물 안으로 접근할 수 없다.
4층 건물 꼭대기 층에 있는 미처 도망가지 못한 초등학생들이 소리치고 있다.
남순, 그 광경을 보고는 조금씩 뒷걸음질 치며 자리를 빼더니 도움닫기를 위해 달리기 시작한다.
그리고 엄청난 힘으로 점프를 해서 벽을 걸어 4층 창문까지 에어 워킹으로 뛰어오른다.
그런 남순을 보고 입을 다물지 못하는 시민들.

[인서트] 미술 학원 건물 안 /D
남순, 그렇게 도착한 4층에서 아이들을 달랜다.

남순　　이제 괜찮아 내가 구해 줄게!
학생들　　(구원자를 보듯 감동)

양팔에 학생들을 한 명씩 끼고서 다시 아래로 점프해서 내려가는 남순.

- 다시 건물 밖 -

그렇게 애들을 구조하기 시작하는 남순.

건물은 점점 불이 거세지고 연기가 자욱해지며 무너져 간다.

그래도 남순이는 기침을 해 가면서도 몸 바쳐 가며 애들을 구한다.

현장에 도착한 금주, 사람들이 모두 남순만 보고 있음을 본다.

금주는 남순의 엄청난 점프력과 파워를 보고서 자신의 딸임을 직감한다.

금주 남순아!!!

한편 다시 건물 안으로 들어간 남순. 점프력을 많이 써 이번에는 벽에서 미끄러진다.

남순, 건물 난간을 '탁' 잡고 안으로 들어간다.

보고 있던 사람들 믿을 수 없다는 표정이고.

금주, 그런 남순을 돕기 위해 긴박하게 주변을 두리번거리기 시작한다.

그리고 가로등을 하나 뽑아 버린다. '우두두두~' 힘을 크게 쓰는 금주.

가로등이 뽑히고 전구가 '팍' 하고 깨진다.

머리에 유리 파편이 박혀도 전혀 개의치 않고서 그 가로등을 불타는 건물 옆에 붙여 땅에 박는 금주. 그리고 가로등 위로 올라가기 시작한다.

한편 남순은 더 이상 건물에 아무도 없다는 걸 확인하고 다시 창밖으로 나온다.
그리고 자신에게 다가오는 금주를 보게 된다.
점점 가까워지는 둘, 그리고 점점 강해지는 불길과 가스.

금주 남순아….
남순 … 엄마?!

그런 두 사람 위로 소방차의 물줄기가 '쫘아아' 쏟아진다. 소방차가 드디어 도착한.
쏟아지는 물 아래서 함께 눈물 맺히는 애틋한 둘 사이.
드디어 만났다. 하지만 이미 유독 가스를 많이 먹은 남순.
금주의 손이 닿을락 말락 하는 거리에서 남순 그만 정신을 잃고 떨어지는데…!!

금주 남순아!!!!!!!!

<3화 엔딩>

제4화

모두가 만났다
(Everyone Meets)

S#1 3화 엔딩에서 /D

금주 남순아….

남순 … 엄마?!

그런 두 사람 위로 소방차의 물줄기가 '쏴아아' 쏟아진다. 소방차가 드디어 도착한.
쏟아지는 물 아래서 함께 눈물 맺히는 애틋한 둘 사이.
드디어 만났다. 하지만 이미 유독 가스를 많이 먹은 남순.
금주의 손이 닿을락 말락 하는 거리에서 남순 그만 정신을 잃고 떨어지는데…!!

금주 남순아!!!!!!!!

모성과 괴력이 합쳐져 떨어지는 남순을 두 손으로 그대로 받아 안고 땅에 착지하는 금주.

사이렌 소리 들리며 물줄기 속에 눈을 뜨는 남순.
금주, 눈물인지 빗물인지 알 수 없는 눈물을 흘린다.

금주 남순아….

남순 엄… 마?

두 모녀의 뭉클한 재회가 여운 있게 그려진다.
소방차가 화재 진압을 하고 구급 대원들이 건물 안으로 들어가는 등. 어수선한 가운데. 소방관 네 명이 금주가 둔 가로등을 치우려 하는데 힘을 써도 되지 않는다. 한 소방관 눈이 커져 어딘가에 시선을 두는데 - 남순이 가로등을 한 팔로 당긴다. (금주의 품에 안긴 채) 입이 쩍 벌어지는 소방대원들의 모습들.
그렇게 소방차의 사다리가 건물에 설치된다.
그렇게 서로 바라보고 있는 금주와 남순의 모습이 멀어지면서.

S#2 금주의 차 안 /D

기사가 운전하고 뒷자리에 앉은 금주가 젖은 남순을 아기처럼 닦아 준다. 손가락 하나하나 그리고 뺨, 머리카락을 만지는 금주의 모성의 눈빛들.

남순 내가 할게.

금주 엄마는 네가 이제 여섯 살이야.

남순 엄마…?

금주 응… 내가 엄마야. 엄마 기억해?

남순 (고개 저으며) 기억은 안 나지만 느낌이 나… 엄마 느낌.

금주 (눈물 흘리면) …

남순 (수건으로 눈물 닦아 주며) 울지 마. 난 씩씩하게 잘 살았으니까.

금주 너 다섯 살 때에서 내 기억이 멈춰서… 그냥 여섯 살부터 시작할 거야.

남순 (개구쟁이스럽게 웃으며) 그런 거 치고 나 너무 많이 컸는데? 이빨도 다 나고 발도 너무 컸고….

금주 (피식) 한국말을 어쩜 이렇게 잘해?

남순 공부했어. 몽골 엄마 아빠가 공부하도록 공부비도 주셨어.

금주 (눈물 가득해) 너 키워 준 분들… 너무 고맙다. 당장 한국으로 모시자.

남순 아니야. 엄마 아빠는 몽골에 있어야 돼. 지금 한창 양털 깎느라 바쁠 거야.

금주 아니! 난 은혜는 갚아야 해.

남순 그럼 몽골 엄마 아빠한테 게르 지어 줘.

금주 (남순이 귀엽다는 듯 그제야 껄껄껄 웃는다) 게르? 천막 말이니? 그건 그냥 취미 생활용으로 쓰게 하고. 건물을 지어 줄게.

[인서트] 상상 (몽골 평원에 건물 임대를 하다) /D
졸자야와 코코가 졸부 옷차림(몽골 옷이지만 금칠과 보석이 잔뜩 박힌)으로 방긋 웃으며 서 있다. 그들의 시선 따라가면 평원에 삐죽하게 7층 건물이 놓여 있다.

몽골어로 '임대'라고 써 있는 현수막이 건물 전체를 휘감고 있다.
그 화면 위로 금주의 소리가 지원된다.

금주(소리) 임대를 하게 할게. 그럼 그 임대 수익으로 노후를 사시게 하자.

남순 임대? 나 그거 뭔지 알아. 드라마에서 많이 봤어.

금주 그럼. 부동산이 최고야. 이 엄마도 그걸로 돈을 쓸어 담았어.

남순 엄마 부동산 투기했어?

금주 (끄응) 투기가 아니라 투자지. (미소) 앞으로 이 엄마에게서 넌 한국의 자본주의를 배워야 할 거야.

남순 (그게 뭘까) 자본주의…?

금주 암튼 네가 살던 집 주소 알지?

남순 게르에 주소가 어딨어?

금주 (뻘쭘하게 쳐다보며) 주소도 없는 집에 살았단 거야?

남순 응.

금주 하… 주소 없는 집이라니… (돌연) 강봉고… 개자식~~

남순 (놀라서 보며) 강봉고?… 개자식?

금주 (남순 귀 막아 주며) 배우지 마 배우지 마. 엄마 욕 듣지 마.

남순 이미 다 들었잖아. 지금 막으면 어떡해. (킥킥) 괜찮아. 나 욕 잘해. 영화 보고 많이 배웠어. *발. *까.

금주 하지 마. 네 할머니 때문에 자연스럽게 배운 이 욕이 오장육부에 붙어 안 떨어져. 엄마, 너한테 욕은 물려주고 싶지 않아.

남순 알았어. 안 배울게.

금주 아무튼 너 20년 동안 신세지고 고마운 사람 이 엄마가 다 은혜 갚을 테니까 한 명 한 명 다 적어서 이 엄마한테 줘.

남순　　엄마.

금주　　응, 딸.

남순　　그럼 내 친구들 좀 도와주면 안 돼?

금주　　친구?

S#3　어느 대학 캠퍼스 일각 /D

대학생들이 왔다 갔다 하는 가운데 지현수와 노 선생 도강 후 기운 없이 앉아 있다.

지현수　　최 교수는 작년이나 올해나 수업이 늘 똑같아요. 노력을 안 해. 큰일이네… 저러다 교수 평가 하면 잘리지 않나? 걱정이네.

노 선생　　아는 교수야? (네가 왜 걱정)

지현수　　그럴 리가요. 거시경제의 석학이라 기대해서 도강했는데… 시간 아깝네요. 미시경제에 대한 접근이 저래서야 거시경제를 알 수가 있나.

노 선생　　(지현수 목에 주렁주렁 걸고 있는 각종 신분증을 만져 보며) 자기처럼 경제 활동을 여러 방면으로 하지 않으니 교수 따위가 뭘 알아.

지현수　　(진지) 그게 문제예요. 책상에만 앉아 연구를 하니…. (하는데)

노 선생　　(배에서 꼬르르)

지현수　　(다정하게) 배고파요? 오늘은 캡사이신이 땡기네요. 오늘 우리 큰맘 먹고 돈 내고 밥 먹을까요? 이 학교 비빔밥 계란이 커요. 유정란 쓰거든.

노 선생 그러지 말고 행당동으로 그냥 가… 돈 그렇게 낭비하면 거지돼.

지현수 (빈정 상해) 그렇게 심한 말을….

하는데, 안내 방송이 들린다.

아나운서(소리) 교내 방송입니다. 한강 메트로트럼프스퀘어졸라이조타타워에서 오신 지현수 씨와 노 선생님은 지금 캠퍼스 후문 쪽대문(*변경 가능) 앞으로 와 주시길 바랍니다. 다시 한 번 말씀 드립니다. 한강 메트로트럼프스퀘어졸라이조타타워에서 오신 지현수 씨와 노 선생님은 지금 후문 쪽 대문 앞으로 오시길 바랍니다.

지현수, 그 방송에 '벙!', 노 선생도 '벙!'

S#4 동 학교 후문 쪽문 일각 /D

지현수와 노 선생 기다리고 있는데.
음악 (On) 대부(The Godfather) 주제곡이 흐른다.
리무진에서 마치 돈 꼴레오네처럼 내리는 금주.
멍청하게 그런 금주 보는 거지 커플. 비장한 트럼펫 연주는 상황과 콘트라스트 되며.

금주 강남순 엄마 되는 사람입니다

지현수 (멍하게 보다) 아 예.

노 선생　　안녕하세요.

지현수　　(쫄아서) 저희가 무슨 잘못이라도….

금주, 뒤로 손을 내밀자 뒤에 서 있던 기사가 금주에게 가방 두 개를 건넨다.
금주, 현금 가방 하나씩을 지현수와 노 선생 앞에 놓아 준다.
거지 커플, '이게 뭐지?' 하는 얼굴로 금주 보면.

금주　　현찰 2억씩이에요. 일단 이걸로 급한 불부터 꺼요. 옷 사 입고… 밥도 사 먹고… 오늘 밤은 금주 호텔에서 묵어요. 내 호텔이니까 그냥 가요. 최 기사가 밤에 모실 겁니다. (명함 건네는) 하나하나 해결합시다. 집 문제부터. 무슨 일 있음 나한테 연락하고….

거지 커플, 가방 열어 보자 보이는 2억 현금 다발. 이게 꿈인가 싶은 두 사람의 표정.

금주　　우리 남순이가 내 품으로 돌아오는 그 과정에, 당신들이 존재한 것만으로… 나한텐 은인이야. 아무튼 꼭 연락해요.

그렇게 금주 떠나고 현금을 보고 있는 거지 커플의 멍한 표정.

노 선생　　(멍) 오늘 비빔밥은 아닌 거 같지 자기?

지현수　　캡사이신은 오늘 아닌 거 같네요. (이글아이) 일단 돈 꽉 안아요! 그리고 지하철 사물함으로 갑시다. 노 선생 얼른요 퍼뜩!

두 사람, 가방을 품에 꽉 안고 한 쌍의 바퀴벌레 커플처럼 어디론가 향한다.

S#5 금주의 집 /D

남순을 안고 '꺼이꺼이' 우는 중간.

중간 내 새끼 어쩜 이렇게 이쁘게 컸누… 엄마 안 닮고 날 닮았어. 어쩜 이렇게 이뻐.

정 비서 (중간의 발언에 키득 웃음)

중간 남순아… 오는 길에 불이 났다며? 거기서 사람도 구했다고? 네 엄마한테 들었어. 일단 어서 욕실 가서 씻어.
(정 비서 향해) 남순이 입힐 옷부터 좀 사오게 해요, 정 비서.

정 비서 네. 어르신 (남순에게) 아가씨 일단 욕실로 안내할게요.

S#6 동 집 - 욕실 /D

남순, 들어오면 보이는 욕실 전경. 게르보다 큰 으리번쩍한 욕실 안.
야외 노천 풀까지 있는 고급 풀빌라 욕실이다.
남순, 신기한 듯 욕실 구경하는.

S#7 마수대 회의실 /D

반쯤 녹은 마스크를 책상 위에 '꽝!' 올려놓는 희식의 손.
마스크에 마수대 형사 모두의 눈동자가 모여 있다.

희식 이겁니다. 물과 닿으면 녹아서 일정 시간 경과 후 물은 증발하고 하얀 가루만 남아요. 괴물이에요.

카메라는 후줄근한 마스크에 줌 인 하는데.

S#8 금주의 서재 - 마수대 /D

금주, 어딘가로 전화한다. 다름 아닌 희식이다.

- 마수대 전경 -

희식 이 마스크가… (하면서, 열을 올리는 찰나에 전화가 울린다)
잠시 만요. (전화 받는) 여보세요?

금주 황금주예요.

희식 아 네. (궁금, 염려, 기대 등의 눈빛) 남순이 만나셨습니까?

금주 네 덕분에… 지금 나랑 같이 있습니다.

희식 아~ 너무 다행이네요.

금주 고맙습니다.

희식 강남순 씨 트렁크랑 짐을 제가 가지고 있습니다.

금주 그렇군요. 내가 강 경위 집에 들러서 그 짐 가지러 가겠습니다.

희식 제가 가져다 드려도 되는데요.

금주 아닙니다. 제가 가는 게 예의죠. 실례가 안 된다면 집 주소 남겨 주세요. 네.

희식 (전화 끊고는 빙그레 웃는다) 다행이야.

하는데, 팀장을 보는 희식의 표정이 굳는다. 팀장이 마스크를 만지다 "이게 무슨 마약이란 거야… 천가루겠지…." 하고 가루 한 점을 혀에 쓰윽 대본다.

희식 팀장님 안 돼요. 이거 펜타닐보다 센 거예요. 빨리 가서 입 헹궈요. 아 빨리….

팀장 (얼른 뛰어가 입을 헹군다) 이미 넘긴 거 같은데?

희식 하… (황당) 애도 아니고 마약팀 팀장이 성분 분석 제대로 안 된 마약을 맛봅니까?

팀장 마약일 리가 없다고 생각해서 그런 거지…. (캑캑)

희식 무슨 호기심 많은 유치원생도 아니고. (그 일부 남은 마스크 다시 지퍼락에 넣는 데서)

S#9 봉고 사진관 /D

봉고, 눈물을 훔치며 사진관 문을 닫고 나선다…. "남순아~~~"

S#10 남인의 사주 카페 /D

남인이 환희에 차서 카페를 나선다. 그러다 바리스타 서준희에게 다가가.

남인　선생님. 드디어 20년 찾아 헤맨 내 진짜 누나를 찾았대요.
준희　아 그래. 정말 잘됐네. 축하해요.
남인　(눈시울) 저 오늘 카페 못 올 거 같아요. 카페 잘 부탁드려요.
준희　걱정 말아요. (미소)
남인　(느린 걸음, 잰 걸음으로 바꿔 카페를 나선다)

S#11 금주의 집 /D

스타일리스트로 보이는 여자가 행거에 걸린 오십 벌 정도의 원피스를 가져온다.

정 비서　아가씨 맘에 드는 옷만 고르세요. 드레스 룸 이제 하나하나 채워 나가야 하니까.
남순　(제일 앞에 있는 원피스 하나 고른다) 나 치마 별로 안 좋아하는데.
스타일리스트　슈트와 트레이닝복, 그리고 캐주얼룩도 곧 준비하겠습니다.
남순　아니야… 난 아무거나 입어도 돼.
스타일리스트　(약간 표정 관리해서) 아무거나 입으시면 제가… 잘립니다.
남순　(선하게 웃으며) 아~~ 그럼 안 되지. 알았어. 고를게.

하는데, 인터폰 소리 들리고 정 비서 나간다.
남순이 원피스를 고르고 있는데 뒤이어 봉고가 들어온다. 정 비서, 그 뒤를 따른다.
봉고와 남순의 조우. 남순이 옷을 고르고 있는 와중 들리는.

봉고(V.O) 남… 남순아….
남순 (뒤돌아 보면)
봉고 (남순을 보는 눈빛과 표정) 그래… 그랬구나… 그때… 어쩐지… 너였구나….
남순 (그때 그 사진관) 그때… 사진관… (눈시울 붉어지는) 아빠….
봉고 응… (끄덕) 그래 아빠야… 아빠야 남순아….

봉고와 남순, 서로에게 다가간다…. 그리고 따뜻하게 안고 오열하는 봉고.

남순 아빠… 미안해… 내가 아빠 손을 놔 버린 거지?
봉고 아니야… 아빠가 미안해. 정말 미안해… 정말로 미안해. (운다)

그리고 뒤이어 남인이가 들어온다. "누나…."

남인 누나…. (남순을 보고)
남순 (남인 보는)
남인 (역시나 핏줄은 땡기는 법… 남순을 보는데 운명적 끌어당김이)
봉고 그래… 남인이야. 너 쌍둥이 동생.

남순 쌍둥이? (남인을 보는데 안 닮았다)

봉고 지방에 가려져서 그렇지 너랑 닮았어.

남순 (다정하게 보면서) 남인아… 반… 갑다. (눈물)

(그리고는 다가가 따뜻하게 안아 준다)

남인 (엉엉 울면서) 나 누나 너무 보고 싶었어. 매일매일 누나를 위해 기도했어. (그 큰 덩치로 품에 버겁게 안긴 채)

남순 그래… 그래서 이렇게 만났잖아.

남인 정말 이상해. 그때 그 리화자 누나는 만나자마자 누나 아닌 거 같았는데… 누나는 보자마자 정말 내 누나라는 게 느껴져.

남순 (분득) 그 사람은 지금 어딨어?

그 소리에, 일동 정 비서 보자.

정 비서 대표님 시계 두 개를 훔쳐서 달아났습니다. 짐도 다 가지고요.

S#12 대림동 어느 음식점 /D

화자, 절망과 분노가 뒤섞인 표정으로 그렇게 가방을 품에 안고 먹방을 하고 있다.

그런 분노의 화자 얼굴이 줌 인 되고.

S#13 동 지구대 /N

화자의 그 얼굴이 지명 수배 명단에 붙어 있다.

S#14 동 마수대 내 디지털 분석방 /N

참마, 100인치쯤 되는 거대한 디스플레이에 코인 지갑 목록을 띄워 놓고 있다.
희식, 영탁, 쓰봉, 팀장, 모두 보고 있는.

참마 빡빡이 코인 지갑이랑 연결된 트랜젝션입니다.

<자막: Transaction - 가상화폐의 거래 기록>

참마 여기에 빡빡이의 거래 내역, 거래 금액, 거래 시간이 전부 기록돼 있는데, 어떤 지갑이랑 몇 시 몇 분 몇 초에 거래했는지 우리가 일일이 다 털어야 해요. 쉽게 말해서.

참마, 테이블 위 쟁반에 프링글스 감자칩을 쏟아붓고.
주먹으로 두세 번 쳐서 잘게 부신다. 그리고 조그만 과자 조각 하나 집어먹으며.

참마 이렇게 된 거를 다 다시 맞춘다고 보면 됩니다.
팀장 사이버 수사대랑 공조하자. 내가 협조 요청할게.
참마 걔네들 음란물 수사하느라 바쁘다고 까였어요.

팀장 우리 마수대 다섯 명이 이걸 언제 다 하냐.

희식 우리가 이걸 어떻게 다 해요. 호모사피엔스는 머리를 써야죠. (일어나서는) 잠깐 1층 내려가겠습니다.

S#15 동 지구대 /N

모처럼 한적한 지구대 안. 소장 귀를 후비고 있다. 희식, 여 순경과 눈인사, 그리고 소장에게 방긋 웃으며 다가간다.

희식 (능청듯) 소장님! 우리도 M&A란 걸 한번 해 보죠?

소장 뭔 소리야?

CUT TO
소장과 팀장이 악수하고 있다. 마치 사이즈 큰 인수 합병이라도 하듯 보이는 현장.
카메라 플래시 대신 여 순경, 박 순경, 김 순경,
그리고 영탁이 휴대폰으로 사진 찍고 있다. 그 모습 위로.

희식(소리) 지구대와 마수대가 서로 필요할 때 인력 충원을 하며 공조하는 거죠. 상생!!!

S#16 동 집 - 남순의 방 /N

화자가 묵었던 침대를 시트 갈고 새롭게 바꾼 듯. 남순, 잠옷으로 갈아입고 침대에 앉아 있는데 금주가 노크 후 들어온다.
금주를 보고 방긋 웃는 남순, 남순을 보고 따뜻하게 웃는 금주.
금주, 남순의 발을 만지면 보이는 깊은 상처. 금주, 눈시울 붉어진다.

금주 힘센 내가 너 하나 못 지킨 게 너무 미안하고 죄스러웠어.

남순 아니야… 나두 힘세. 그래서 이렇게 씩씩하게 잘 살아온 거고.

금주 남순아… 우리 집안 여자들은 대대로 힘이 세.

남순 …

금주 근데… 반드시 그 힘을 좋은 일에 써야만 해. 만일 안 좋은 일에 그 힘을 쓰면… 그 힘이 사라져.

남순 (놀라서 보는)

금주 네가 아직 이렇게 힘이 센 건 네가 착하게 살아왔단 뜻이잖아. 엄만 그걸로도 너무 감사해.

남순 (방긋 웃으며) 앞으로도 그렇게 살 거야.

금주 그럼. 엄마가 끝까지 네 옆에서 네가 그렇게 살도록 도울게. (따뜻하게 남순의 얼굴을 만진다) 이뻐라… 우리 딸… 자. 늦었어.

남순 (끄덕인다.)

금주 (그렇게 나간다)

남순, 금주 나가고 뭔가 생각이 많아진다. 그리고는 전화를 건다.

남순 (몽골어로 - 자막 처리) 엄마… 나야 체첵… 잘 있지? 엄마, 나 한국에서 나를 낳아 준 엄마, 아빠, 그리고 쌍둥이 동생을 찾았어. (듣는) 아빠는 잘 있어? 바꿔 줘. (듣는) 아빠. 걱정 마. 나 잘 지내. 보고싶어 엄마 아빠… 근데 나 한국에서 할 일이 있을 거 같아. 내 힘을 제대로 쓸 수 있는 곳일 거 같거든!!

전화 끊고 표정이 단단해 지는 남순의 모습에서.

[디졸브]

S#17 좋은 한의원 /D

좋아 보이는 한의원에 들어와 앉아 있는 금동과 중간. 금동, 힘이 없는 표정.

그리고 인자한 미소를 가진 여자 한의사. 중간은 언제나 파이팅 찬란하고.

중간 우리 아들이 너무 연약해서 애가 잘 일어나질 못해.

한의사 ??

중간 하루 종일 침대 아니면 소파에 누워 있어. 40년째 비누 냄새 나는 좀비야. 도와줘 의사 양반.

한의사 (금동 보며) 어디가 어떻게 불편하세요?

금동 (처연하다) 마치 엄청난 중력이 땅밑에서 절 잡아끄는 거 같아요. 도저히 일어날 수 없어요. 일어나면 그렇게 삭신이 아프고 힘들어요. 그러니 늘 누워요. (중간 어깨에 머리를 폭 기대며)

한의사, 금동의 손을 잡고 맥을 본다.

한의사	기가 허해서 수승화강이 제대로 안 돼서 기도 안 돌고요. 게다가 빈맥까지 있으니… 생체 활력이 크게 떨어지죠.
중간	돈은 얼마든지 줄 테니 울 아들 직립 보행만 원활하게 하게 해 줘. 녹용, 웅담, 우슬, 위령산, 금은화, (한박자 쉬고) 구기자는 필히 유기농으로 암튼 좋다는 건 다 넣어 줘. 진시황이 먹었다는 건 다 구해서 넣어 봐요.
금동	진시황처럼 살고 싶지 않아. (기댄다) 빡세~ 그런 인생.
중간	이미 그렇게 되긴 텄다. 오늘부터 지어도 너 죽을 때까지 만리장성은커녕 백리장성도 못 지어. 이봐요 의사 양반 아무튼 좋은 건 다 때려 넣어 줘요.
한의사	무조건 다 넣는다고 좋은 건 아니에요. 제가 잘 한번 지어 볼게요.
중간	(한의사가 맘에 든다. 미소 짓는)
한의사	어머님은 어디 불편한 데 없으세요? 한번 같이 보세요. (하고는, 싹싹하게 중간의 맥도 잡아 보더니 깜짝 놀란다) 아니 무슨 맥이… 허… 이런 맥은 첨이에요.
중간	우리 집이 좀 그래. 여자는 다 세고. 남잔 부실… (하려다) 그나저나 의사 양반 결혼 했수?
한의사	아뇨.
중간	(뭔가 꿍꿍이 있는 표정으로 배시시)

S#18 거리/D

한의원에서 나온 중간과 금동, 금동은 어린애처럼 중간에 기대어 걷고 있다.

중간 엄마 오늘 협회 강의가 있어. 가 봐야 하니까… 너 혼자 택시 타고 가.

금동 엄마 나 피곤해. 힘들어.

중간 (금동을 바로 업는다. 그리고는 택시 부른다) 택시 택시~

길 가던 사람을 금동을 호래자식 보듯 보며 눈살 찌뿌리는데.

중간 (버럭) 내 새끼 호로새끼 아니고 나 호구 아니야. 얘는 병약하고 난 힘이 남아돌아. 그만 쳐다봐!! 아 택시!!! 일루 와!!!

금동 엄마, 소리 지르니까 귀 아파… 힘들어.

중간 그래… 아이고… 귀까지 안 좋아?

금동 응. 힘들어.

S#19 마장동 어느 정육점 안/D

붉은 조명 아래 장화를 신은 누군가의 발이 저벅저벅 걸어오고 있다. 카메라 틸트업 하면 중간이 400kg 소를 어깨에 가볍게 짊어지고 걸어와 탁자 위에 턱 하니 올려 둔다.

그런 중간을 존경의 눈으로 보고 있는 정형사들.
좌우로 도열해 서서 90도로 절한다.
중간, 장갑을 낀다. 그리고 발골용 칼을 턱 하니 든다.
지나치게 군기 잡힌 정형사들을 본 중간이 그들에게 편하게 말을 건넨다.

중간 오늘은 특별한 날이야. 내 손녀딸을 찾았어.
일동 (군인처럼 도열해) 축하드립니다.
중간 기쁜 날인 만큼 내 특별히 소를 한 마리 제대로 잡도록 하지!
일동 (군기 바짝 들어) 감사합니다.
중간 힘 빼! 우린 요리사들이랑 달라! 정형사들은 군기를 잡지 않아. 평등한 관계에서 발골을 배워. 왜 그런지 알아? 군기 잡히다가 순간 욱하면 사람을 죽일 수도 있으니까… 이 칼은 (칼에 C.U) 사람을 갈기갈기 조각조각 자를 수 있어!!! (눈동자 또라이 돼서) 이 칼은 세상의 모든 생물체를 다 모조리 인수분해 할 수 있어!

중간은 발골용 칼을 탁 들어서 소의 뼈를 후벼 파기 시작한다.
(후벼 파는 제스처를 과장되게 하면서) ('휙휙' 칼 소리 효과음 (E))

중간 (제스처와 함께) 피와 살 뼈! 피와 살 뼈 ! 피와 살 뼈! (눈썹 치켜 올리며 칼질 빠른 화면) 타타타타타타타타타타타… 다 썰 수 있어.

어느새 발골이 완료된 소의 살들.
존경의 눈으로 보고 있는 정형사들.

CUT TO
발골이 끝난 소는 뼈만 남아 있다. 뼈를 가볍게 부수기 시작하는 중간.

중간　　뼈를 기계로 부수는 거랑 손으로 부수는 게 달라. 이렇게 부순 뼈로 국을 끓인 게 열배가 더 시원해. 그게 우리 딸 황금주가 재벌이 된 비법이었지. 걔가 선짓국집으로 부자가 됐잖아.

S#20　금주의 집 - 다이닝 홀 /N

금주와 봉고가 마주 보고 앉아 있다. 남순과 남인이 마주 보고 앉아 있다. 남순이가 황금 요술봉과 몽골에서 처음 발견 당시 입었던 (1화 S#16에 나온) 옷을 식탁 위에 올린다. 보고 있던 봉고, 눈물이 쏟아진다.

금주　　저 황금 요술봉… 내가 남순이 다섯 살 생일 때 사 준 건데….
봉고　　(끄덕) 마법 쳅터 캐리 보고 사 달라고 해서 네 엄마가 바로 맞춰 준 거야.
남순　　그랬구나. (눈빛, 표정)

웨건으로 음식이 날라진다. 계란 바른 빨간 소시지. 케찹이 둘러진 애기 볶음밥, 설탕 뿌린 핫도그, 줄줄이 비엔나, 그리고 고등어구이, 찹스테이크, 번데기 볶음.

마지막으로 솜사탕이 꽂이에 꽂혀서 식탁에 제공된다.
식탁 위 메뉴가 무슨 의미인지 아는 가족들 울컥한다.

금주 우리 남순이가 다섯 살때 제일 좋아하던 음식들이야. 먹자.

네 사람, 먹기 시작한다. 남순, 볶음밥을 먹으며 맛있어 한다.

금주 남순아 맛보니까 기억나니?
남순 … (눈시울 붉어지는) 응.
봉고 우리 남순이가 솜사탕 정말 좋아했지. 저 소시지도….
남인 난 기억 나는데…. 누나가 내 솜사탕까지 뺏어 먹었던 거.
남순 내가 그랬어? 미안해 남인아.
남인 아니야. 그래도 고기는 날 다 줬어. 누나가 고기를 싫어했거든.
남순 난 왜 이렇게 기억이 하나도 안 날까… 미안하게….
봉고 이 집안 내력이야. 여자들이 힘에 몰빵 돼서 뇌에도 근육이 붙나 봐. 뇌도 근육질인 건지 머리가 안 좋더라고.
금주 닥쳐 강봉고! (하다가) 오늘 좋은 날이니까~ 참을게 강봉고 씨.
봉고 우리 오늘 가족사진 찍을까? 사진관에 크게 걸어 놓고 자랑하고 싶어. 내 딸 자랑.
남순 할머니랑 다 같이 찍어.
금주 병약한 네 외삼촌도 같이. 3일 누워 있던데…. (절레)
남인 그럼 일단 우리끼리라도 찍자.

남인, 일어나 휴대폰으로 네 사람의 모습을 담는다. 네 사람, 남인의 휴대폰 앞에 다닥다닥 붙고 행복하게 서로 끌어안으며 하나 둘 셋!
네 가족의 사진에서 컷!

S#21 실내 골프장 - 금주의 집 (교차) (다음 날 아침) /D

금주, 실내 골프장에서 스윙 연습 중인데. 오늘따라 골프가 잘 쳐지는지 만족스럽다.
금주의 휴대폰을 왼손에 자신의 휴대폰을 오른손에 들고 멍 잡고 일각에 앉아 금주 보고 있는 남길. 금주의 스윙 연습 보고.

남길 (영혼 없이) 나이스 샷. (하는데, 남길의 폰이 울린다. 전화 받는) 여보세요?
중간 황 대표 어딨어?
남길 지금 실내 골프장입니다.
중간 뭐해? 거기서 힘 조절 연습 중이야?
남길 네. 그런 것 같습니다.
중간 오늘 뼈 끓이는 날이니까 금주호텔 남 상무 뼈 받아 가라고 전해 줘.
남길 네.

중간, 전화 끊고 보여지는 - 수북한 소뼈들을 손으로 '바스스' 부서뜨리고 있다.

그렇게 엄청 큰 대야에 담은 소뼈들을 그대로 두 손으로 번쩍 들고 나가는 데서.

- 다시 골프장 -

금주가 채를 '휙' 휘두르자 바람이 불면서 남길의 머리카락이 날리고.

금주 남길아… 오플렌티아에서 연락 오면 바로 연결해 줘.
(골프채 '휘휘' 돌리며) 내가 거기다 마약에 대해 의뢰를 해 놨거든.

남길 마약요~~ 뭐가 궁금하신 건데요?

금주 한국의 마약 본거지! 이것들이 돈만 받고 생까~

하는데, 울리는 금주의 휴대폰.

남길 (화색이 돌아) 안 생까요~ 대표님! 마침 오플렌티아에서 답 왔어요.

금주 (그대로 달려가 남길에게서 휴대폰 뺏어서 보는)

To Agent "GOLD" < DOO GO ! Dig the drug there! >

문자 확인하는 금주. (*5화에 오플렌티아가 금주를 회원으로 선택한 사연 밝혀짐)

금주 두고에 마약이 묻혔다? 두고… 두고… 아! 두고.

[인서트] 헤리티지 클럽 (플래시백 3화 S#5) /D

류시오의 와인 건배하는 모습.

그런 류시오를 떠올리는 금주의 심상치 않은 표정에서.

S#22 두고 (DOO GO) 회사 내 로비 /D

류시오, 고급스런 양복을 빼입고 반짝거리는 로비를 걷고 있다. 그의 뒤를 가드하는 무시무시한 모습의 보디가드 카일과 윤 비서. 그렇게 걸어 회의장 앞에 도착한다. 윤 비서가 회의실 문을 열어 준다. 그렇게 입장하는 류시오.

S#23 동 회사 - 회의실 /D

류시오가 들어오면 회의실에 참석한 많은 글로벌 인사 및 임원들 그에게 박수를 쳐 준다. 류시오, 단상 앞에 서서 인사한다.

류시오　오랜만에 뵙겠습니다. 이사님들, 그리고 투자자님들….
윤 비서　(영어로 통역해 준다)
임원 1　다음 달 발급하는 두고 코인 덕분에 벌써 시장이 들썩입니다.
윤 비서　(영어로 통역)
류시오　감사합니다. 이 정도는 영어로 하겠습니다. Thank you!
일동　(미소)

류시오 저희 두고는 업계 처음으로 코인베이스의 유통을 현실화하기 위해 두고 코인을 발행했고, 이제 공식적으로 거래가 시작됩니다.

윤 비서 (영어)

류시오 저희 두고는 2020년 미국 화이트록으로부터 3억 달러를 투자받았습니다. 사명대로 두고 우리가 한다… 소비자가 원하는 건 무엇이든 한다! DO! 어디든 간다 GO! 두고~!

(그런 그의 우렁찬 음성 위로 윤 비서 번역이 오버랩 돼 지원되고)

또한 배송 직원과 쇼핑몰이 별개의 소속이 아니라 배송 직원은 쇼핑몰 정규직입니다.

내년에 아시아 최대 규모의 물류 센터 설립을 위한 투자 유치 양해 각서를 체결함으로써 올 하반기에는 3천여 명의 두고맨이 필요하며 기업 고용 증가 규모 압도적인 1위를 자랑할 것입니다.

그리고 우린 두고맨 뿐 아니라 두고우먼 또한 채용할 것입니다.

배달을 꼭 남자만 하란 법은 없으니까요!!! (눈빛, 표정)

S#24 마수대/D

팀장, 참마, 쓰봉, 희식, 영탁, 소장, 김 순경, 박 순경… 모두가 각자 노트북 들고 눈이 빠져라 코인 추적하고 있다.

참마, 뒤도 안 돌아보고 노트북 보면서 지휘 중이다.

참마 코인을 산 시간이랑 판 시간, 금액, 다 맞춰서 꼼꼼하게 보셔야 합니다. 요령 피우면 밤새야 돼요.

팀장 아 눈이야….

찾고 있는 희식의 눈이 반짝 뭔가 찾은 듯 한데.
자연스레 시간 경과를 표현하는 오버랩핑이 반복되는.
그들, 피곤해지는데 2층으로 뛰어 올라오는 여 순경.

여 순경 한강에 현우당 탄압 시위하던 시위대에서 폭력 사고가 났어요.
지구대 순경들 (조건 반사로 벌떡 일어나 내려가자)
희식 (일어난다)
영탁 (같이 일어난다)
팀장 니들은 왜 일어나?
희식 M&A 했잖아요. 공조! 도와야죠. (나가는)
팀장 (한숨 쉬는 그리고 노트북 보는데, 환각 - 노트북 화면이 일렁거린다)
(어이없다는 듯 히죽거리기 시작한다. 그러다 목이 마른지 물을 벌컥벌컥 마시기 시작하는)

S#25 금주일보 - 금주의 공간 (교차) /D

데스크에 앉아 있는 김 기자.
남순의 사진이 떠 있는 노트북을 보면서 금주에게 전화하는.

김 기자 대표님. 진짜 따님 찾으신 거 기사 낼까요?
금주 아니 내지 마.

김 기자　　?!

금주　　남순이가 화재 막은 이야기로 난리가 나기 직전이었어.
SNS고 인터넷 기사고 내가 다 내리게 했어.

김 기자　　안 그래도 사진은 제보 받았습니다. 현장에 있던 믿을 수 없는 사연들도… 4층에 뛰어올라… 아이를 구했다고.

휴대폰에 뜨는 남순이 화재 현장에서 뛰어내리며 아이를 구하는 사진.

금주　　우리 남순이 어떤 걸로도 스트레스 주고 싶지 않아.
그동안 기사들은 오직 딸을 찾기 위해 세상에 알린 거였고
이젠 내 딸을 세상의 관심으로부터 지킬 차례야. 기사 다 틀어막아!

김 기자　　네….

금주　　이제 새로운 거 써야지? 김 기자. 최근에 박 사장이 마약으로 죽었어. 마약하기 전에는 정말 성실한 사람이었어.

김 기자　　박 사장요?

금주　　내가 거래하던 실내 포차를 했던 박광자 씨… 그 사람이 마약으로 죽었어. 그 실포를 개업하던 날 이제 좋은 일 하며 살겠다고…
그토록 행복해하던 그 사람이… 그렇게 덧없이 갔어. (눈빛, 표정)
이젠 마약이 먼 얘기가 아니야. 우리 옆집 이야기가 됐어.
강남의 마약에 대해 취재해서 심각성을 알려!!

김 기자　　!!!

S#26 대림동 동 음식점 /D

모자를 푹 눌러쓰고 있는 화자. 앞에는 게르 폭동 때 도베르만 끌고 가던 사내(이하 도베르만)가 앉아 있다. 얼굴이 부어서 괴물 같다. 다리도 절뚝댄다.

도베르만 네 얼굴 지금 경찰에서 수배 전단 붙었어.

화자 씨*

도베르만 이제 우째 살끼가.

화자 돈 벌어야지. 나 가짜 신분증 하나 만들어 줘.

도베르만 40만 원이다.

화자 (가방에서 현금 꺼내 건네는) 100이야. 그 아줌마 시계 두 개 파니까 일억 오천만 원 주더라. 나 그때 상금 받은 거랑… 그 집에서 받은 옷이랑 가방만 팔아도 *발~ 나 돈 많아.

도베르만 다친 간나들 일당이랑 치료비 나가면 죽쑤갔구만.

화자 그러니 돈을 벌어야지. 일을 해야 안 들켜… 계속 이렇게 숨어 다닐 순 없으니까.

도베르만 (가방에서 신분증 하나 건넨다) 이름 안은지. 3년 전에 죽은 간나야. 상관없을끼야. 아무도 안 찾는 애니께….

화자 (슬픔) 나는 죽어도… 아마 아무도 안 찾겠지?

도베르만 (그 질문에 대꾸 없이 일어나 절뚝거리며 나간다)

혼자 남겨진 화자, 안은지 신분증 보고는 한숨. 그러다 폰으로 검색해 알바 구인하다 발견하는 <시급 30,000원 두고 배달원

모집. 두고는 여자 배달원도 고용합니다>
그 문구를 보는 화자의 표정.

화자 왜 배달원으로 여자를 쓰려고 하지?

S#27 두고 류시오의 대표 이사실 /D

류시오가 의자에 앉아 빙글빙글 회전의자를 돌리고 있는데.

류시오 회사 이미지 차원으로 필요해. 더 글로벌하고 프라임해 보이잖아?
윤 비서 네.
류시오 그리고 하나 더 있어. 여자 중에도 힘센 사람이 있을 수 있으니까.

[인서트] (플래시백 1화 엔딩) /D
남순이가 비행기 바퀴를 멈추는 모습.

류시오 내가 본 적이 있어. 정말 믿을 수 없이 힘센 여자를.
내가 제대로 본 게 맞는지 확인하고 싶어.

S#28 마수대 /D

팀장, 싱글벙글거리며 콧노래를 부른다. 손에는 물병 들고.
여전히 코인 믹싱 작업 중인 마수대 형사들. 하던 일 멈추고 그런 팀장을 어이없는 표정으로 지켜보는 마수대 형사들.

희식 본의 아니게 임상 실험이 됐네. 바로 입을 행궈 냈는데도… 저럴 수가.
영탁 어쩜 좋냐.
희식 (심각한) 예감이 안 좋아요.

하는데, 남순에게서 전화가 온다.

희식 여보세요.
남순(F) 나야 간이식.
희식 그래… 엄마 만났다며. 잘 됐어.
남순(F) 네가 나한테 여권 사진 찍으라고 사진관 쿠폰 준 아저씨가… 내 아빠였어.
희식 정말이야? 와아~ 그런 운명 같은 우연이 진짜 있구나.
남순(F) 너 덕분에 우리 엄마 아빠 찾았어. 고마워 간이식.
희식 근데 너 언제까지 간이식이라고 할래. 말이 씨 된다고 이러다 내가 간이라도 이식하면 어쩌려고.
남순(F) 그럴 일 없을 거야. 내가 너 지켜 줄 거니까.
희식 …
남순(F) 희식아….
희식 (그 희식아 소리에 제대로 설레며 심쿵)

남순(F)　　나랑 밥 먹을래?

희식　　어… 그래… 먹자… 그래… 뭐….

남순(F)　　먹고 싶은 거 생각해 둬. 그럼 또 전화할게.

희식, 전화 끊고는 심장 박동수가 빨라짐을 느낀다.

희식　　뭐야. (가슴에 손 올리고) 촌스럽긴. 뭐 이깟일로 심장 따위를 허락해 강희식!

희식의 싱그러운 표정 위로 빠빠의 목방울 소리 (E)가 '쨍그랑~~' 희식, 자신의 서랍을 사건 자료 찾기 위해 열어 보면 그 안에 들어 있는 - 1화 S#39에서 옥상에서 맞은 운명의 빠빠 목방울.

S#29　한강 게르들이 있던 그 곳 /D

남순, 지현수, 노 선생, 한강 메트로트럼프스퀘어졸라이조타타워와 한강 아라베스크크라운열나이럭셔리파크맨션이 있던 역사적인 그곳에서 행복한 표정으로 앉아 치맥을 즐기고 있다. 남순도, 지현수도, 노 선생도 이제 그때의 그들이 아니다. 옷이 날개인지… 셋 다 다른 사람이 되어 있다. 캔 맥주를 마시며 여유 있게 웃는 청춘들.

지현수　　살아보니까 말입니다. (남순 보기보다 다른 곳에 시선 주며) 인생은 정말 한치 앞을 모르는 거 같아요. 그래서 재밌고요.

노 선생　우리가 그날 남순 씨 게르로 침입하지 않았으면 우리한테 이런 기적은 없었겠지? (눈물 훔치는)

남순　근데… 늘 궁금했는데 둘은 어쩌다 거지가 된 거야?

지현수　그건… 차차 얘기하도록 해요.

남순　그래. 근데… 우리 엄마가 준 돈으로 뭐 할 거야?

지현수　코인으로 망한 놈 코인으로 일어나야죠.

남순　코인? 그럼 그거 하다 거지 된 거야?

지현수　(씨익 웃으며) 남순 씨… 그 알바하러 갑시다. 조연출이란 사람 전화까지 왔던데.

노 선생　돈도 있는데 꼭 그 알바해야 돼?

남순　인간은 돈으로 사는 게 아니라 꿈으로 사는 거야. 가자!~~ (하고, 씩씩하게 일어난다)

노 선생　잘 다녀와… 난 호텔서 스파나 할래.

남순　(웃으며 끄덕) 그래. (지현수 향해) 조연출이 너 뭐(What) 시켜 준대?

S#30　드라마 촬영장 /D

지현수, 줄에 거꾸로 매달린 타잔을 대역으로 촬영하고 있다.
그때 남순에게 찝쩍댄 주인공 남자 배우도 일각에 타잔 옷을 입고 구경 중에 있다.
남순, 매달린 지현수 모습 보고 있다.

남순 이거 사극 아니야? 사극에 왜 타잔이 나와? 타잔이 조선인이야?

조연출 퓨전 사극이에요. 조선 시대 홍길동이 과거로 떨어져서 타잔으로 사는 얘기…. (그때와 다르게 온순하고 존댓말이 된)

남순 (영 못마땅한 표정으로) 내용 너무 구려. 드라마는 까 봐야 안다지만. 안 까 봐도 뻔해… 망하겠다. 저래 써 놓고 작가는 돈을 받나….

조연출 (그 소리 기분 나쁘지만 힘을 익히 본지라 내색 못하고) 말이 너무 심하시네.

지현수, '아아아아아아아~~' 타잔 소리 낸다.

감독 야~ 오디오 아웃! 소리 내지 말고.

지현수 (줄에 거꾸러 매달려) 아아아아아아~

남자 주인공 아 *발 왜 오버야… 대역이 왜 오디오 발사를 하고 지랄이야.

남순 (다가와서) 야 너보다 훨씬 잘해. 네가 봐도 그렇지 않아?

남자 주인공 뭐라는 거야… 내가 더 잘해.

남순 해 봐… 아아아아아앙~ 해 보라고.

남자 주인공 아아아아아앙~~ (해 보는데 요들송이다)

남순 와… 진짜 못한다. (주변 둘러보며) 저 사람이 훨씬 잘하지 않아? 심지어 얼굴도 이 사람보다 잘생기고… 주인공 바꿔.

주변에 있던 사람들 남순의 거침없는 발언에 황당해서 남순 보며 굳어 있다. 여전히 지현수는 '아아아아앙~~' 하고 있다. 주인공 남자 분노해 남순에게 다가가면 조연출이 사력을 다해 말리며. ('건들지마 클 나….' 귓속말 등)

남순 (주변 관심도 없이 소리 지른다) 한강 거지 최고!!!! 아아아아아아아~~

조연출 @

감독 @@

남순 (남자 주인공 향해) 너는 저기 가서 아아아아앙 연습 좀 더해. 아니 제작비를 이렇게 이상하게 쓰나… 일당 십만 원 받는 단역 알바보다 못생기고 연기 못하는 회당 2억 남자 주인공이라니… 이게 한국의 자본주의란 건가? 이게 한류의 실체인 건가~~

조연출 (입 막아야 해서 끌고 나가며) 밥차 두 대 불렀으니까 남순 씨 밥이나 실컷 먹고 가요.

남순 내가 밥을 왜 먹어? 나 일도 안 했는데. 왜 이렇게 헛돈을 쓰지?

조연출 (뻘쭘)

남순 이게 한국의 자본주의란 건가? ('칫' 거리며 못마땅해서 프레임 아웃)

감독 저 여자… 나 자꾸 끌리는 내 심리는 뭐니?

조연출 실은 저도 좀 그래요.

일각에서 '아아아아아' 연습하는 남주에게 다가가는 남순.

남순 배에 힘주고 최선을 다해. 타잔이 그렇게 소리 지르면 원숭이 한 마리라도 오겠냐? 아후… 진짜~~ (멀어지고)

남자 주인공 (단시간에 당한 가스라이팅, 득음하는 요들송이 울리며)

S#31 동 지구대 /D

희식, 거의 잡아냈다. 전화 온다.

희식 여보세요? 어 엄마? 오늘…?

S#32 유치장 /D

유치장 창을 사이에 두고 죄수복 입고 앉아 있는 빡빡이와 마스크 쓴 누군가. 그 누군가 마스크 벗고 일어나 나간다. 빡빡이, 그 마스크를 의미심장하게 보는 데서.

S#33 희식의 집 /N

희식, 퇴근해 지친 듯 소파에 풀썩 앉아 있으면 초인종 울린다.

희식 벌써 온 거야? (하고, 일어나 문을 열어 주면)

다름 아닌 금주가 서 있다. 금주, 희식을 보고 가볍게 인사한다. 희식, 예의 갖춰 인사한다.

금주 안녕하세요. 황금주예요. 남순이 엄마.

희식 네… 들어오세요.

금주 그럼…. (하고, 들어간다)

금주, 들어와 거실을 둘러 보면 저 멀리 보이는 한강 뷰.
이때 희식이 남순의 트렁크와 짐을 가져온다.

희식 강남순 씨 짐은 이게 다예요.

금주 네. 고마워요. 강희식 경위?

희식 네.

금주 이 고마움을 내가 어떻게 표현을 해야 할지 모르겠어요. 원하는 게 뭐예요?

희식 (뭔말인지 모르겠다) 원하는 거라뇨?

금주 인간은 누구나 필요한 게 있고 결핍이 있잖아요. 그 필요한 걸 나한테 얘기해요. 채워 줄 테니까….

희식 그런 거 없는데요.

금주 그럴 리가.

희식 그럴 리가가 아닌데요. 저 그런 거 전혀 없습니다.

금주 그럴 리가… 생각해 봐요. 있을 거예요.

희식 마약 수사를 하고 있습니다. 그 최종 빌런을 잡는 거? 대답이 될까요?

금주 멋있는 형사네.

희식 (자조하듯) 멋있긴요. 이틀 밤 꼬박 새도 그림자 꼬리조차 못 찾고 있는데….

금주 (현금 봉투 건네며) 오해하지 말아요. 이런 거 필요 없는 분인 거 알아요. 그냥 내가 이렇게 해야 편해요.

희식 돈인가요?

금주 네.

희식 저 돈 되게 좋아하는데… 정확한 명분이 없는 돈이라… 못 받겠는데요.

금주 나 돈지랄 하는 거 좋아하는 사람이에요. 돈은 이러려고 버는 거예요.

내 딸을 찾아 준 사람한테 난 내 모든 재산을 줄 생각도 했습니다. 그런데 명분이 없다고요. 주는 사람에게 이렇게 큰 명분이 있는데… 그러니까 강 경위는 이걸 받는 게 맞아요.

희식 아뇨. 그러고 싶지 않아요. (하는데)

금주 (희식의 손을 잡고 돈을 쥐어 주는 순간)

현관문이 열리며 희식의 엄마(이하 오 여사)가 김치통을 들고 환하게 웃으며 들어온다. 오 여사의 눈에 들어오는 불쾌한 광경.

금주의 옆에 트렁크. 그리고 돈을 아들 손에 쥐어 주는 중년 여자. 오해하기 딱 좋다. 오 여사의 시선이 트렁크, 금주 그리고 돈, 그리고 당황하는 표정의 희식에게 마구 교차되면서. 오 여사, 그대로 그 돈을 '휙' 뺏어 던지며.

오 여사 (희식 등짝 때리며) 이러려고 너 경찰대 간다고 했어?

경찰이 돈 없고 힘든 직업인 거 각오한다고 네가 네 스스로 결정해 놓고… 아무리 궁해도 그렇지 엄마같은 여자한테 스폰… 아… 이 자식아….

희식 엄마… 뭐라는 거야. 그런 거 아니야… 절대 아니야.

금주 (오 여사 손 딱 잡으며) 여사님… 그런 거 아닙니다. 스폰이라뇨.

이렇게 멋진 아들을 그렇게 밖에 못 보세요? 그리고 제가 젊은 남자 스폰이나 하게 보이십니까?

오 여사　　그럼 당신 누구야?

금주　　(웃으며) 다음에 또 볼일이 있을 겁니다. 그럼…. (하고, 트렁크를 가볍게 들고 나간다)

희식　　(널브러진 돈을 주워 돌려주려고 나가는데 문이 '휙' 닫힌다) 아 진짜….

오 여사　　(씩씩대며 희식에게서 돈 봉투 뺏어서 열어 보고 기함한다) 허억~

S#34 금주의 집 /N

금주, 남순의 트렁크 들고 들어온다. 정 비서, 따라 들어온다.

금주　　남순이는?

정 비서　　피곤한지 오자마자 잠들었어요.

금주　　그래. 알았어.

S#35 금주의 서재 /N

금주, 가운 차림. 취침 전 컴퓨터로 뭔가 확인한다.
두고에 대한 정보를 오플렌티아와 나누고 있는 금주.
< DOO GO ! DIG DRUG THERE / Credential 100% >
- 두고에 마약이 있어요. 신뢰도 100% - C.U 되는.
보고 있는 금주의 심각한 표정 위로.

희식(소리) 마약 수사를 하고 있어요. 그 최종 빌런을 잡는 거?
이틀밤 꼬박 새도 그림자 꼬리조차 못 찾고 있는데….

금주, 노트북을 이용해 발신자 제한 번호로 희식의 전화번호를 입력한다.

S#36 희식의 집 /N

희식, 엄마가 준 김치통을 식탁 위에 올려 둔 채, 그리고 그 옆에 돈 봉투를 꼴쳐보는데 울리는 문자 알림음. 확인하면, <유통업체 두고에 마약이 있어요. 강희식 경위>
효과음 '꽝!'
무시할수 없는 느낌의 무겁고 진정성 있는 메시지.
심상찮은 표정이 되는 희식의 얼굴에 C.U 되면서.
[디졸브]

S#37 유치장 /D

빡빡이가 죽어 있다. 눈을 뜨고 죽어 있는 빡빡이의 모습 위로.
함께 수감된 사내의 비명 소리가 에코처럼 퍼지면서.

S#38 마수대/D

아무도 없는 마수대 안. 희식, 출근해 컴퓨터로 두고를 검색하고 있다. 두고에서 유통 중인 상품들을 클릭하는 희식. 마수대 안 유선 전화 받는다.

희식　　네 강한 지구대 2팀입니다. (경직되서) 네 마수대 경위 강희식입니다. (놀라는) 죽었다고요? 하… (듣는) 마스크요?

희식, 전화를 끊고는 심각한 표정이다가 이내 두고 상품들을 클릭한다.
이때 팀장이 들어온다.

팀장　　빡빡이 죽었어.
희식　　네…. (심각한)
팀장　　와 그거 정말 독하네. 그냥 소금 한 알도 안 되는거 살짝 입술에만 댄 건데도… 하루종일 엄청 휘청거렸네. (절레절레, 여전히 물만 마신다)
희식　　(진지하게) 팀장님 저 잠입 수사해야 할 거 같아요.
팀장　　어딜?

희식의 대답 대신 희식이 클릭하는 두고의 상품 중 보이는 마스크들(두고 로고가 박힌) 하단에 적힌 <두고 프리미엄 회원만 구입 가능> 에 줌 인 하면서.

S#39 남순의 방 - 드레스 룸 /D

엄청나게 화려한 명품들이 남순의 선택을 기다리고 있는 드레스 룸 안. 정 비서가 옆에 서 있다.

남순 나 이런 옷 안 좋아해.

정 비서 대표님… 그러니까 어머님을 위해서 입어 주세요. 딸한테 얼마나 예쁜 걸 입히고 싶으셨겠어요. 단 하루도 아가씨 생각을 안 한 적이 없으셨습니다.

남순 (그 마음 금세 이해하고) 알았어. 이걸로 입을게.

S#40 동 집 - 거실 /D

남순이 예쁜 원피스를 입고 방에서 나온다. 그걸 보고 있던 금주, 눈물나게 기쁘다.
스타일리스트가 남순의 캐주얼복을 행거에 잔뜩 걸고 남순의 선택을 기다리고 있다.

금주 연 실장…우리 딸 저기다 불가* 팬던트랑 티파* 팔찌만 하나 채우자.

스타일리스트 네, 대표님. (빠지고)

금주 우리 딸 오늘은 뭐하고 놀래?

남순 (거실 소파에 앉는다) …

금주 학교에 다니는 게 좋지 않을까? 공부해야지… 어차피 네가 내 모든 걸 물려받아야 하잖아. 그러려면 세상 공부를 해야만 해. 자본주의를 알아야 해.

남순 한국 자본주의 노잼이야.

금주 몰라서 그래. 알면 정말 꿀잼이야.

남순 나 공부 싫어해.

금주 너 정말 날 빼다 박았구나. 나두 불면증 약을 사람들이 왜 먹는지 모르겠다. 책 한 장 읽으면 직빵인데.

남순 여기 올 때 그냥 엄마 아빠 만나는 것만 생각하고 왔어.
이렇게 만나고 나니까 이제 내가 뭘 해야 할지 모르겠어.

금주 모르긴. 이렇게 엄마랑 행복하게 살면 되지. 아빠는 한 번씩만 보고.

남순 …

금주 우리 딸은 뭘 할 때 가장 행복해?

남순 … (눈빛, 표정) 난 있지… 누굴 도와줄 때 정말 행복해.

금주 …

남순 난 누군가한테 도움이 되고 싶어. 내가 한강 메트로트럼프스퀘어졸라이조타타워를 지어 주고 그걸 보고 내 거지 친구들이 좋아할 때 (심장에 손을 가져다 대며) 여기가 막 뜨거워졌어. 진짜 행복하고 기분 좋았어.

금주 (따뜻하게 보며) 그것도 날 빼다 박았네. 그럼 건물을 하나 지어 볼까?

하는데, 남순의 휴대폰 벨이 울린다. ('아따맘마' 주제곡이 여전히)

남순 여보세요? (듣는) 그래? 알았어. 택시 타고 갈게. 응. 그래. (끊는)

금주 누구야?

남순 간이식… 잘생긴 애 있어.

금주 나랑 너 만나게 해 준 그 형사 말하니?

남순 응 맞아.

금주 데이트 하는 거야?

남순 데이트? (키득) 아니… 그냥 밥 먹는 거야.

금주 그게 데이트야.

남순 아니야. 밥 먹는 거야. (하고, 일어난다) 나 밥 먹고 올게 희식이랑.

금주 그래…. (흐뭇해서 보는)

S#41 강남의 어느 힙한 카페 /D

희식, 기다리고 있으면 남순이 너무나 예쁜 모습으로 나타난다. 희식, 아무렇지 않은 척 어색하게 표정 관리하고는 남순을 맞이한다.

희식 어휴… 진짜 강남 사람 다 됐네. (미소) 예쁘단 뜻이야.

남순 고마워. (배시시) 맛있는 거 먹자.

희식 (미소 후 호출 버튼 누르면)

웨이터 (그들에게 다가오고)

희식 (메뉴판에서 이거저거 골라서 주문한다

CUT TO

고급스런 이탈리안 음식이 서빙되고, 남순의 맛있게 먹는 모습.
그 모습 흐뭇하게 보는 희식. 그렇게 식사를 하고 있는 두 사람.

남순 으음~ (맛있다) 이게 자본주의의 맛이란 건가?

희식 (귀엽고 신기하다는 듯 보고 미소) 그래 이러려고 사람들이 돈 벌어.
좋아하는 사람 맛있는 거 사 주려고….

남순 (그런 희식을 빤히 본다)

희식 (그런 남순 보다가 화제 돌리며) 아 참 나 당분간 지구대에 없어.

남순 (먹으며 보는) 왜?

희식 잠입 수사를 해야 할 거 같아.

남순 그게 뭐야?

희식 말하자면 경찰 아닌 척 하고 거기 취직을 한단 소리지.

남순 거기가 어딘데.

희식 마약이 있을지 모르는 곳.

남순 …

희식 제보를 받았는데 조사해 보니까 신빙성이 있더라고.
일단 들어가 보려고.

남순 (툭) 나랑 같이해.

희식 (당황해서 보는)

남순 내가 도와줄게. 나 힘도 세잖아. 내 힘 써 먹어.

희식 (그 소리에 가만히 생각해 보다가) 그래… 맞아. 그 회사 여자 배달원도
구한다던데… 딱이네! 정말 같이 할래?

남순 네가 하는 일이면 좋은 일일 거잖아.

희식 …

남순 너 이름 희식이잖아. 희식이가… 몽골말로 은혜롭단 뜻이야.

희식 (눈빛, 표정)

남순 너랑 있으면 좋은 사람이 될 거 같아. 남을 도와주게 될 거 같고.

희식 (남순 보다가 어색해서 그냥 음식을 통째 삼키는 데서)

S#42 어느 주민 센터 /D

남순, 손바닥에 롤러를 묻혀 지장들을 찍는다. CUT

직원 주민증은 2주 후에 나옵니다. 휴대폰으로 연락드릴게요. (임시증 만들어서 남순에게 건네는)

임시증 받고 신난 남순과 그런 남순을 바라보는 희식.
임시증에 버젓이 적힌 강남순(姜婪恂), 세 글자에 저절로 웃음이 나는 두 사람.

희식 그렇지만 그 회사 들어갈 때 너 그 이름 쓰면 안 돼. 숨겨야 돼.

남순 아라따~~~ (장난기 가득해)

S#43 두고 물류 창고 /D

마스크가 물류 창고에 들어온다. 그렇게 물류 선반에 가득 쌓인다.
창고 관리인이 그 상황 보고 있는 가운데.

S#44 두고 물류 창고 밖/D

두고맨 유니폼을 입은 두고맨들이 대기하고 있다.
유통 물류들이 '두고'라고 적힌 탑차에 실린다. 그 가운데 보이는 모자 눌러쓰고 마스크 쓴 리화자.
배달팀장인 허유광(이하 허 팀장)이 리화자를 부른다.

허 팀장　안은지 씨?
화자　(순간 자신을 부르는지 모르고 있으면)
허 팀장　안은지 씨.
화자　(그제야) 네.
허 팀장　오늘 딜리버리 제품들 리스트 확인해요. (하고, 종이 끊어 주는)
분실되면 본인 책임이니까… 입고 수량 잘 확인하고.
화자　네.

이때 허 팀장의 휴대폰이 울린다.

허 팀장　네 여보세요? (듣는) 신입이 두명?

S#45 두고 내 두고맨 센터 /D

희식과 남순, 나란히 앉아 있다.
그들 맞은편에 허 팀장이 볼펜을 딸깍거리며 앉아 있는.

허 팀장 김준석 씨?

희식 네.

허 팀장 여자분은 이름이… (뭐야) 체첵?

남순 응… (하다가) 네.

허 팀장 남자분은 3년 백수. 여자분은 몽골에서 왔다고요?

남순 한국 사람이지만 몽골에서 살아따… (하는데, 희식 헛기침)요. 취업비자니까 취업 할 수 있잖아… 요.

허 팀장 글자 다 읽지?

희식 그럼요. 백수와 이민자에게도 희망이 되는 두고! 사람들은 두고의 이미지를 그렇게 볼 겁니다.

허 팀장 (못마땅하지만) 알았어. 일단 이번 달만 인턴십으로 시켜 볼게… 비리비리 하면 바로 잘라.

남순 응. (정신차리자) 네.

희식 (얼른) 감사합니다. 열심히 하겠습니다.

S#46 마수대 /D

마수대 형사(희식 제외)들만 남아서 눈을 비벼 가며 코인 추적 중.

결국 큰 디스플레이 앞에서 조합하던 참마, 무언가를 발견해 낸 듯.

참마 찾았다. (놀라워하며)

일동 오오… 데리코인!

참마 다행히 빽빽이가 폰에다 메모로 비번을 적어 놓고 가서… 돈 받은 건 추적 성공했는데 돈을 준 지갑 주소를 추적했더니 이미 깡통이에요. 아마 그 사이에 현금화 했나 봐요. 이건 진짜 못 찾는데. 미쳐 버리겠네….

팀장 빽빽이 부검 결과 언제 나와?

영탁 내일요.

쓰봉 마스크를 누가 벗어 놓고 갔어요. 죽으란 거죠.

영탁 교도소 화장실에도 그 어디에도 없어요 마스크가. 증거 인멸.

팀장 (물만 마신다)

쓰봉 팀장님은 왜 이렇게 자꾸 물을 마셔요.

팀장 (비실비실 웃으며) 그러게 자꾸 목이 말라.

S#47 금주의 집 - 키친 /D

중간, 큰 들통에 보글보글 곰국을 끓이고 있다.
국자로 국물을 살짝 떠서 종지에 부어 맛을 본 뒤, 흡족해 하며 불을 끈다.
큰 대접에 국물을 뜬 뒤 대파와 소금, 후추를 뿌린다.

금동은 한약을 먹고 있다. 금동에게 그 곰국을 가져와 마시게 하는 중간.

금동 약이 써. 힘들어.

중간 약이 쓰지 그럼 달겠냐? 이거 일단 쭉 마셔. (하다가) 남인이도 먹여야겠어. (일어나 곰국 통 다시 여는 데서)

S#48 남인의 사주 카페 /D

중간, 곰국 보온병 들고 들어오는데. 카운터에서 커피를 내리고 있는 바리스타 서준희. 중간, 그런 준희를 보는 순간… '사랑을 그대 품 안에' 남자 허밍 BGM 나오며(저작권 문제 없어 사용 가능) 첫눈에 준희에게 반하는 중간, 준희에게 바짝 다가가며.

중간 처음 보는 양반이시네.

준희 아 예. 새로 일하게 된 바리스타 서준희라고 합니다. (미소) 주문 하시겠어요?

중간 아 저 커피 먹으러 온 게 아니라… 여기 사장이 내 손주유.

준희 아이구. 그러셨군요. 반갑습니다.

중간 우리 남인이가 어쩜 이렇게 삼삼한 분을 모셨을까. (보온병 내려놓으며) 이거 아침에 끓인 건데… 출출할 때 한 모금씩 자셔요.

준희 아유 이 귀한 걸. 감사합니다. (허허허 웃으며) 커피 내려 드릴까요?

중간 좋지… 뜨끈한 아메리카노 한잔 때립… (하다, 고상하게) 드링킹해

요. 둘이 같이 투게더…. (미소)

준희 (보면)

중간 손님도 없는데 그릅시다. (윙크)

준희 (웃는) 그럴까요.

S#49 남인의 사주 카페 안 자리 /D

창밖을 바라보는 자리에 나란히 앉아 커피 마시는 준희와 중간.

중간 (눈을 감으며 한껏 느끼는) 커피 향이 정말… 끝맛이… 아후….

준희 감사합니다.

중간 바리스타 오래 하셨어요?

준희 하하. 증권회사를 삼십년 다녔습니다. 명퇴하고 커피가 좋아서 배웠는데… 대회까지 나가게 됐네요.

중간 (말랑말랑하게 보며) 할망구~ (절레, 아니) 아내분이 참 행복하시겠어요.

준희 (씁쓸) 5년전에 저 세상으로 갔습니다.

중간 (비집고 나오는 미소 그러나 요식 행위로) 아휴 딱하기도 해라. (어필한다) 나도 혼자예요.

준희 (아…) 사별하셨어요?

중간 (고상한 미소) 아뇨 생이별.

준희 ?

중간 집을 나갔어요. 10년 전에 자아를 찾겠다고 가출하고 소식이 없어요.

준희 (멍청하게 보는)

중간 (미소 가득해) 죽었다고 봐야죠.

준희 @@

중간 음… 커피향 너어~무 좋다. (좋아서 부르르~~)

S#50 두고 물류 창고 /D

허 팀장이 남순과 희식의 앞에 오늘 배송 물량을 내놓는다.
물류 창고 안 지게차에 실려 오는 엄청난 양의 2L 생수 번들들.
그리고 의류, 잡화로 보이는 작은 박스들.

허 팀장 일단 이거 두 사람 탑 차로 나르는 거부터 오늘 업무 시작이야. 2인 1조야. 경찰 시스템이지. 여자땜에 고생 좀 하겠네. 혼자 이거 다 하려면. (가려는데)

남순 저기 이봐… 이봐 아저씨….

허 팀장 (걸어가다 어이없다) 나 불렀어?

남순 응. (하는데)

희식 (남순의 다리를 쓱 꼬집는) 아닙니다. 가세요.

남순 이것만 다 배달하면 오늘 일 끝난단 거지?

허 팀장 (불쾌한) 그건 그런데… 너 왜 반말이야?

남순 네가 먼저 했잖아. 왜 넌 하고 난 못해?

허 팀장 뭐 이런 미친… 야. (하는데)

남순, 한 손으로 생수 번들 두 개를 거뜬히 들고 결국 두 손으로 생수들 다 들고 탑차 쪽으로 가자 허 팀장 멈칫!

희식 아 이 친구가 몽골에서 살다 왔거든요. 아흔이 넘은 어르신한테 한국말을 배워서 말이 좀.

허 팀장 (시선은 쭈욱 남순에게 - 생수 번들을 탑차에 가볍게 올려놓는 걸 본다… 그저 놀라울 뿐이다)

남순 (돌아와서는) 이봐 아저씨 저기 저 통 좀 줘 저기다 담아서 싣자.

허 팀장 (순순히 통 가져오는)

남순 (생수 번들은 그대로 '휙휙' 가득 담아 그 통을 가볍게 들어 싣는다)

허 팀장 (멍청, 희식에게) 아니 저 아가씨는 왜 저렇게 힘이 센 거야?

희식 (곤란)

남순 (다가와서) 비켜. 안 그럼 당신도 좀 돕던가. 한국 자본주의 되게 이상해. 일 안 하고 이래라저래라 하는 사람이 돈은 더 벌어 흥, 웃겨 진짜.

허 팀장 (순순히 같이 나른다)

물류 창고에서 다른 물류 하차 중이던 화자가 일각에서 그런 남순을 알아보고 놀라고 자신의 몸을 숨기는 데서.

S#53 두고 탑차 안 /D

희식이 운전하고 남순이 보조석에.

남순 빨리 하고… 창고 들어가자 밤에. 마약 찾아야 한댔잖아.

희식 너 근데 힘센 거 그렇게 막 들통나도 괜찮아?

남순 어쩔 수 없지. 이게 창피할 일은 아니잖아.

희식 아니지. 다만 사람들이 너무 관심 가지면 피곤해지는 게 문제지.

남순 상관없어. 있지 내가 무거운 거 들 테니까 간이식 너는 잔잔바리 다 처리해 알았지?

희식 잔잔바리… 그런 말은 대체 어디서 배웠냐… (귀엽게) 암튼 알았오~ 근데 너 날 계속 간이식으로 부를 거야?

남순 한국 영화 보니까 이렇게도 부르더라… 어이… 브라더~~!

희식 뭐?

남순 너랑 나 성도 같잖아. 헤이 브라더~~~!

하는데, 남순이 차창 너머 저 멀리에서 뭔가 봤다.
남순의 동체 시력 - 그때 그 에어 디앤디 사기꾼 여자가 어떤 남자랑 하하호호 웃으며 걷고 있다.

남순 있지 지금부터 딱 3분만 이 속도로 직진해서 우회전 하고 30m 앞에서 차 세워 줘.

희식 뭔데? 알았어 일단 가자. (차는 그렇게 달리고)

S#52 어느 거리 - 동 차 안 /D

차가 섰다. 그 여자와 어떤 남자가 행복하게 아이스크림 먹으며 걷고 있다.

- 차 안 -

희식 (보며) 누군데?

남순 에어 디앤디 사기꾼. (하고, 안전벨트 풀며 내린다)

희식 !! (헐)

S#53 동 거리 /D

남순, 그 사기꾼 여자 앞을 탁 막아선다. 여자, 남순을 '누군가?' 싶은 표정으로 본다.

남순 내 돈 내놔.

여자 무슨 돈.

남자 자기 아는 여자야?

여자 아니… 모르는… (하다가) 아… 그 몽골~

남순 맞아 몽골. 에어 디앤디. 빈 집을 네가 숙소라고 속이고 돈 받아 사기쳤잖아. 너 정말 나빠. 여행객들 상대로 그런 사기를 쳐 놓고 어떻게 이렇게 돌아다녀?

여자 (남자에게) 자기 미친 여자야. 잠깐 얘기좀 할게… (하고, 남자랑 떨어져 남순에게 다가와서는) 그러게… 여행객들이라서 수사도 대충 하더라.

남순 (분노)

여자 기소 유예로 풀려났어. 너 한국에 대해 공부 좀 더해.
우리나라 돈 몇 푼 떼먹은 사람 감빵에 넣고 그러지 않아.

남순 몇 푼? 너땜에 여행 온 사람들이 한국을 어떻게 생각하겠어? 순 사기꾼만 산다고 생각할 거 아니야. 나도 그럴 뻔 했으니까.

여자 첨부터 반말이더니 너 그 반말 되게 거슬려.

하는데, 희식이 차에서 내려서.

희식 강남순! 절대 때리면 안 돼.

남순 안 때려 여자는… (하다가) 내 돈 돌려줘. 다른 사람 돈도 다 돌려줘. 그럼 용서해 줄게.

여자 하하하하하… 검찰도 용서한 나를 네가 뭔데 용서한다 마라야.
(비웃으며) 네 돈 네가 찾아.

남순 그래? (하고는, 여자 어깨에 맨 가방을 빼어서 그대로 '휙휙' 날려 하늘 멀리 던진다. 하늘 저 멀리 하염없이 날아가는 가방)

희식! 여자! 남자! 모두 입을 쩍 벌리고 있는데.

남순 네 가방 네가 찾아. (하고, 가려다 여자 머리카락에 뭔가를 털어 준다)
머리카락에 뭐 붙어 있네. (하고, 떼 주는 듯)

여자 (어안이 벙벙해서 있는데, 자신의 머리카락이 후두둑 빠진다)
(손으로 머리카락 만지면 머리가 한 움큼 뿌리채 뽑힌다) 아아악!

S#54 동 차 안 /D

남순, 차에 오르면 희식은 어안이 벙벙할 뿐이고.

남순 한국 자본주의 맘에 안 들어. 법도 맘에 안 들고. 저런 사기꾼을 왜 저렇게 쏘다니게 둬? 사기꾼이 제일 나빠. 내가 '싹!' 다 바꿔 버릴 거야. 시동 걸어! 부릉부릉!!

희식 ('벙!' 해서) 어… 그… 래… 부릉부릉. (시동 걸고 일단 출발시키는)

S#55 몽골 어딘가 /D

아름다운 풍광 속에 망중한 즐기는 어느 몽골 할머니 앞에 뚝 떨어지는 명품 가방.

그 몽골 할머니, 그 가방 들어 보고 맘에 안 드는지 멀뚱히 본다.

S#56 금주의 펜트하우스 내 금주 서재 /E

금주, 심각한 표정으로 서재를 나간다.

[인서트]

금주의 클로짓 안 유리관에 비치된 금주의 가죽 의상과 부츠.

S#57 금주의 차고 /E

가죽 부츠와 헬멧을 쓰고 오토바이 타고 출동하는 금주의 모습에서.
배트우먼으로 변신한 금주를 감시하는 듯한 기분 나쁜 어느 시선이 있고.

S#58 동 물류 창고 /N

남순과 희식, 사람이 없는지 있는지 확인하고.
단단히 잠긴 창고 문.
그런 남순과 희식의 모습에서.

S#59 엔딩 /N

- 오토바이를 달리는 금주. (도로)
- 희식, 디바이스 디텍터로 CCTV 찾는다. CCTV에 물총을 뿌리는 희식. (물류 창고)
- 남순, 물류 창고 셔터를 그대로 '쫘르르' 올린다. '휘리리릭' 명쾌한 소리를 내면서.

<4화 엔딩>

제5화

서울의 비질란테

(Vigilante of Seoul)

Title In “서울의 비질란테 (Vigilante of Seoul)”

S#1 몽타주 - 물류 창고 /N

물류 창고 밖에 있는 CCTV에 물총 쏘는 희식.
닫혀 있는 물류 창고 셔터를 ‘드르르륵’ 힘으로 들어 올리는 남순.
놀라는 희식. 뭘 이런 걸로 놀라냐는 식으로 보는 남순.
남순, 그렇게 물류 창고로 들어가고 그런 남순을 따라 들어가는 희식.
남순, 안으로 들어와 침착하게 셔터 문을 또 ‘드르르’ 내린다.

[인서트] 언더커버 차량 (낡은 봉고차 - ‘동일 유통’이라고 적힌) 안
참마, 희식의 지령대로 컴퓨터를 해킹 중. 중앙 통제식으로 물류 창고 전원 OFF 시킨다. 그러자 물류 창고 안에서 구역별로 반짝이던 빨간 CCTV 불이 꺼진다.

참마 (컴퓨터 내장 마이크에) 제한 시간 5분입니다.
5분 뒤에 비상 전원이 들어와요.

- 다시 물류 창고 안 -

희식 오케이. (하고는 서둔다)

엄청난 높이의 물류 창고. 엄청나게 많은 물건들이 있다.
어두운 내부 - 주머니에서 야시경 꺼내 쓰는 희식.
그러나 남순의 자이언틱한 시력으로는 야시경이 필요없다.
희식의 야시경 속으로 비춰지는 남순의 거침없는 발걸음.

희식 (작은 소리로) 넌 야시경조차 필요없어? 대체 뭐냐?

남순의 나안으로 보이는 물류 창고 안 내부. 너무나 선명하고 자세하게 제대로 보이는 - 마스크는 E-08 코너에 있다.

남순 (작은 소리로) 이봐 브라더, 마스크 E-08 코너에 있어.

희식, 야시경 쓰고 한참을 올려다봐도 마스크는 보이지 않는데.
남순의 눈에는 보이는 마스크들.
희식, 멍청한 폼으로 야시경 두른 채 손을 뻗어 두리번거리는 순간.
남순이 그대로 '휘이익' 위로 솟구쳐 올라가서 물류 창고 위 마스크 번들을 그대로 품에 안고 땅에 던진다. 다른 종류의 마스크가 보이자 다시 한번 소머즈처럼 위로 뛰어올라 그 번들 꺼내서 품에 안고 착지한다.
영화의 한 장면 같은 상황에 희식 그대로 '히익!' 놀라 주저 앉는다. 이때 그 번들 옆에 둔 다른 더미(그릇 따위의 중량감 있는 물건)가 그대로 떨어진다.
희식, '허걱!' 하는 순간 남순, 찰나의 운동 신경으로 희식의 위로 몸을 덮치며 그 번들을 한 손으로 받아 낸다. 희식의 야시경으로 보이는 황당한 상황. 그리고 초근접한 남순의 얼굴.

남순 (아래에 깔려 입을 쩍 벌리고 있는 희식을 한참 보다가 갑자기 희식의 가슴 안으로 손을 넣는다)

희식 (순간 너무 당황해 가슴을 부여잡는데)

남순 (희식의 점퍼 안 주머니에서 소형 무전기를 꺼낸다) 소리가 나길래….

참마(F) 2분 남았어요. 서둘러야 돼요.

남순, 먼저 일어나고 희식은 이래저래 놀란 가슴 부여잡고 야시경 쓰고 이상한 자세로 어정쩡 앉아 있자, 남순, 손을 잡아 희식을 일으킨다.
두 사람, 정신 차리고 번들에 있는 마스크들을 쏙쏙 뽑아 준비한 지퍼락에 담는다.

남순 시간 없어. (하고는, 마스크 번들을 두 손에 안고 그대로 뛰어오른다)

희식 (믿을 수 없는) 내가 지금 보고 있는 게 메타버스 세상은 아니지?

나 지금 현실에 존재하는 건 맞는 거지?

남순 뭐해? 그것도 줘 빨리. (한 손으로 선반에 매달려 마스크 번들을 받겠다고 다른 손을 뻗치자)

희식 (무겁게 들어 남순에게 건넨다)

남순 (가볍게 휙 들어 선반에 올린다)

그 순간 남순의 손이 미끄러져 떨어지고 희식, 그런 남순을 받아 보려다 남순에게 깔린다. 그렇게 서로 몸이 엉키게 된 남순과 희식. 서로 쳐다보는 남순과 희식, 다시 빠빠의 목방울 소리가 '띠리링~'

남순 안 다쳤어?

희식 (넘어져서 엉덩이가 좀 아픈 듯 인상쓰는) 다친 건 아니고.

남순 어디 봐. (하는데)

[인서트] 동 참마의 봉고차 안 /N
참마 컴퓨터에 뜬 디지털 디짓에 50초가 남았다.

참마 형 뭐해요. 50초 남았다고요!

희식, 일어나 빠져나가려는데 엉덩이가 아픈지 다소 절룩.

S#2 참마의 차량 안 /N

참마, 창 밖으로 보이는 검은 덩어리들 – 한 사람이 다른 한 사람을 안고 뛰는 모습.

참마 쯧쯧, 여자를 왜 데리고 들어가서 진짜… 다친 거야 뭐야….
(점점 가까워지는데 놀라는, 안긴 건 희식이다. '헉!')

- 느린 화면 -
영화 <보디가드 OST - I will always love you> 중 'And I~~~' 흘러나온다. 남순이 그대로 희식을 안고 뛴다. 희식, 남순에게 안긴 채 그런 남순 '벙' 해서 보는.
남순, 희식을 차 안에 태운다. 그리고 자신은 조수석에 탄다.

남순 가 빨리.
참마 네. 뭐…. ('벙!' 하다 일단 시동 거는)
희식 (멍청) 여자한테 안겨 옮겨지다니… 이럴 순 없는 거야.
남순 나 땜에 넘어졌잖아. 내가 처리해야지. 괜찮아?
희식 아 쪽팔려. (엉덩이 만지는)
참마 (남순 보면서 어안이 벙벙) 힘이 세단 건 예전 그 게르 사건으로 들었지만… 실제로 보니 정말… 와우네요~
남순 간이식 가벼워. 새털처럼.
희식 (구시렁) 졸지에 새털 되고… (참마에게) 야 빨리 가….
참마 넵.

S#3 두고 류시오의 대표 이사실 /N

류시오, 터질 듯이 붉어진 얼굴의 선명히 잡힌 핏줄들, 땀이 뚝뚝 떨어진다.
화면 확장되면 - 류시오, 자신의 몸을 거꾸로 세워 한 손으로 팔굽혀 펴기를 한다. 경이로운 수준이다. 옆에 둔 모래시계가 다 쏟아지자 미션이 끝난 듯 몸을 일으켜 일어난다. 땀을 닦고 있는 류시오의 모습 위로.

[인서트] (플래시백 1화 엔딩)
이상 착륙을 한 에어 몽(Air -Mong) 기체와 남순이 비행기 바퀴를 멈추는 모습.

생각에서 깨어나 피식 웃는 류시오. 옆에 둔 보라색 물을 단숨에 마시고 있다.

S#4 금주의 서재 (4화 S#56 이전의 상황) /E

금주, 서재에서 안경을 쓴 채 컴퓨터 모니터를 보고 있다.
오플렌티아 홈페이지를 접속해 아이디 '골드'를 치고 로긴을 하자 메시지가 울린다.
금주, 확인하면 <지금 즉시, 인천항으로 오세요. 당신과의 만찬을 준비 중입니다>

금주, 확인하고는 손깍지 턱에 괴고 생각이 깊어지는.
그리고는 금주, (4화 S#56로 이어진다) 서재를 나간다.

[인서트]
금주의 클로짓 안 유리관에 비치된 금주의 가죽 의상과 부츠.

S#5 금주의 차고 /N

가죽 부츠와 헬멧을 쓰고 오토바이 타고 출동하는 금주의 모습에서.
배트우먼으로 변신한 금주를 감시하는 미스테리한 시선이 있다.

S#6 인적 없는 도로 /N

달리고 있는 금주의 오토바이. 그런데 금주 자신을 따라 붙는 다른 오토바이의 존재를 눈치챈다. 속도를 더욱 내서 추월하는 금주. 그러더니 그대로 오토바이를 꺾어서 유턴하여 자신을 쫓아오는 오토바이를 향해 역주행한다. 마치 치킨런 상황에서 오토바이 머리 들고 다른 오토바이를 스톱시킨다.
금주, 오토바이에서 내린다. 그리고 그 상대에게 걸어온다.
그러자 상대도 내려서 헬멧을 벗는다.
보면, 젠틀맨이다. 그 젠틀맨을 보고 놀라는 금주.

(2화 S#58에서 명함 건넨 바로 그 젠틀맨이다)

금주 당신은… 헤리티지 클럽에서 내게 명함을 건넸던…?

젠틀맨 (끄덕이는) 네.

금주 날 따라온 거 맞죠? 왜 따라온 거예요?

젠틀맨 … 오플렌티아… 제가 소개했잖습니까 그러니 제가 따라가 봐야죠.

금주 ?!

S#7 인천항 /N

인천항에 도착한 금주와 젠틀맨. 뿌연 밤 안개를 뚫고 다가오는 커다란 어선에 놀라는 금주. 인천항에 나타난 고스트쉽 같은 어선의 등장에 놀라면서도 의심스럽다. 그런 어선을 보는 금주의 시선 위로.

젠틀맨 (따라 타면서) 믿어 주셔서 감사합니다.

금주 당신을 믿는 게 아니라 나를 믿는 겁니다.

젠틀맨, 금주를 에스코트해서 어선으로 함께 올라탄다.

S#8 동 어선 /N

어선에 올라타면 흰 수염이 가지런히 난 멜빵 바지에 장화를 신고 있는 서민적인 풍모의 미국인 아저씨가 금주를 환하게 웃으며 반겨 준다.
맥도날드 아저씨 같은 느낌의 백발의 백인 노인(이하 맥거번).

맥거번 (영어) 하이 미스 골드… 아임 맥거번. (악수 청하자)
젠틀맨 오플렌티아의 부회장님입니다.
금주 하이… 나이스 투 미츄. 아임 골드.

(시간 경과)
금주, 인천 야경을 보면서 오플렌티아의 히스토리를 맥거번을 통해 듣고 있다.

맥거번 (영어로) 생선 장수로 큰 돈을 벌었던 나의 고조할머니가 오플렌티아를 설립했습니다. 더욱 살기 좋은 세상을 만들기 위해서… 현재는 내 누나가 가업을 이어 회장이 되었고, 나는 부회장이에요. 우리는 돈을 벌어 거창하게 쓸 생각이 없습니다. 삶은 그저 좋은 사람들과 맛있는 음식을 먹으며 남는 돈으론 부족한 사람들 돕는 거라고 생각해요. 그리고… 돈 가지고 못된 짓 하는 사람들은 혼내 주고. 하하하하
금주 거 참… 취지 한번 맘에 드네. 나와 뜻이 같은 사람 만나기도 쉽지 않은데… 역시 내 예감이 맞았어.
젠틀맨 우리는 진짜 돈 쓰는 법을 아는 진정한 부자를 찾고 있었어요. 그렇게 선택된 게 당신이고요.

금주 왜 날 선택했습니까?

젠틀맨 우린 엄청난 정보력과 데이터를 가지고 있습니다. 오플렌티아의 자본력은 퇴직한 CIA, FBI, 그리고 영국 정보국, 러시아 마피아, 모든 음양의 권력 집단의 사람들을 포섭하는 게 가능합니다.

금주 내가 어떤 사람인지를 그동안 캐왔단 거군요.

젠틀맨 최근에 딸을 찾으신 것도 알고 있습니다.

금주 (의미 있게 보면)

젠틀맨 집안의 특별한 혈통에 대한 믿을 수 없는 얘기도 알고 있습니다.

금주 오플렌티아 정보력 쓸만하군요.

맥거번 My fair lady and my one and only gentleman, go and enjoy the super dinner!

- 동 어선 내 일각 -

한국인으로 보이는 열댓 명 정도의 사람들. 수수하고 멋없어 보이는 평범한 외모의 사람들이 모두 막걸리를 와인잔에 따라 건배하는 가운데, 금주도 함께 한다.

테이블에는 만찬으로 보기 힘든 소박한 생선 요리와 밀빵과 잼 등이 올려져 있다.

보고 있는 금주의 미소. 그런 금주의 모습에서.

S#9 남순의 집 앞 - 동 봉고차 안 /N

참마의 봉고차가 서고 차에서 내리는 남순.

참마 수고하셨어요. 들어가 쉬세요. (다정하고 친절하게)

남순 응, 너도 수고했어.

참마 … (반말 적응 안 되지만) 아 예….

남순 (문 닫고 가려는데)

희식 잠깐만. 데려다줄게. 지금 너무 어둡고 위험해서. (하고, 문 열고 내리며 참마에게) 먼저 가 넌.

참마 (남겨져서 구시렁) 주제 파악하지 쯧쯧… 누가 누굴 데려다줘.

- 일각 -

희식 강남순!

남순 (못 듣고)

희식 남순아!

남순 (멈추고 돌아본다)

희식 데려다줄게.

남순 됐어 필요없어. 우리 집 바로 여기야.

희식 밤은 위험해. 늑대도 있고. 여우도 있고.

남순 가~ (또 할매처럼)

희식 (절레) 오늘 수고했어. 고마웠고.

남순 (방긋 웃으며) 재밌어. 내가 세상에 그리고 너한테 도움이 된다면 뭐든 할 거야.

희식 (그런 남순이 귀엽다, 보는) 도움… 돼.

남순 잘 가 브라더~ (손 흔들고 간다)

희식 네가 하는 모든 말끝에 '요~' 자를 붙여 봐. 그럼 돼. (가는 남순 향해)

S#10 금주의 집 /N

남순, 집으로 들어온다. 수면 복장 차림의 정 비서가 그런 남순을 웃으며 맞이한다.

정 비서 왔어요 남순 씨?

남순 응. (아니) 예. 우리 엄마 어디 갔어… 요?

정 비서 네. 중요한 모임에 가셨어요. 아마 곧 오실 거 같습니다. (휴대폰으로 동선 체크하며) 지금 인천에 계시네요.

남순 네. 들어갈게… 요. 잘 자… 요.

정 비서 잘 자요. (미소, 동선 옮기는)

S#11 정 비서의 방 /N

정 비서, 방에 들어온다. 침대에 앉아 핸드폰으로 데이팅 어플에 들어가면 숱하게 쌓여 있는 알람과 메시지들. '어디 사세요?', '미인이시네요 ㅎㅎ', '기분도 꿀꿀한데 드라이브 한잔?!' 모두 다 가뿐히 무시하고 오늘의 매칭으로 들어가는 순간 보이는 사진. 풀린 동공과, 생기를 잃은 입술… 병약미 뿜뿜으로 올라온 금동이다!

정 비서 헐~ 황금동~ 뭐야….

정 비서, 화들짝 놀라 자신도 모르게 어플을 끈다. 그러다 다시 어플로 들어간다.
이어 금동도 자신을 봤을까 하는 마음에 노심초사 프로필 내리기 바쁜. 얼굴이 나오지 않은 사진들로 다시 재업로드 하는데.

S#12 남순의 방 /N

남순이 몽골에서 모아온 포토앨범을 보면서 피식 웃다가.

남순 니들 이제 내 맘에서 점점 떠나가는구나. 이상하게 니들이 예전 같이 멋져 보이지 않아. 왜 그럴까? 니들은 그 이유를 아니?

하는데, 문자 알림음 확인하는 남순.

희식(소리) 마스크 만진 손 깨끗하게 씻어야 해. 잘 자.

남순, 문자 보는데 배시시 웃음이 난다. 그러다…

남순 (그 포토앨범 속 남자 배우 누군가와 다시 대화) 그 이유… 알 거 같아.
(기분이 좋아 침대에서 뱅그르르 구른다. 그러다 넘어지면서 '쿵!')

S#13 동 집 - 금주의 개인 차고 /N

금주 오토바이를 정차시키고 헬멧을 벗는다. 그런 금주의 모습에서. [디졸브]

S#14 마수대 (다음날 아침) /D

위생 장갑 낀 참마의 손이 마스크 담긴 지퍼락을 건네고 있다. 받아 쥐는 영탁.

영탁 국과수에 넘겨. 희식이는 두고 출근했다. (장갑 벗는)

참마 종류별로 다 챙겨 왔네요. 이게 진짜 마약일까요….

영탁 골 때린다 정말….

참마 근데 강남순이란 여자말예요… 게르 폭동….

영탁 응 힘센 여자.

참마 (생각할수록 놀랍다) 힘이 진짜 어마무시해요. 희식이 형을 두 손으로 번쩍 들고 뛰더라니까요.

영탁 근데 강남 경찰서에 있는 동기놈한테 들었는데. 그 학원 건물 화재 사건 때 어떤 여자가 땅에서 4층까지 그대로 뛰어 올라갔대. 건물 벽 타고.

참마 에이… 말도 안 돼. 마블 영화예요?

영탁 진짜라니까… 현장서 찍힌 사진도 있어.

참마 조작했겠죠. 요새 애들 별거 다 조작해요.

영탁 아니야. 그 하늘로 날아오른 여자 엄마가 금주일보 사장이고 엄청 부자래. 재산이 조단위라던데… 아무튼 그 엄마가 그 기사 신문에 나는 걸 막아서 지금 조용한 거래.

참마　　설마… 그 하늘로 날아오른 여자가 그 여자예요? 아니죠?

영탁　　(O.L) 맞아. 그 여자가 그 여자야.

참마　　원더우먼 기분 나쁘게… 그게 말이 돼요? 믿으세요 선배님은?

영탁　　야 이 자식아. 그 엄마가 그 딸을 20년을 찾아 헤맸다가 이번에 찾았대. 근데 그 사이에! 짝퉁이 나타났대!

S#15　강한 지구대 1층 전경 /D

짝퉁 딸 화자의 얼굴 - 지명 수배 전단지가 파출소 벽면에 붙어 있다.

현장에서 일을 끝내고 들어온 여 순경과 박 순경.

이때 울리는 전화 받는 여 순경.

여 순경　　네 강한 지구대입니다.

남자(F)　　저기요… 이화자란 사람요. 그 사람 제보하려고요.

여 순경　　??

[인서트] 두고 물류 창고 /D

두고 유니폼을 입고 택배 상하차 작업을 하고 있는 화자.

일각에서 그런 화자 모습 보면서 작은 소리로 통화 중인 배달맨 남자.

남자 확실해요. (휴대폰에 뜬 화자의 현상 수배 사진과 화자 얼굴 번갈아 보며)
이화자! 사기 횡령 도주범. 간 크게 여기서 배달 아르바이트를 하고 있어요. 저기요… 이거 제보하면 사례금 얼마 줘요?
신창원 5천만 원 나머지 사기 친 놈들도 3천만 원은 주던데… 지금은 물가가 뛰었으니 더 주죠?

여 순경(F) 용의자를 목격하셨다는 장소가 어딥니까?

남자 여기요? 두고!

하는데, 남자 시선 굳어진 채 얼어붙어서 서 있다. 그 시선 따라 가면 화자가 남자 앞에 서 있다. 그런 화자의 서늘한 표정 위로.

여 순경(F) 여보세요?

남자, 일단 당황해 휴대폰을 끈다. 침을 꾹 삼키고 벗어나려는데 살기어린 눈빛이 되는 화자.

화자 (연변어로) 니 내가 현상 수배 되고도 이런데 기 들어온 거 보면 눈치 까야 하지 않캈나?

남자 (얼어붙은)

화자 내 이제 이판사판이야. 누구든 걸리믄… 그냥 죽이뿐다 이말이지.
니가 내를 예전부터 계속 쳐다보는 거 내 모를 줄 알았나?

남자 …

화자 자꾸 나대는 순간 니 오장육보 다 꺼내 니 애미한테 택배로 부치 갔어. 아이스박스에는 넣어서 보내지… 싱싱해야 되지 않캈나….

남자 (부들부들)

화자 배달은… (씩소) 내… 친히 하지. (점퍼 지퍼 탁 올리며 사라진다)

남자 (남겨진 채, 그 살기어린 눈빛에 벌벌벌 떤다)

이때 다른 일각에서 출근하는 남순의 모습이 보인다.
그런 남순을 곁눈질 하는 화자. '스으윽' 숙이고 다른 곳으로 향한다. 남순은 방긋방긋 웃으며 택배 유니폼 차림으로 물류 창고 안으로 들어간다.

S#16 희식의 차 안 /D

사는 게 바쁜 희식, 운전석에 올라탄다.
에너지 바 하나 먹어 가며 피곤한 듯 눈을 비비며 영탁에게 전화 거는.

희식 선배 마스크 국과수 성분 검사 결과 나오는 대로 바로 연락 주세요. 배달 끝내고 빨리 들어갈게요.

영탁(F) 알았어.

희식, 전화 끊는데 바로 전화가 울린다. 화면 보면, <지구대>다.
전화 받는 희식.

희식 네 강희식입니다.

[인서트] 동 지구대 /D

여 순경	강 경위님, 저 여지현인데요. 이명희요… 가짜 강남순. 그 사람을 봤다는 제보가 들어왔어요.
희식	아 그래요? 사실 확인하고 검거해야죠.

- 이하 교차 -

여 순경	전화가 중간에 끊어졌어요. 근데 제보자 말이 지금 그 사람이 두고에 있대요.
희식	(표정) 두고요?
여 순경	네.
희식	(혼잣말) 허… 모든 사건의 중심이 두고야 뭐야. 여 순경님 그 여자에 대해 자세히 좀 알아봐 주세요. 수사 3팀 오영수 계장님한테 이화자 정보 다 수집해 달라고 해 놨어요.
여 순경	저도 제 나름의 라인으로 알아보는 중이에요. 강 경위님은 그냥 마약 사건에만 집중하세요.
희식	아 네 고맙습니다. 외근 마치고 있다 들어가서 다시 얘기해요.
여 순경	네. (귀엽게) 파이팅~
희식	(전화 끊고는 갸우뚱) 뭐야… 정말 두고에 있는 게 맞다면… (눈빛) 강남순을 팔로우 한 건가? 왜? 허… 뭐야…. (하다가, 시동 걸고 일단 차를 출발시키는 데서)

S#17 두고 물류 창고 안/D

하관만 드러난 채 은밀하게 전화 중인 화자.

화자 (서울말로) 도베르만, 나야. 강남순이 두고에 있어. (듣는) 정말이라니까. 그것도 배달 기사로.

도베르만(F) 그년은 부자 엄마 만나 배뽕냥 하게 살낀데 왜 거서 삐대고 있나?

화자 나도 그게 궁금해. 도대체 뭐 때문에 여기 있는 건지. 그년도 가짜라 나처럼 쫓겨난 건지… 아니면 다른 사연이 있는 건지….

도베르만(F) 난 니가 나한테 돈을 얼마를 줘도 강남순이는 건들 생각이 읎다. 보통 센 년이 아이지 않나.

화자 허… 정말 너무 죽이고 싶다. 진짜로… 저 계집애만 없었음 다 내 건데… 너무 화난다. 아 참 그리고 내 얼굴 알아보고 경찰에 신고한 새끼가 있어.

도베르만(F) 사실이니? 빨리 그만두는 게 맞지 않캈나. 니 애초에 그런 일을 하는 게 아니다했다… 빨리 나와라 거서. 경찰들이 니에 대해 얼마나 쑤시고 다니는지 아나?

화자 나… (눈빛) 다 죽여 버릴 거야. 우선 강남순부터!! (하고, 끊는다)

- 다른 일각 -

남순이가 배달할 택배 상자들을 바퀴 차에 싣고 있다. 엄청난 힘을 가진 남순을 멀리서 보다가 신기한 듯 휴대폰으로 사진을 찍기 시작하는 허 팀장.

허 팀장, 그러다 스멀스멀 그렇게 남순에게 다가와서는.

허 팀장 체첵 씨.

남순 (얼굴보지도 않고 일 하면서) 응. 말해.

허 팀장 김준석이는 왜 안 나왔어?

남순 오는 중이야.

허 팀장 체첵 씨가 힘 좀 세다고 너무 부려 먹는 거 아니야?

남순 넌 좀 높다고 우릴 너무 부려 먹는 건 아니고?

허 팀장 아니 왜 그래? 나 체첵 씨랑 잘 지내고 싶은데. 우리 친해 보자 좀.

남순 (수요 없는 애교에 짜증나다가 순간 써먹을 데가 있다 싶어 표정 순해져서) 그래 뭐… 그러든가.

허 팀장 (배시시) 근데 말야 체첵 씨, 몽골에서 뭐 먹고 살아서 힘이 그렇게 세?

남순 (놀리고 싶다) 비밀인데….

허 팀장 (눈 동그래져 귀를 남순 몸쪽에 바짝 붙이며) 말해, 나 입 정말 무거워.

남순 하루에… 계란을 백 개씩 먹어!

허 팀장 계란 백 개?

남순 응.

허 팀장 정말이야? 계란… 백 개?

남순 응. 그것도 날계란을 먹어야 돼. 생 거.

허 팀장 후라이랑 삶은 건 안 되고 날계란 백 개?

남순 응. 그리고 모든 음식은 다 생으로 먹어. 닭도 생으로. 돼지도 생으로.

허 팀장 허… 그게 비결이야?

남순 응. 어디가서 얘기하지 마. 꼭 지어낸 얘기 같아서 너 욕먹어.
허 팀장 얘기 절대 안 하지. 이런 일급 비밀을… 나만 알기도 너무 벅차.

남순, 그리고는 엄청난 무게의 100인치 TV(박스에 100인치 TV라고 적힌)를 밑에서 사뿐히 받쳐 들고 새털처럼 가볍게 옮긴다.

허 팀장 (깨달음) 생으로! 생!! 생?

S#18 골드블루 외경 /D

S#19 골드블루 박 - 안 /D

최고급 세단에서 최고급 옷을 뻗쳐 입고 걸어 들어오는 황금주. 그렇게 골드블루 안으로 들어간다.

- 안 -
문이 열리고 미스 김, 그리고 남길이 충직하게 인사하면 금주 그렇게 또각또각 자신의 방 앞에 선다.

남길 서원 조 여사님 기다리고 계십니다.
금주 조 여사님이 웬일이야?
남길 그러게요. 돈 필요하실 일도 없는데.

금주 (일단 안으로 들어간다)

S#20 골드블루 황금주의 집무실 /D

금주, 들어가면 조 여사(50대 초반)가 앉아서 기다리고 있다.

금주 (조 여사 보면서) 어쩐 일이세요? 오랜만이네요.

조 여사 오랜만은, 헤리티지 클럽 파티 때 봤잖아.

금주 하긴 그랬네요.

조 여사 (다짜고짜 자신의 10캐럿 다이아반지를 손에서 빼서는 테이블 위에 올려 둔다, 그리고 다이아 보증서까지) 이거 10캐럿 블루다이아야.

금주 (자신의 가방에서 루페 꺼내 다이아 확인하고) 그런데요.

조 여사 맡길게. 3장만 빌려줘. 로더미어 다이아 커스텀 메이드야. 당시에 50억 주고 우리 회장님이 결혼 30주년 선물로 사 주신 건데.

금주 갑자기 왜 그 돈이 필요하신 건데요?

조 여사 …

금주 저한테까지 오실 땐 급전이 필요하신 거잖아요? 아니면 회장님이 알면 안 되는 곳에 돈을 쓴다던가?

조 여사 꼭 알아야 되겠어?

금주 그럼요. 골드블루 원칙 모르세요? 대여한 돈이 의미있는 일에 쓰여야만 한다~ (쐐기 박듯, 눈빛) 마약 하시는 건 아니죠?

조 여사 무슨 말 같지도 않은 소리야.

금주 어디다 쓰실 건지 말씀하세요. 알아야 합니다.

조 여사 (할 수 없다는 듯 가방에서 명함 꺼내 테이블에 올려 둔다)

금주 (그 명함 집어 올려 보는 데서)

S#21 두고 배달 차량 안 /D

희식이 운전 중, 남순이 옆자리에 타고 있다. 배송 출발 직전이다.

희식 제보가 들어왔어.

남순 (안전벨트 매면서) 무슨 제보?

희식 두고에 이화자가 있대. 널 죽이려고 했던 그 여자. 두고에서 봤대.

남순 (멈칫) 정말? 빨리 만나 보고 싶네.

희식 (어이없게 보는) 잃어버린 친구야? 반갑냐? 뭘 빨리 만나. 빨리 잡아야지.

남순 잡아서 뭐하게. 감빵에 넣게?

희식 당연하지. 죄질이 아주 나빠.

남순 우리 엄마가 원치 않을 거야.

희식 (보면)

남순 우리 엄마가 그랬어. 사람은 변할 수 있다고.

희식 사람 고쳐 쓰는 거 아니야.

남순 우리 엄마는 고쳐 쓸 수 있댔어.

[인서트] (회상) 금주의 집 /D

남순과 금주, 봉고, 앉아 대화 중. 길중간도 옆에 앉아 있다.

봉고 당신 시계를 훔쳐 달아났고 우리 딸을 죽이려고 한 애야.
절대 용서할 수 없어.

금주 죽이려고 한 건지 내 귀로 직접 들어보고, 처리해도 내가 할 거야.
시계도 내가 방에 일부러 둔 거야. 가져가라고.

봉고 뭐? 일부러 뒀다고? 도둑질을 하게 만들었단 소리야?
아니… 그게 무슨 객기야 대체.

금주 돈이 너무 없으면 사람은 결국 나쁜 짓을 하게 돼.
난 그걸 막고 싶었어.

봉고 나쁜 짓 막겠다고 더 나쁜 도둑질 시켰어? 말이 되는 소릴 해라.
황금주… 너 정말 이름대로 황금만능주의다.

금주 뭐야? 너는 이름대로 봉고차냐?

중간 유치한 것들. 싸우는 꼬라지도. 그만들 안 둬?.

봉고 (버럭) 돈 많다고 그 돈으로 사람을 콘트롤하고 세상 다 멋대로 하려고 하는 거 나 정말 질렸어. (부부 싸움 시작)

금주 네가 질려서 뭐 어쩌라고. 그래서 우리 헤어진 거잖아.

봉고 세상이 돈으로 다 되는 줄 알아?

중간 왜 만나면 이렇게 싸워? 아니 둘은 정이 남은 건가?

금주/봉고 (동시에) 그럴 리가!

금주 나한테 엄마라고 부를 때 걔 눈을 봤어. 그 순간 그 아이는 정말 날 엄마처럼 생각했었다고. 그 눈은 진심이었어.

일동 (순간 '띵', 뭔가 찌르르)

남순 (표정)

금주 난 그 아이를 버리지 않을 거야. 짧은 인연이지만 내 딸이었던 애야. 용서하고 새 인생 살도록 도와줄래.

남순　　(그런 금주의 진지한 표정 보는 데서)

- 다시 차 안 -

남순　　난 우리 엄마 믿어 볼래.

희식　　(그런 남순 보는)

남순　　아참 간이식… 마스크 결과는 언제 나와?

S#22 동 마수대/D

물에 둥둥 떠 있는 색깔별 두고 마스크들. 전혀 녹지 않고 있다.
마스크가 전혀 반응을 하지 않는.
팀장, 쓰봉, 영탁 얼굴이 트라이앵글로 모여 실망한다.

쓰봉　　식이가 한 건 했구나. 똥볼 찼어. 경찰대 총장 표창까지 받은 능력 있는 놈라고 믿었건만.

영탁　　휴대폰에 날아온 정체불명의 문자 믿고 수사력 총동원한 우리가 바보인 거지.

팀장　　(생수통 째 들이키며) 야 다 때려치고 그냥 들어오라고 해!

하는데, 참마가 디지털실에서 나와서.

참마　　빡빡이한테 마약 받은 사람들 다 찾아냈어요. 희식이 형이 공급

지갑을 찾았는데 추적하니까 딱 맞아요.

S#23 두고 배달 차량 안 /D

운전 중인 희식. 남순은 풍경 구경 중이다. 전화 와서 보면 <영탁>이다.

희식 네 선배. 마스크 결과 나왔어요?
영탁(F) 마약의 미음도 안 나왔다. 너 당장 들어오래. 팀장님 지시다.
희식 (그럴 리가) 마스크에서 성분이 안 나왔다고요?
영탁(F) 여기저기서 눈 치켜뜨고 있으니까 조용히 들어와. 우리 팀 딸랑 문자 하나에 빌빌거리는 갈대팀 되게 생겼어 너 땜에.
희식 마스크가 아니라고요? 하아…. (답답한)
영탁(F) 당장 철수해!
희식 (한숨) 선배, 류시오 뒷조사를 했는데. 스무 살부터 서른두 살까지 국내에서 활동한 기록이 아예 없어요… 어디서 어떻게 돈을 벌어서 그 런 사업을 하게 된 건지 그 자금 출처를 파 봐야 해요.
영탁(F) 그건 국세청이 할 일이고.
희식 저 잠입 수사 계속 하겠습니다. 뭔가 있어요. (전화 끊는 심각한 표정)
남순 마스크 아니래?
희식 응 아니래~

한숨 쉬는 희식과, 그런 희식을 보는 남순.

S#24 골드블루 - 금주의 방 /D

금주 조 여사가 남기고 간 의문의 명함을 멍~ 하게 본다.
<HSC 파이낸스 트리플 VIP 센터 - CEO Bread (Brad 아니고) Song>
그런 금주 모습 위로.

[인서트] (플래시백 동 회차 S#20 연장) /D

조 여사　월스트리트에서 워렌버핏이랑 주말 런치한 유일한 한국 출신 펀드매니저였대. 상류층 비자금 세탁이랑 돈 복사 선수야. (나직이) 개인 페이퍼 컴퍼니도 알아서 관리해 줘. 이건 황 대표한테만 하는 얘기야. 솔직히 황 대표야 현금이 넘쳐 나지만 우리 같은 재벌들 사실 현금 없다? 죄다 주식이지. 그것도 너어~무 투명하잖아?

- 다시 현재 -

금주　브래드 송인지 마카로니 송인지 좀 알아봐야겠어. 뭔가 구린내가 나~ (하고, 일어난다)

S#25 어느 대형 식당 앞 /D

식당 앞에 서는 두고 탑차. 남순과 희식 식당 앞에 배달 물품을 내려놓는다.

생수와 배추 번들, 무우 번들, 그리고 각종 야채들이 실린 대형 소쿠리들을 한손에 번쩍 들고 내리는 남순, 희식도 돕는데 희식의 휴대폰이 울린다. 확인하면 강한 지구대 번호다.

희식　네 (작은 소리로) 강희식입… (하는데)

팀장(F)　이 새끼가 팀장 말이 말 같지 않지? 빨리 안 들어와?!

희식　(그러다 남순이 쪽 일견하면서) 알았어요.

남순　(그런 희식 보는)

희식　나 들어가 봐야 돼.

남순과 희식, 차에 올라 타려는데 식당 앞의 사장이 "어이 택배!"라고 부른다. 두 사람, 사장 보는.

사장　그거 입구에 쌓지 말고 주방에 다 옮겨.

희식　사장님 배송 규칙이 식당 앞까지 옮겨 드리는 겁니다.
주방에 옮기는 건 식당 측이 하셔야 맞아요.

사장　택배 주제에 건방지게… 옮기라면 옮기지 말이 많어.

남순　(열 받는다)

사장　니들 내가 두고에 전화해서 배송 클레임 걸면 당장 잘려.
고객이 왕이야. 똥 된장 구별 못해?

남순　저(이) 씨…. (흥분해 나서려는데)

희식　(손이 부드럽게 남순을 저지한다) 알겠습니다. 옮겨 드릴게요.

희식, 그렇게 짐들을 식당 안으로 옮긴다.

사장 (남순의 비리비리한 모습 보고) 하이고 진짜 여자가 배달을….

남순 (일부러 힘 약한 척) 그러니까 좀 도와주지… 요?

사장 그걸 내가 왜 도와? 네가 할 일이지. 저렇게 멍청하니 택배나 하지. (하고는, 안으로 쑥 들어간다)

남순 (열이 확 받는다. 다시 원래 힘으로 그 큰 소쿠리를 한 손으로 들고 안으로 들어간다)

S#26 동 식당 주방 /D

식당 주방에 물건 내려놓는 남순과 희식.

희식 가자 빨리.

남순 먼저 가 간이식. 이게 마지막이잖아. 난 여기 마무리 해 주고 갈게.

희식 (귓속말) 부탁인데 사고치지 마라.

남순 걱정 마. 들어가 얼른.

희식 일단 바빠서 들어가니까 이따 전화할게.

남순 그래.

하는데, 사장이 주방 안으로 들어온다.

사장　　저기 저 안으로 다 좀 옮겨 놓고 가.
남순　　여기서부턴 사장 네가 좀 하지?
사장　　네가? 돌았나 이게 근데… (하는데)
희식　　(못미더워 들어온다) 얘가 몽골에서 와서 존댓말을 몰라요.
사장　　하아~~ 어이없네. 너 근데 아까부터 눈빛이 묘하게 기분 나쁘던 데 넌 눈깔을 왜 그렇게 뜨냐? (하고, 이마를 검지로 민다)
(으름장) (버럭) 빨리 옮겨 놔! (하고, 나간다)

남순, 순순히 그 대형 소쿠리들 두 손으로 밀어 구석에 '탁' 안착시키고 희식의 손에 이끌려 밖으로 나간다.

S#27　동 두고 탑차 /D

희식, 영탁과 통화 "지금 가요, 네네." 하며 탑차에 타고 출발하려는데 조수석에 앉아 있던 남순이 갑자기 유니폼 조끼와 모자를 벗는다.

남순　　먼저 가… 마무리할 게 있어. (내린다)
희식　　아… 저 사장은 무슨 죄야. 싸가지 없는 죄로….

S#28　동 식당 /D

사장 어서 오세… (인사하려는데)

남순 (사장을 보고 배시시) 밥 먹으러 왔어.

사장 ?!

남순 (이내 8인용 테이블에 턱 하니 앉는다)

사장 몇 명이 온다고 이 테이블에 앉나?

남순 혼자 먹을 건데… 왜… 불만이야?

사장 ??? 여기 단체 손님 받아. 자리 옮겨 저리로. 작은 테이블.

남순 (빙그레 웃으며 먹이듯) 뼈다귀 해장국 한 그릇 가져와.

사장 …

남순 가져와~ 배고파.

사장 뭐? 이게 미친.

남순 8인용 테이블에 앉으면 미친 거야? 배고프면 미친 거야?

사장 너한텐 안 팔어.

남순 그런게 어딨어. 왜 손님 가려 받아? 분명 네 입으로 그랬지 고객은 왕이라고.

사장 …

남순 거기 계속 서 있지 말고 뼈다귀 해장국이나 가져와!

사장 (할 수 없다) 알았어. 자리 옮겨 좋은 말 할 때.

남순 싫어. 난 여기가 좋아! (수저 챙기며 먹을 준비)

사장 싫으면 나가 당장!

남순 배고픈데 짜증나게! (하고, 테이블 주먹으로 '쾅' 치자 두 조각 난다) 테이블이 불량이네. 여자가 살짝 주먹으로 쳤다고 두 동강이 나다니. 허 참~~

사장, 사색되고 식당 안은 아수라장, 손님들 일제히 그 장면 사진 찍기 시작한다.
남순, 마스크를 쓰고 자신의 초상권을 보호한다.
사장, '벙!' 한 채 굳어져 있을 뿐.
남순, 두 동강 난 식탁의 한쪽에 자리잡고 앉는다.

남순 이제 됐지? 작은 테이블? 딱 1인용.

CUT TO
뼈다귀 해장국이 식탁 위에 놓인다.

남순 (사장에게 집게랑 장갑 주면서) 살 발라.
사장 (그런 남순 꼴쳐보면)
남순 해 주지 좀. 난 아까 주방 끝까지 물건 다 날라줬구먼.
사장 … (현타 오고 깨달음도 오고)
남순 너네 프렌차이즈 회사에다 전화하고 SNS에도 올릴까?
사장 …
남순 너 돈 벌어 주는 손님만 왕이고 나머진 함부로 해도 되는 사람이야?
사장 …
남순 (주머니에서 5만 원 두 장 꺼내 식탁 위에 올리고) 음식 값 나머진 부서진 식탁 붙일 본드 값이야. (하고, 나간다) (그러다 성에 안 찬지 다시 들어와 큰소리로) 갑질 하지 마! 멍충아! (성대 파워 쓰는)
손님들 (귀를 막고 놀라서 남순 보고)

사장 (큰 목소리에 귀가 '멍!' '헉!')

S#29 HSC 파이낸스 트리플 VIP 센터 밖 - 안 /D

럭셔리한 오피스 복도를 지나 오피스 앞에 서는 금주.
씩씩하게 문을 확 연다. 여자 비서 1인, 남자 비서 1인이 앉아 심각하게 업무 중. 그들의 시선을 한몸에 받는 금주.

여비서 어떻게 오셨습니까?
금주 차 타고 왔어.
여/남비서 @@
금주 브래드 송? 한국말로는 빵 노래. 암튼 그 사람 만나러 왔습니다.
여비서 대표님과 예약이 되어 있지 않으면 만나실 수 없는데요.
금주 (에르메스 버킨 백에서 통장 꾸러미 - 족히 20개는 되어 보이는 통장 중 한 개의 통장을 건넨다) 이거 빵 씨한테 보여 줘요. 이 통장 잔고가 예약보다 강렬할 테니.

그런 금주를 묘하게 보고 있는 좀 띨하게 생긴 남비서. (반동가리 앞머리에 안경을 쓴)
여비서, 금주 통장 잔고 확인하고 동그라미 세다 눈이 커진다.

여비서 잠시만요. 말씀 드리고 오겠습니다.

여비서, 안으로 들어가고 금주는 턱 하니 대기실 소파에 앉는다. 포브스, 이코노믹스, 뉴욕 타임즈 등 영자 신문과 경제 신문들이 놓여 있다.
남비서가 금주에게 커피를 건넨다. 조신하게.

남비서 (뜬금없다) 32, 26, 18….
금주 (황당하게 보는) …
남비서 32, 26, 18 (하고, 유유히 쟁반 들고 자리로 가서 앉는다)
금주 (자신의 신체를 손으로 재는 듯 하다 힙 부분에서 막히는) 성추행은 아닌 거 같네요. 18이란 숫자를 보니. 대체 뭐예요?
남비서 오늘의 습도, 미세먼지 지수, 그리고… 날씨입니다.
금주 @@
남비서 늘 코스닥 지수, 나스닥 지수, 금리, 환율, 은행 잔고에 지친 고객들의 감성을 촉촉하게 해 드리기 위해서 제가 준비하는 작은 유머?
금주 (피식, 혼잣말) 또라이 같으니….
여비서 (방에서 나온다) 들어오시랍니다.
금주 (일어나서 방으로 들어가면서) 96, 42, 70 (하고, 들어간다)
남비서 (진지하게) 96, 42, 70… 뭘까…. (쟁반 든 채 고뇌하는)

S#30 브래드 송의 사무실 /D

금주 들어오면, 뒷모습 보이는 브래드 송(이하 브래드). 고급 슈트 차림, 떡 벌어진 어깨와 큰 키.

- 느린 화면 -

뒤돌아 서는 브래드 송. 음악 (ON) 레오나드 코헨 'I'm your man' 같은 느끼한. 고급스럽고 매혹적인 40대 초반의 이태리 남자 같기도 하고 아무튼 교포 바이브가 가득한 브래드 송이 금주를 보고 느끼하게 미소 짓는다.
금주, 브래드를 사기꾼 보듯 보다가 콘트롤 할 생각으로 방긋 미소로 모드 전환하고.

금주 앉아도 될까요?
브래드 누우셔도 됩니다. (경상도 사투리)
금주 자산 관리 상담을 하려고 왔습니다.
브래드 (대답 대신 미소로 바라보는)

이때 브래드의 내선 전화가 울려서 받는다.

브래드 응. 그래… 호도르? 그래 연결해 줘.
(유창한 러시아어로) 호도르… 걱정 마. 일단 천억 루블만 움직여 볼 거니까. 요즘 세금 문제로 러시아 정부도 예의주시하는 상황이라… (듣는) 조급하면 일을 그르쳐.
(쐐기를 박듯) 날 믿어.

브래드가 러시아어로 통화하는 동안 브래드를 뚫어져라 보고 있는 금주.
브래드, 전화 끊고는 다시 미소로 금주를 본다.

브래드 실례했습니다. 통장 규모를 보니 자산을 불리는 게 목적은 아닌 거 같고….

금주 단도직입적으로 말씀드릴게요. 보다시피 제가 현금이… 좀 남아돌아요. 블랙머니… 잘 다루신다고.

브래드 하하하하….

금주 (미친 새끼 왜 웃냐)

브래드 (웃다가 정색해서) 해외 은행에 계좌 있으시죠?

금주 암스테르담 뱅크에 5천만 불 정도 있어요.

브래드 그 자금을 은행에 두지 마시고 부동산을 구입하세요.

브래드, 일어나 책상에서 벗어나 금주의 근처로 다가와 책상에 걸터앉는다. 그런 브래드를 뻔하게 보는 금주.

브래드 암스테르담이나 알메르 쪽에 저평가된 건물들을 제가 리스트업해 드릴 테니까… 부동산으로 자금 매니징 수단을 바꾸셔야 됩니다. 트래킹 당하기 전에. 이렇게 자금이 많으면 세무 조사 터집니다. 시카고 마피아 두목을 경찰도 FBI도 못 잡았는데 미국 국세청이 잡아넣었어요. 한국도 곧 그리됩니다.

금주 근데 부동산도 추적이 되는 거 아닌가?

브래드 아뇨. 부동산은 괜찮습니다. 조사권을 한국 정부가 아닌 네덜란드 정부가 가지고 있어서… 조사 협조를 안 해 주면 알 방법이 없습니다.

(나직이, 은밀히) 당연히 네덜란드 정부는 협조를 안 해 주죠.

금주 (새끼 제법인데) 그래요?

브래드 (끄덕) 저랑 고객님의 거래 내용은… 철저히… 비밀입니다.

(검지를 입에 모으고) … 저를 믿으세요.

금주 근데… 월스트리트 최고의 불맨에 아이비리그 출신이신데… 사투리를 쓰시네요.

브래드 하하하하… (뻘쭘하면 웃는다) (갑자기 스페인어로 뭔가 떠든다)

금주 ???

브래드 나는 내 뿌리를 절대 잊지 않는다… 그런 뜻이죠…. (혼자 끄덕)

금주 … (어이없는데)

브래드 다음 미팅 저희 비서랑 잡으세요. 오늘은 여기까지.

금주 그러죠. (일어나서 나가려다 불쑥) 빵 좋아하세요? 이름이 브래드길래.

브래드 (느끼한) 환장하죠.

금주 (문 닫고 나간다)

- 밖(대기실) -

금주 다음 일정 잡아서 연락 주세요. (명함 건넨다. 여비서에게)

(그리고 나가는데)

남비서 96, 42, 70. 얘기해 주고 가세요.

금주 내 아이큐. 우리 아들 허리 치수. 그리고 10년 전 가출한 우리 아빠 나이예요. (선글라스 끼고 나가는)

S#31 동 지구대 /D

희식이 들어온다. 여 순경에게 다가가는 희식.

여 순경	(기다렸다는 듯) 이화자에 대한 정보 정리한 거예요. (파일 주는)
희식	(반색, 받는) 수고하셨어요.
여 순경	이 사람 고아예요. 대림동 폭력배 라인 중에 소장파가 있는데 걔들이 역사 깊은 연변 애들 조폭 뿌리예요. 거기 대장이 고아들 데려다 훈련시켜 필요한 애들 뽑아 쓰는 걸로 유명한데. 그중 유일한 여자 애였나 봐요. 어릴 때부터 실력이 남 달랐대요.

[인서트]

화자의 발에다 불로 지지는. 화자, 무표정하게 당하는 모습 위로.

여 순경(F)	소장파는 20살이 돼 정식 조직원이 되면 발에 표식을 새긴대요. 얼굴에 새기면 티나니까… 싸우다 죽으면 누구 파인지 알아야 해서 그런 대나 봐요. 나름 전통이죠.

진지하게 희식이 듣고 있는데, 팀장을 제외한 모든 마수대 팀원들 내려온다.

영탁	가자 희식아.
희식	네… (여 순경 향해) 고마워요.
여 순경	두고에 인력 배치할까요?
희식	아뇨. 일단 두세요. 제가 알아서 할게요.
여 순경	네.

S#32 남인의 사주 카페 안 /D

남인은 탄수화물 위주로 구석에서 먹고 있다. 크리스피 크림 같은 도너츠를 쌓아 두고. 옆에는 중간이 퍼 온 곰국 보온병. 옆자리에 앉아 있는 봉고는 남순의 사진들을 정리하며 행복하게 웃는다.

중간이 화려한 착장(챙 넓은 영국 여왕 모자 / 망사로 얼굴 드리우고)을 하고 남인에게 다가온다. 남인, 도너츠를 곰국에 찍어 먹는다. (오레오 + 우유처럼)

남인 할머니, 곰국이랑 도너츠 되게 잘맞아. 케미가 좋아. 음식 케미나 되게 중요하게 생각하거든.

중간 그게 어떻게 잘 맞아. (속 터지는) 토 나오는 케미지.

남인 아니야 맛있어. 살살 녹아.

중간 네가 뭔들. 하아. (한숨) 이 할미가 미안하다. 다 내 잘못이다.

봉고 장모님 (못마땅) 오늘 어디 영국 황실 결혼식 초대라도 받으셨어요?

중간 (작은 소리로) 나 있지… 저 잘생긴 바리스타 양반이랑 지독하게 얽혀서 미래를 꿈꾸는 중인데 니들이 적극 협조 좀 해 줬음 해.

봉고 그냥 인류애 발휘하면서 조용하게 사세요. 왜 연애를 할라 그르세요? 장인어른이랑 서류 정리도 안 됐고 지금 생사도 모르시잖아요.

중간 안 그래도 나 그게 디립다 걸려.

남인 그지? 할머니도 할아버지 걱정되지?

중간 인터폴에 수배를 때려야 찾나….

남인 타로점 쳐 보니까 지금 동쪽에 계셔.

중간 살아 있단 소리니?

남인 당연하지 그걸 말이라고 해?

중간 하… 대체… 어디서 뭐하고 자빠졌을까. (하는데)

준희(V.O) (부른다) 길 여사님!

중간 (코가 잔뜩 막힌 목소리로) 네 준희 씨….

봉고 남순이도 찾았으니까 이제 우리 장인어른을 찾아야…. (O.L)

중간 찾아서 죽여 버릴 거야. 나 저 남자 자빠뜨릴 거야. 내 인생 초목표야.

봉고 장모님. 그런 소릴 남인이 앞에서… 정말 너무 하시는 거 아닙니까.

남인 진짜 너무해. 가만 보면 엄마랑 할머니는 날 사람 취급을 안 해. 손자 앞에서 저런 소릴… 자빠뜨린대. (지긋지긋)

중간 니들 둘은 정말 낭만도 없고 유머도 못 받아치고.
아무튼 내 인생 목표에 방해되는 것들은 다 아작을 낼 거야.
난 분명 니들한테 선전포고 했다? (하고, 간다)

봉고 (한숨) 넌 이 와중에도 이게 넘어가? 입맛이 뚝 떨어지지 않아?

남인 (먹을 뿐) 아니야. 별개야. (절레)

봉고 (한숨) 하아… 우리 남순이는 몽골에서 자라서 차라리 다행이야. 후천적으로 물들지 않았으니… 남순인 저리 됨 안 돼. 지켜야 돼.

S#33 동 카페 - 중간의 지정석 /D

중간, 모자에 달린 그물 망사를 한 손으로 들어 올리고 한 손으로 힘겹게 커피를 마시고 있다. 커피 향에 부르르 떤다. 우아함을 만발하며.

중간　준희 씨는 커피를 말기 위해… 아니 만들기 위해 태어나신 거 같아요. 커피가 이렇게 맛있는 드링크인 줄 첨 알았어요. (미소, 우아)

준희　하하하… 여사님은 참 사람 기분 좋게 하는 재주가 있으세요. 힘이 나네요. 제 커피를 이렇게 좋아해 주시니.

중간　전 빈소리 절대 못해요. (흐뭇하게 보다가) 준희 씨… 인생이 참 짧아요 그죠?

준희　그렇지 않아요 여사님. 제가 요새 게놈 관련 자료를 열심히 공부하거든요.

중간　게놈? 개놈을 뭐 굳이 공부까지 하세요. 주변에 널린 게 개놈들인데….

준희　하하하… 재밌으시긴… 아무튼 게놈 프로젝트 공부를 해 보니까… 우리 이제 백살까지 사는 게 현실이 됐어요. 노화는 자연현상이 아니라 병이래요. 치료가 가능한… 이제 인생~ 깁니다.

중간　(말 안 먹히자 짜증나는) 길어서 좋겠네요.

하는데, 준희의 휴대폰으로 전화가 온다.

준희　제 딸입니다. 좀 받을게요.

중간　(미소)

준희　여보세요? 응 윤진아.

딸(F) 아빠. 나 큰일 났어. (울먹이는)

준희 무슨 일인데.

딸(F) 나 차로 사람을 쳤어.

준희 (놀라는) 뭐야? 너 지금 어딘데.

딸(F) 강남 경찰서야.

준희 하….

중간 저기 화상 통화로 돌리세요. 얼굴 확인하셔야 해요.
보이스피싱일지도 모르잖아~

준희 (끄덕) 윤진아. 아빠랑 얼굴 보면서 통화하자.

하자, 바로 화상 통화로 연결된다. 윤진(30대 후반)이 울먹이고 있다.

준희 하… 너 정말 사고 낸 거야?

딸 응. 나 어떡해. 지금 당장 합의금으로 2천만 원을 내야 내가 불구속 수사가 된대. 안 그럼 구속 수사한대. 어떡해 아빠.

준희 당장 입금할게. 걱정 마. 계좌번호 찍어 줘.

딸 알았어.

화면은 꺼지고 준희, 딸 걱정에 일어난다.

준희 실례해요 여사님, 폰으로 입금 좀 하겠습니다. (하고는, 인터넷 뱅킹 시도하고 완료한다)

중간 강남 경찰서랬죠? 저 아는 경찰 있어요. 지금 같이 가요. (먼저 서

둘러 일어나는 데서)

S#34 강남 경찰서 (3화 S#11 주차장 차량 전복 사건 때) /D

중간, 준희와 서둘러 경찰서로 들어온다.

이러저리 헤매다 당시 경찰 1과 2가 눈에 보여 뛰어가는 중간.

경찰 1, 2, 중간을 보자마자 벌떡 일어나 90도로 인사한다.

중간 차 사고가 나서 그런데… 교통계로 가야 되나요? (하자)

경찰 1 (얼른 중간을 데리고) 제가 모셔 드릴게요.

CUT TO - 교통계 -

어느 형사 서윤진이란 사람은 없는데요?

준희 (다시 전화 연결하면 전화 받지 않고) 분명히 영상 통화했어요. 제 딸이었어요. (황당)

경찰 1 딥페이크 당하신 거 같은데요.

준희 딥페이크요?

경찰 1 네. 요샌 얼굴도 조작해요. 하아… 돈 입금하셨어요?

준희 합의해야 한대서 바로 입금했는데.

경찰 1 아이구… 사건 접수 하셔야겠네.

준희 그럼 제 딸 얼굴로 사기를 친 겁니까? 하….

중간 사건 접수 빨리 해 줘요.

경찰 1 그건 사이버계라… 한층 올라가야 되는데… 제가 또 모실게요.

줌간 그냥 한큐에 다 하면 되지 뭐가 이렇게 복잡해.

경찰 1 세상에 얼마나 사건이 많은데요. 종류도 다양하게… 고기도 그렇잖아요. 부위가 많잖습니까.

준희 (짜증 만땅 앞서간다)

경찰 1 부군이세요?

줌간 아뇨. (하고, 새끼 손가락 들어올리며) 썸타는 남자~

경찰 1 아 네. (하고, 저만치 앞서가는 준희를 따라잡으며 걷는다)
그때 그 차량 손괴… 여사님이 때려서 정신나갔던 그 남자분…
연락이 안 돼요.

줌간 (놀래서) 혹시… 죽었나?

경찰 1 아뇨 사망 신고 안 되어 있는 거 보면 죽지는 않았는데. 연락이 안 되더라고요.

줌간 (그 사람 근황 관심 없다) 화가 많이 났네. 자식 문제는 그렇지. (저만치 계단 오르는 준희 모습 보면서)

S#35 수영장 탈의실 /D

폴리스 라인이 쳐진 가운데, 쓰러진 남성 시신 위로 흰 천이 덮여 있다.
희식, 조심스레 천을 들추면 남성이 추리닝을 입고 있다.
옷이 다 젖어 있어 앙상하게 마른 선이 적나라하게 드러난다.
이때 수영장 매니저로 보이는 남자를 영탁이 데리고 온다.

CUT TO

매니저 되게 잘 가르치고 인기 많은 애였어요. 언제부턴가 기운도 없고 수업도 자꾸 빠지고….

희식 뭐 다른 특이할 만한 점 없었습니까?

매니저 확실한 한 가지가 있어요. 물을 엄청 마셨어요.

희식 !!

매니저 (황당하다는 듯) 심지어 수영장 물까지 마시더라고요.

희식 수영장 물을 마셨다고요?

매니저 네 한두 번이 아니었어요. 오늘도 강습 끝나고 나가다 다시 들어와서 수영장 물을 퍼 마시더라고요.

희식, 그 소리에 매니저를 심각하게 보는데 영탁의 폰이 울린다. 영탁, 전화 받는.

영탁 여보세요? 뭐? (전화 끊고는 불안한 눈빛으로 희식을 바라본다)

S#36 몽타주 /D

마약으로 인해 죽은 사람들. 대학생 자취방. CUT TO
클럽 화장실. 사망해 있는 여자. CUT TO
사무실. 의자에 앉아 죽어 있는 남자. CUT TO
PC방. 쿵, 소리와 함께 쓰러지는 남자. 생수병에서 물이 콸콸콸

흐르고. CUT TO
현장에 있는 생수병을 보고 있는 쓰봉의 표정에서.

S#37 마수대 /D

팀장 2L 생수를 벌컥 벌컥 마신다. 카메라 틸트다운 하면 보이는 쌓여 있는 생수통들, 그리고… 서랍을 열면 보이는 - 예전에 훔쳐둔 마스크를 보는 불안한 눈빛, 어느덧 팀장의 눈빛과 낯빛은 퍼러죽죽하고 예전과 다르다.

S#38 경찰서 주차장 - 길중간의 고급 스포츠카 안 /D

중간과 준희, 경찰서에서 나와 차를 탄다. 중간, 운전석에 앉고 우울한 준희, 조수석에 탄다. 준희, 먹먹한 표정이다가 갑자기 울음을 터트린다.

중간 (당황해서) 아이구 미스타 서… 왜 울고 그래. 2천만 원이 아까워 그래? (가방에서 손수건 꺼내 눈물 닦아 주려는)
준희 제 딸… 아파요 지금. 큰 수술해서 직장도 쉬고 있는데….
중간 아이고 저런… 어뜩해….
준희 그 나쁜 놈들이 제 딸 얼굴을 안다는 게… 제 아내 그렇게 보내고 제가 너무… 맘이 약해져서….

중간　　(준희를 품에 덥석 안고 마구마구 쓰담쓰담) 미스타 서… 걔들 바빠요. 윤진이 얼굴 기억해서 뭐 어쩌고 할 정신이 없어. 실적 맞춰야 돼서 딴 목표물 찾느라 정신 없어. 딸내미 얼굴 기억 못 해! 절대 해꼬지 못 해. 걱정 마요. (깊게 쓰담거린다)

준희　　(품에서 빠져 나와 보면서) 그럴까요 정말?

중간　　그럼요. 그리고 뭔 일 있음 내가 조질게. (하고, 명품 가방에서 발골용 칼 세트 꺼낸다. 조각용 칼자루 세트처럼) 뼈를 분질르든 살을 파내든 내가 알아서 할테니까….

준희　　(황당, 눈물이 뚝, 경계하며 보듯)

중간　　에휴… 겁먹긴… 이건 도축용 칼이야… 그냥 각오가 그렇단 거지… 내 유머가 한국용이 아닌가 봐. 하하하 난 칼 안 써도 돼요. 맨손으로 다 아작 내거든?

준희　　??

중간　　암튼 그런 게 있어요. 차차 나에 대해 알게 될 거니까 오늘은 여기까지. 근데 자기가 눈물을 보이니까… 내 맘이 막… (눈 찡긋하며) 아프다. 맛있는 거 먹으러 가요. 시래깃국 먹을까?

준희　　드시고 싶은 거 먹읍시다. 근데 남인 씨한테 전화는 해야 할 거 같은데요.

S#39　남인의 사주 카페 /N

남인, 준희의 전화를 받고 있다.

남인 네 선생님 염려 마세요. 괜찮습니다. 네… 내일 봬요.
그리고 저기… 저희 할머니 꼬우시다고 카페를 그만두시진 마세요. 부탁드려요. (끊는다)

남인, 그러고는 한 손으로는 샌드위치를 먹고 다른 손으로 타로를 하고 있다.
이때 그런 남인에게 다가오는 젊은 미모의 여자(태리).
남인, 그 여자를 멍한 표정으로 본다. 그 여자, 남인에게 작은 약통을 건넨다.

태리 다이어트 하고 싶지 않아요? 저도 이 약 먹고 뺐는데.
당신은 안 긁은 복권이에요. 다이어트만 하면 끝장일 텐데….
(하고, 사라진다)

남인 뭐야 저 여자…. (구시렁)

화면에 잡히는 새끼 손톱 반 크기의 작은 약통, 그리고 약통에 든 캡슐 알약 한 알에. C.U

S#40 두고 류시오의 대표 이사실 복도 /N

불 꺼진 대표 이사실 복도. 이때 대표 이사실 문이 열리며 누군가(류시오) 걸어 나온다.
마치 힘에 부치는 듯 손으로 옆 벽면을 툭 치자! 벽면에 균열이 생기며 갈라진다!

S#41 두고 물류 창고 /N

불 꺼진 물류 창고. 창고 문이 조용히 열리며 남순이 들어온다. 희식과 통화 중인데.

남순 그럼 오늘은 혼자 함 해 볼게. 넌 사건 조사 마저 해.

남순, 전화 끊음과 동시에 날카로운 눈빛으로 물류 창고 일각으로 뛰어간다!
이때! 짐승의 들숨 날숨 같은 소리가 들리자 남순의 발걸음이 멈칫한다.
소리가 나는 쪽으로 발걸음 죽이고 다가가는 남순!!

CUT TO - 프레쉬 창고 -
어둠 속에 보이는 손… 이내 어딘가를 향해 그 손 뻗어지는 순간…! 인기척에 손짓이 멈춘다.

류시오 !!! (뒤돌아보지만 어둠 속이라 아무것도 보이지 않는데)
남순 (앞으로 걸어 나오며) 괜찮아?

식은 땀과 함께 힘줄이 솟아 있는 류시오와 남순의 어둠 속 만남!!

류시오는 남순이 보이지 않는다. 하지만 남순의 천리안은 뒤돌아보는 류시오의 옆모습이 정확하게 보인다.

남순 이봐. 어디 아파? 도와줘? (따뜻하게 손을 내미는데)

류시오, 경계하듯 놀라 소스라치게 확 치자 남순이 그대로 날아간다.
창고 물건들이 남순 위로 그대로 떨어지고 남순, 한 손으로 냉장고 박스를 막아 낸다. 박스를 치우고 보면 류시오는 사라지고 없다. 남순, 놀라서 '뭐지?' 싶은 눈빛에서.

S#42 금주의 서재 /N

브래드 송이 운영하는 회사 사이트에서 사진들을 보고 있는 금주.
영어로 잔뜩 적힌 회사 홈페이지 요란하기만 하고.

금주 이 시키는 좀 더 지켜봐야 돼. 정말 문제는 이 새끼야.

금주, 사진 클릭하면 커다랗게 떠오르는 류시오의 사진.
금주, 컴퓨터 챗봇을 통해 오플렌티아와 소통을 한다. 골드라고 치고 비번을 누르고 로긴하는. 그리고 뭔가 읽다가 힘든지 내선 전화 누르고 "정 비서 좀 들어와." 하자, 정 비서 들어온다.

금주 영어로 좀 써 줘. 번역기가 이상해 며칠 전부터.

정 비서 네 대표님.

금주 두고에 마약이 있다는 사실은 정말 믿어도 되는 건가요?

정 비서 (영어로 타닥타닥 써 나간다)

뒤이어 메신저가 뜨고 영어로 된 답글이 떠오른다. 정 비서가 번역한다.

정 비서 러시아 마피아가 두고와 관련되었다는 정보를 받았습니다. 러시아 마피아가 한국에 있어요. (눈빛, 표정)

금주 하아… (심각한) 대표인 류시오란 사람에 대한 정보도 필요합니다.

정 비서 (자판으로 친다) (답글 뜨면 화면 보고 바로 번역하는) 출처가 불분명한 돈으로 두고를 설립했습니다. 그 돈의 출처를 파악하는 중입니다.

금주 !! 출처가 불분명한 돈이라!! (유레카) 빼박이네! 마약이야. (표정 어두워진다) 두고~~

하는데, 시큐리티 모니터 울리는.

모니터(F) 남순 아가씨 집으로 들어가셨습니다.

정 비서 나가 보겠습니다.

금주 남순이 좀 서재로 들어오라고 해 줘.

정 비서 네.

S#43 동 집 - 거실 /N

정 비서 나오면 금동이가 한약을 빨면서 힘없이 소파에 누워 있다.

정 비서 금동 씨.

금동 (오늘 내일 하는 표정으로 정 비서 보는) 왜요?

정 비서 데이트 어플 써요?

금동 (끄덕)

정 비서 나돈데… 아는 척 하지 마요.

금동 네. 외롭구나 정 비서도.

정 비서 그럼요. 고독해요. 인간은 태초에 고독한 존재잖아요?

이때 남순이 들어온다.

정 비서 왔어요?

남순 삼촌 안녕? 정 비서님 안녕?

금동 (기운 없다) 안녕 조카. (한약 빨고 있다)

정 비서 대표님 방에 가 봐요. 찾으시니까.

남순 네.

S#44 금주의 서재 /N

금주, 남순이 들어오자 따뜻하게 안아 준다. 그리고 테이블 체어에 앉는 두 사람.

금주 어제 그 경찰 친구랑 뭐 했는지 엄마한테 얘기하기로 했지?
남순 응. 하려고 했지 안 그래도.
금주 얘기해 봐.
남순 엄마 나 두고란 곳에서 배달 일 해.
금주 !!! 두고?
남순 응. 거기에 마약이 있대. 간이식이 거기서 마약을 찾아내는 임무를 하는데… 내가 도움을 주고 있지.
금주 하~ 결국 내 새끼가 이렇게 얽히는구나.
남순 근데… 마스크가 마약인 줄 알았는데 마약이 아니래. 그래서 간이식은 내일부터 두고 출근 못 해. 위에서 그 정보 잘못된 거라고 그만두라고 했대. 이럴 땐 나… (하려는데, 금주 모니터로 시선이 간다)

모니터로 보이는 류시오 사진. 그 모습에 놀라는 남순 위로.

[인터컷] (동 회차 S#41)
창고에서 봤던 류시오 옆모습 + 자신을 밀었던 괴력.

남순 (표정, 눈빛) 이 사람이 류시오야?
금주 봤어?
남순 응. 창고에서….

금주 위험한 사람이야. 조심해야 돼. (표정 단호해져) 남순아!

남순 (보면)

금주 어쩜 이게 네 운명일지 몰라.

남순 …

금주 엄마 손 봐… 엄마 돼지고기 뼈 부시느라… 지문이 없어. 그렇게 돈 벌었어. 그 돈 너를 찾을 수 있다면 다 쓰려고 했어. 근데 너 이렇게 찾았잖니.

남순 !!

금주 네가 날 떠나 그 광활한 몽골 땅에서 칭기즈 칸처럼 씩씩하게 자란 거, 그래서 내 품에 돌아온 거… 이 모든 게 운명이야. 넌 평범하게 살 수 없어.

남순 (눈빛 서서히 뜨거워지고) 응!

금주 세상을 구하자. 우리가!

남순 (눈가 그렁해) 그럴게… 나 그럴 수 있어. 자신 있어.

금주 (의연하게 끄덕) 두고에… 마약이 있어! 네가 찾아!!

남순 !!!

그런 금주와 남순의 모습에서.
[디졸브]

S#45 동 지구대 전경 (다음날 아침)

S#46 동 마수대/D

팀원들 일제히 출근해 자리에 앉아 있다. 참마는 사이버 자료실에서 미친 듯이 빡빡이 자료를 뒤지지만 찾아낼 수가 없는.
옆에는 희식이가 서 있다.

참마 데리코인에서 막혀요. 빡빡이가 죽었으니 공급책은 알아볼 수도 없고.

희식 구치소 면회 때 마스크 건네 준 사람 신원도 알아보니 가짜였잖아. 공공기관이 가짜 신분증으로 뚫리다니….

참마 업라인은 못 찾았지만 형이 다운라인은 찾아냈잖아요.

희식 심각해. 그 치사율이… 이렇게 강한 마약은 존재하지 않았어 이제껏…. (심각한 표정이 되어 자료실 밖을 나간다)

참마 대체 사이클이 어떻게 돌아가는 거야….

희식 그걸 모르겠어. 누구는 이틀. 누구는 삼일… 공통점은 물만 주구장창 마셨단 거야.

자료실 밖을 나오다 여전히 생수병을 통째 마시고 있는 팀장의 모습을 보고 있는 희식의 표정!! 뭔가를 알아차리는 듯한. 그런 희식의 표정 위로.

[인터컷] (동 회차 S#35~36)
몽타주 - 물통 / 수영장 물 / 물에 녹는 마스크

희식 (그대로 팀장의 물통을 뺏으며) 물입니다!

팀원들 (일제히 희식에게 집중하는)

희식 물에 반응해요. 물과 반응하면 마약이 됩니다.
(표정, 눈빛) 물을 마시면 체내의 마약 성분이 더 강해져요. 그래서 결국 죽어요 팀장님!!! 물 마시면 안 됩니다!!!

팀장 (사색이 되는 표정에서)

S#47 두고 류시오의 대표 이사실 /D

류시오 보이고. 이때 노크 소리 들리고 윤 비서가 들어온다.

윤 비서 담당 팀장에게 확인해 봤는데… 그날 물류 창고 직원들은 전부 퇴근한 걸로 파악됩니다.

류시오 CCTV는.

윤 비서 소등 후 일어난 일이라… 아무래도 식별이 힘들 것 같습니다.

류시오 …

윤 비서 아, 그리고 물류팀 허 팀장이 찍어서 사내 게시판에 올린 영상인데요. 이렇게 힘센 여자가 있습니다. 몽골에서 왔대요.

[인터컷]
두고 물류 창고에서 남순이가 무거운 걸 번쩍번쩍 드는 동영상.

남순(V.O) (허 팀장 자꾸 찍자 짜증나는지) 한 번만 더 찍으면 땡땡이 친다고 신고한다!!

보는 순간 '쾅!!' 하듯 놀라는 류시오의 모습 위로.

[플래시백1] 두고 물류 창고 /N (동 회차 S#41)

남순 이봐. 어디 아파? 도와줘?

[플래시백2] 동 활주로 /N (1화 S#68)
남순, 비행기에서 떨어져 나와 걷고 있다.
그런 남순의 뒷모습을 흥미롭게 보며 싸한 미소 짓고 있는 류시오.

믿을 수 없다는 듯 피식 웃는 류시오. 그의 살아 있는 눈빛과 표정!

류시오 찾았다!!!!!

S#48 동 마수대 /D

희식, 앉아 있는데 여 순경이 들어온다.

여 순경 강 경위님 손님 오셨어요. 내려가 보세요.

S#49 동 지구대 앞 /D

희식, 내려가면 금주가 뒷모습을 보이며 서 있다. 금주 뒤돌아 선다.

금주 두고에 마약이 있다는 제보 한 사람… 나예요.

희식 !!!

금주 강 경위는 두고를 파요! 난!… 류시오를 팔 테니까!!

S#50 동 물류 센터 /D

배달원 복장의 남순이 창고 안을 어슬렁거린다. 마약일 수 있을 만한 물건을 찾다
어느 선반 모퉁이를 돌다 그대로 부딪히는 누군가. (사실 화자지만)
남순, 놀라서 눈이 커진다.
남순, 서서히 전의에 불타는 표정이 되면서.

<5화 엔딩>

제6화

Mystery X

S#1 프롤로그

금주의 웨어하우스 유리관에 마치 박물관 훈민정음처럼 보관된 역량기 위로.

남순 (나레이션) 나의 이 힘센 유전인자의 시조는 1593년 선조 임금 26년, 행주 대첩 당시 치마가 찢어질 정도로 돌을 날라, 갈아입은 치마만 32벌이었다던 조상 박개분이란 여인이다. 그 괴력이 얼마나 대단했던지 나른 돌의 숫자보다 돌팔매로 쳐 죽인 적군의 숫자가 더 많았다고 한다.

선조를 디스하는 박개분의 삐리한 표정과 왕포를 입고 당황하는 선조 임금의 표정 위로. (흑백 화면)

남순(N) 당시 그녀의 활약을 전해 들은 권율 장군이 행주 대첩 승리 후 훗날 그녀를 궁에 초대했으나 임금의 무능에 분개해 선조를 과

감히 디스, 초대에 불응한 기개가 호방한 분이셨다고 한다. 하지만 집안 대대로 내려온 이 괴력에는 엄청난 비밀이 숨어 있다.

- DNA 염기 서열이 휘감기는 영상 -

남순(N) 모계 유전자란 사실이다. 그리고 이 X염색체의 미스터리는 아직도 밝혀지지 않은 게 더 많다. 하지만 그중 우리가 알고 있는 건.

- 꽃처럼 예쁜 금주가 봉고를 침대에 패대기치는 모습 -

남순(N) 이 유전인자는 이십이년째에 가장 활성화 된다는 거다.
그런즉 이 집안 여인들은 스물둘의 나이가 되면 몸의 기운도 달라지고 서둘러 남자를 찾아야 하는 나름의 전통이 있다.

- 영문 모르는 남순을 앞에 두고 진지한 표정을 짓고 한마디로 압살하는 길중간 "자빠뜨려야 한다." 그 소리에 눈이 동그래지는 남순의 표정 위로. -

- 역량기를 지나, 가족의 역사들 보이는데, 중간의 결혼사진, 금주의 결혼사진. 사진 모두 앳된 신부가 양손을 만세해 신랑을 번쩍 들고 있다. -

남순(N) 바야흐로 난 지금 스물둘이다.

Title In "Mystery X"

S#2 동 지구대 /D

희식, 마수대에서 내려가면 금주가 뒷모습을 보이며 서 있다. 금주, 뒤돌아선다.

금주 두고에 마약이 있다는 제보 한 사람… 나예요.

희식 !!!

금주 강 경위는 두고를 파요! 난 류시오를 팔 테니까!!

희식 믿을 수 있는 정보입니까?

금주 물론입니다. 경찰 쪽 정보력은 한계가 있어요. 내 건 훨씬 네트워크가 방대하고 깊고… 어두운 곳에서 온 거라… 안 믿으면 큰 코다쳐요.

희식 … (표정, 눈빛, 결국 믿을 수 있는 듯 끄덕) 첨부터 믿었어요. 어느 정도 근거도 있었으니까… 근데 제가 더 이상 두고에 출근할 수가 없어요. 팀에서 공식적으로 잠입 수사를 철수시켰습니다.

금주 강남순… 그 친구를 믿어 봐요. 뭔가 찾을 겁니다.

희식 (믿을 걸 믿어야지) 못 믿겠는데요.

금주 (보는)

희식 덤벙대고 머리보다 몸이 앞서고 힘 하나 믿고 너무 까불어요. 솔직히 힘이 아무리 세도 총칼까진 다 막아 낼 순 없잖습니까.

금주 (그런 희식 흐뭇하게 보면서) 우리 남순이 좋아해요?

희식 (당황) 예?

금주 지금 걱정하고 있잖아.

희식 아니 뭐… 걱정한다고 좋아하는 건 아니죠. 그렇게 따지면 제가 대한민국 국민들을 다 좋아하는 거게요?

금주 우리 남순이 지금 스물둘입니다. 서둘러야 돼요. 내가 맘이 좀 급합니다. 빨리 합방을 시켜야 돼서요.

희식 ('벙!' '헐!') 뭘 시켜요?

금주 됐고. 성추행한 거 아니니까 신고하고 그러지 말아요. 딱 귀찮으니까.

희식 @@

금주 나 갈게요. 겸사겸사 왔어요. 전화로 해도 될 걸. (희식 얼굴 턱 받쳐 획획 살피고) 강 경위 얼굴 한번 찬찬히 봐야 해서.

희식 … (멍청히 당하고 있다)

금주 오장육부 다 몸 안에 들어 있죠?

희식 ???

금주 남자 좋아하거나 아님… 남자고 여자고 다 싫어하고 식물만 키운다거나… 뭐 그런 독특한 취향 있음 미리 얘기해요 나한테… 나중에 뽀록나서 오방지게 처맞지 마시고요.

희식 (어이없다) 그런 거 없는데… 근데….

금주 (자기 할 말 다 하면 용건 끝났다) 됐고. 들어가요. (가려는데)

희식 저기요. 그때 주신 돈 돌려드릴게요. 방법을 몰라서 차일피일 미루고 있었어요. 아직 제 책상 서랍 속에 있습니다.

금주 그 돈이 그렇게 불편해요?

희식 당연히 불편하죠. 반드시 돌려드릴 겁니다.

금주　　이렇게 합시다. 지금 이 프로젝트 진행비로 써요. 어차피 경찰에서 나오는 진행 경비로 수사가 힘들 겁니다. 경찰이 공식적으로 협조도 안 할 거 같은데… 그러니 그 돈을 수사 자금으로 써요.

희식　　마약 수사 후원자금으로 쓰란 건가요?

금주　　네.

희식　　(끄덕) 그러죠. 어디에 썼는지 명세서 드리겠습니다.
그런 취지의 돈이라면 잘 활용하겠습니다.

금주　　(짜식 맘에 드네 하듯 보다가 남순 엄마 모드) 근데 아버지 뭐 하세요?

S#3　동 물류 센터 /D

배달원 복장의 남순이 창고 안을 어슬렁거린다. 마약일 수 있을 만한 물건을 찾는다. 어느 선반 모퉁이를 돌다 그대로 부딪히는 누군가. 다름 아닌 화자다.
남순과 화자, 그렇게 제대로 마주한다. 서로를 보고 있는 강렬한 시선들이 부딪친다.

화자　　(얼어붙는)

남순　　한 번은 만나야 된다고 생각했어.

화자　　(외면하고 가려는데)

남순　　엄마도 나도 너 이해해.

화자　　!

남순　　한 번은 용서해. 두 번은 안 돼!

남순, 그렇게 가고 남겨진 화자의 무참한 표정과 눈빛에서!

S#4 두고 류시오의 대표 이사실 /D

류시오, 남순의 그 동영상을 보고 기가 막힌 표정이다.

윤 비서　믿을 수 없는 괴력이죠 대표님?
류시오　(피식) 운명이야. 신이 나를 돕고 있어. (하) 이 여자 이름이 뭐야?
윤 비서　안 그래도 비정규 인사 기록 확인했는데요, 이름은 체첵이고 몽골에서 왔어요. 스물두살입니다.
류시오　한국말은 해?
윤 비서　하긴 하는데 짧다네요 말이 좀. 위아래 없이 말을 다 깐다고….
류시오　그것조차 맘에 들어. 물류 창고 팀장 불러 지금 당장.
윤 비서　?? 아 네.

S#5 두고 물류 창고 안 /D

허 팀장, "결근?" 남순은 오늘의 택배를 하차해 옮기고 있는데.

허 팀장　입사한 지 며칠이나 됐다고 결근이야? 암튼 요새 애들….
남순　그 친구가 몸이 좀 약해. 하루에 280개 택배 날라 봐. 아플 수도 있지.

허 팀장 참… 남자가 그래 갖고 어따 써….

남순 남자 여자 그딴 식으로 나누지 마. 남자가 몸이 약할 수도 있고 여자가 힘이 셀 수도 있는 거지. (물류 하차를 한다)
이봐 내가 텔레비전이냐? 떨어져서 쳐다만 보게?

허 팀장 (얼른 옆에 둔 택배들 나르며 남순을 돕다 허리를 삐끗)

남순 에이고… 엄마 뱃속에서 열달 있긴 했냐? 중간에 답답하다고 나온 건 아니고? (하고, 허리를 삑 돌리고 낫게 해 준다)

허 팀장 악! (외마디 비명 후 몸을 비비 돌려보니 괜찮다) 허~~ (신기)

남순 몽골에선 병원이 없어서 다 내가 이렇게 고쳐줬어. 그 친구 대신 다른 친구 부를게. 가~~ (하고, 상하차 하는 곳으로 옮긴다)

S#6 두고 내 상하차 컨베이어 /D

남순, 상하차 하는데 모든 무거운 가전제품을 두 손으로 번쩍 들어 옮긴다. 상하차 받는 기사들, 기절 초풍한다.
그런 남순 보는 화자, 또한 그런 화자 눈치보는 경찰 제보하던 하차맨. (5화 S#15)

허 팀장 날계란 백 개… 하… 믿을 수 없다 저 힘!

하는데, 허 팀장의 폰이 울린다. 윤 비서의 전화를 받는.

허 팀장 여보세요? (듣는, 눈 동그래져서) 대표실로요?

#7 두고 류시오의 대표 이사실 /D

노크 후 허 팀장 들어온다. 류시오, 사람 좋은 웃음 지으며 허 팀장 맞이한다.
허 팀장은 오토매틱으로 허리를 굽혀 인사한다.

CUT TO

허 팀장 (놀래서 보는) 감시하란 말씀이신가요?
류시오 감시라뇨… 하하… 있는 그대로 말씀드릴게요. 그렇게 일 잘하는 두고 우먼이라면… 잘 발탁해서 회사 내 필요한 인재로 성장시키는 게 대표가 할 일이잖습니까.
허 팀장 아 네… 그럼요… 맞는 말씀이십니다 대표님.
류시오 비정규직 배달 직원을 파격 승진시켜 유리천장 없는 회사로 이미지 메이킹 하고 싶단 솔직한 심정은… 대외비입니다.
그럼 팀장님은 더 높은 포지션이 될 테고….
허 팀장 !
류시오 일거수일투족 잘… 살펴보시고 저한테 보고해 주세요.
허 팀장 아 네… 근데 어떻게 잘 살펴보란 건지….
류시오 동영상! 저는 그거 편하더라고요.
허 팀장 (알아듣고) 아 네. 잘 알겠습니다.

허 팀장, 대표실에서 나가려는데 전화가 온다. 전화 받으며 나가는 허 팀장. “민원?”

S#8 금주호텔 조식 식당 /D

얼굴에 구정물은 벗은 상태이나 묘하게 노숙자미가 남아 있는 지현수와 노 선생, 고상하게 브런치를 먹고 있다. 좌우지간 둘은 행복하다. 허리를 과하게 꼿꼿하게 펴고 와인잔도 어색하게 잡고 빙빙 돌린다. 와인잔을 계속 돌려, 보는 사람이 어지러울 지경. 이때 지현수의 휴대폰이 울리면 "익스 큐즈 미" 하고 전화 받는 지현수.

지현수　　여보세요?

남순(F)　　나야….

지현수　　아… 남순 씨… 잘있죠?

남순(F)　　오늘 안 바쁘면 나 좀 도와줄래?

지현수　　남순 씨가 부르면 정화조 안이라도 다이빙을 하러 가야죠. (듣는) (표정이 점점 갸우뚱해지다가 끄덕이는) 네… 어디에 몇 시까지 가면 돼요? (듣는) 네 알았어요. (끊는)

노 선생　　남순 씨가 뭐래?

지현수　　두고에서 배달 알바를 하는데 같이 하는 알바생이 오늘 결근이라고 나더러 좀 도와달래요.

노 선생　　(놀라는) 배달 알바? 헐… 뭐야? (알겠다) 두고도 그 쩐내 쩌는 아줌마 건가 봐. 자식 후계자 수업을 바닥부터 시키잖아 부자들?

지현수　　그래도 배달부터 시키진 않는데 보통. (갸우뚱)

노 선생　　아무튼 같이 가 보자. 남순 씨 보고 싶어.

지현수　　그래요. 얼른 허리업! (하고, 허리 편다) 하게 먹읍시다.

S#9 두고 물류 창고 상하차 컨베이어 /D

남순과 달리 지쳐 보이는 많은 노동자들.
트럭에서 컨베이어벨트 앞에 서 있던 하차맨(화자 제보한 그 하차맨), 날라야 하는 짐들을 계속 멍하니 바라본다. 그러다 그만 후드 끈이 레일에 끼여 버리는데!! 그럼에도 그 기계는 계속 돌아가고 컨베이어벨트로 끌려가는 하차맨.
지켜보던 사람들 우왕좌왕하며 기계를 끄기 위해 달려가려는데.
남순, 컨베이어벨트를 한발로 '딱!' 밟는다. 그러자 기계도 더이상 돌아가지 못하고.
기계가 멈춰 있는 동안 사람들이 그 하차맨의 끼인 후드 끈을 잘라 준다. 그제서야 '컥' 숨을 쉬는 하차맨.
자신의 스피드와 힘이 없었더라면. 하마터면 심각한 상황이 될 뻔했다. 진지해진 남순과 멀리서 그런 남순의 상황 보는 화자.

허 팀장(V.O) 어이! 안은지?

화자, 고개 돌리면 마뜩찮단 표정으로 허 팀장이 서 있다.

허 팀장 잠깐 나 좀 보지?

S#10 두고 물류 창고 밖 /D

물류 창고 밖, 구석진 곳. 허 팀장, 담배를 물고는 화자를 아니꼽다는 듯 쳐다본다.

허 팀장　(픽 비웃으며) 너 서비스직 한 번도 안 해 봤지.

화자　…

허 팀장　고객이 짜증 좀 낸 거 가지고 정맥을 끊어 버린다고 했다며.

화자　내가 정맥 끊어 버린다고 한 건 잘못이고, 그 새끼가 내 엉덩이 만진 건 잘못 아닙니까?

허 팀장　네가 대표야? 사장이야? 아님, 사장 딸이야? 주제 파악해. 니네 엄마가 건물주고 금수저면 네가 이런 데서 일을 하겠어? 인권도 돈이 있고 나서 외칠 일이라고!!! 한 번 더 이런 일 있음 넌 끝이야! ('휙' 외면하고) 쥐뿔도 아닌 게…. (하는)

화자　(남겨진 채, 표정)

S#11　금주의 집 /D

금주, 들어오면 화려한 로브 차림으로 모닝티를 마시는 중간, 그리고 한약 먹고 있는 금동, 그리고 라면에 마요네즈 세 바퀴 '휘휘' 두르는 남인.

금주　(그 모습 쭈욱 보더니) 오늘 뭐 하는 날인지 다들 알지?

일동　(각자 하던 일 멈추고 그런 금주 보는 데서)

남자의 거친 숨소리 (E)

S#12 금주호텔 - 금주 전용 피트니스룸 /D

남인이가 헉헉대며 비오듯 땀을 흘리고 있다. 누가 보면 산이라도 타는 줄.
화면 확대되면 러닝머신 위에서 금주 전용 집안 유니폼을 입고 뛰고 있다.
겨우 스피드 '3'에 세팅된 러닝머신 위에서 사투를 벌이는 남인.

- 다른 일각 -
다 죽어 가는 표정으로 사이클을 타고 있는 금동.
금주 패밀리를 위한 전용 피트니스 클럽이다.
중간은 최고 중량의 웨이트를 거뜬히 들면서 운동 중.

중간 이거 100kg짜리 더 구비하랬는데 아직도 안 해 놨네 얘들.

시시한지 사이클로 옮기는 중간. 자전거를 슬로우비디오로 타는 금동에 속이 터진다.

중간 너 그게 최선이지 지금?
금동 엄마 나 힘들어. 허벅지가 터질 거 같아.
중간 그래 그래… 가서 쉬어. 무리하지 말자. (금쪽 같은 내 새끼)

금동 (사이클에서 내려와 엉기적거리며 걸어서 금주 쪽으로 간다)

'훅훅' 거친 숨소리를 내뱉는 금주, 크로스핏용 배틀로프를 하고 있다.
로프가 아닌 철근으로 하고 있는 금주.
철근들을 실뜨기하듯 가볍게 업다운 시키며 운동 중.
그러다 남인이 쪽 일견하는 금주 - 남인이가 러닝머신 위에서 밍그적 걷고 있다.
속 터지는 금주, 하던 운동 그만두고 다가와서 남인이 러닝머신 속도를 7로 올린다. 남인이가 휘적거리며 우당탕 넘어지려 하자 남인이를 딱 잡아 어깨에 턱 올린다.
짐짝처럼 들고 사이클로 옮겨 앉힌다.

금주 차라리 앉아서 이걸 타.
남인 (여전히 삐진 표정으로 금주와 내외 중)

금동이는 좌식 소변 자세로 앉아 금주가 하던 배틀로프 철근을 두 손으로 들어 보는데 들기 힘들다. '으으윽~' 얼굴 터지는 금동, 금주가 다시 와서 한 손으로 '휙' 뺏어서 배틀로프를 하기 시작한다. '훅훅 훅훅!'

금동 누나.
금주 왜.
금동 누나는 남인이가 누나한테 삐져서 말 안 하고 있는 거 알아?

금주 (?) 걔 나한테 삐졌어? 왜?

- 사이클 일각 -

그 대답은 남인과 중간의 대화에서, 두 사람 사이클을 타면서.

중간 (놀라는) 5년째?

남인 응.

중간 너 엄마랑 얘기하는 거 내가 봤는데 무슨 소리야?

남인 엄마가 말을 걸어서 대답은 했지. 내가 먼저 말 건 적 없어.

중간 (어이없다) 왜 그랬어? 뭐 땜에?

[인서트] 회상 /D

고딩 남인, 만두를 탑처럼 쌓아 놓고 먹고 있는데 '띠링' 울리는 카톡 알림음.

남인, 확인하면 돼지들을 잔뜩 실은 트럭 사진이 폰에 뜬다. 보낸 사람 '엄마'

그런 돼지 사진들 위로.

금주(소리) 나 낮에 너 봤다. 친구들이랑 트럭 타고 어디가더라. ㅋㅋㅋㅋ

남인, 먹던 만두 입안 가득 물고 씩씩댄다.

남인(소리) 절대 용서할 수 없어. 절대. (하는 순간) 악!!

- 다시 현재 -
금주가 남인의 뒤통수를 툭 (살살) 친다. 그래도 아픈 남인.

금주　　버르장머리 없는 짜식. 용서 안 하믄 뭐? 누가 답답하대?
살 뺄 생각은 하고 삐지는 거니? 사내 자식이… 삐치고 속 좁은 건 딱 지 아빠야. 주둥이 내밀 시간에 운동이나 해 자식아!

남인　　(맞은 뒤통수 만지며 눈가 그렁)

S#13　봉고 사진관 /D

아빠는 엄마 옷을 입고, 엄마는 아빠 양복을 입고, 6세 딸은 야구복을 입고, 8세 아들은 원피스를 입고 코믹 콘셉트를 한 가족들의 가족사진을 촬영하고 있는 봉고의 흐뭇한 표정. 이때 사진관 문이 열리고 남인이 들어온다. 시무룩하다.

CUT TO
남인이와 봉고, 중국 음식 시켜 놓고 대화 중. 물론 거의 10인분이다.

남인　　아빠… 엄마랑 다시 합치면 안 돼?

봉고　　(뿜는다) 뭐?

남인　　아빠 이렇게 혼자 사는 거 나 맘이 아파.

봉고　　뭐가 맘이 아파. 난 안 아파. 아 정말이야. (본심은 아닌데)

남인 이제 누나도 찾았겠다. 엄마랑 합쳐.

봉고 야 넌 어른들 세계를 몰라. 아니 부부의 세계… 아니 이혼의 세계… 아니다… 황금주의 세계를… 몰라~

남인 알고 싶지도 않아. (흥)

봉고 남순이 보고 싶네… 단둘이 밥 한번을 못 먹었어 그러고 보니까.

남인 보자고 하면 되지 아빠 딸이잖아.

봉고 내가 남순이 잃어버렸잖아. 염치가 없어서….

남인 그게 뭐 아빠 잘못이야? 엄만 툭하면 맨날 아빠 탓이라는데… 난 그렇게 생각 안 해. 엄마는 독재자야!!!

봉고 딴 건 몰라도 남순이 잃어버린 건 백프로 내 잘못이야. 말 나온 김에 남순이랑 통화나 한번 해야겠다.

S#14 두고 배달 차량 /D

지현수가 운전하고 노 선생과 남순이 옆자리에 타고 강남스타일에 맞춰 춤을 추며 흥에 잔뜩 겨워 있다. 이때 남순의 폰이 울린다.
마치 알파고처럼 고성방가를 뚝 멈추는 세 사람.

남순 여보세요? (듣는) 응 아빠… 나 배달 알바해… (듣는) 그런 게 있어. 나중에 얘기해 줄게. 아… 진짜? 알았어. 내일 저녁에 일 마치고 아빠한테 바로 갈게. 응… (끊는) (두사람 향해) 우리 아빠야. 어디까지 했지? (하다가, 세 사람 멈췄던 노래 부분을 다시 이어서 흥을 이어 나간다)

S#15 동 사진관 /D

봉고 (전화 끊으며 짜증) 남순이 배달 알바 뛰냐?

남인 (그 사이에 음식 그릇은 많이도 비었고 먹고만 있다) 독재자 맘이지.

봉고 (못마땅) 아무튼 황금주는 돈밖에 몰라. 우린 안 맞아도 너~무 안 맞아. 너도 공부 안 시키고 카페 창업시키는 거 봐. 난 너 무조건 대학 가야 된다고 봐.

남인 대학 가 봐야 뭐….

봉고 (보는)

남인 사람들이 뚱뚱하다고 놀릴 텐데. 놀림감 되기 싫어.
먹는 거 말곤 사는 재미가 없어.

봉고 (걱정되는, 눈치보면서) 살… 빼면 되잖아. 그게 그렇게 어려워?

남인 안 빠져. 죽으라고 뺐다가 요요 와서 더 찐 거잖아.
다이어트약 안 먹어 본 게 없어.

봉고 네 엄마, 돈으로 안 되는 게 없는데 그거 하나 안 되네….
(남인을 딱하게 보는 눈, 그러나 보면 남인 여전히 먹는)

S#16 남인의 사주 카페 /D

중간은 오늘도 투머치한 화려한 착장으로 준희 옆에 탁 붙어 카페를 지키고 있다.
중간이 강남 경찰서 사이버 수사계와 통화하면서 씬이 시작한다.

중간 그니까 관련 증거 모으고 아이피 찾고 이러는데 시간이 걸린다고요?

경찰(F) 딥페이크 하는 애들이 젤 잡기 힘들어요. 보이스피싱에 디지털 기술력까지 있는 애들이라 추적하는 데만 6개월이 걸릴 수 있습니다.

중간 아니 경찰이 돼서 그걸 지금 수사 현황이라고 말하는 거예요?

준희 (옆에서 말리는) 여사님… 진정하세요.

중간 6개월이면 비슷한 짓을 30개는 더 하겠네. 이봐요 형사 양반 내가 잡을게… 내가 잡아서 형사 양반 앞에 갖다 주면 처넣는 것만 형사 양반이 해 그럼. 일단 뼈는 내가 다 부순다? (씩씩대면서 전화 끊는)

준희 제 일인데 여사님 일처럼 대신 화내 주셔서 고마워요.
그런 뜻에서 오늘 점심 제가 살 테니까 우리 드라이브 갈까요?

중간 (말 떨어지기 무섭게 냉큼 남인이한테 전화하는) 너 언제 와?

남인(F) 할머니가 나더러 점심 먹고 천천히 오랬잖아.

중간 늘 상황은 변하는 거잖아. 지금 내 입장은 네가 빨리 오는 거야. 빨랑 와. (전화 끊는)

준희 (중간 보면서 귀엽다는 듯 웃자)

중간 (애처럼 웃으며 찡긋 손으로 배 귀엽게 문지르며) 배고파요. 히~

S#17 골드블루 전당포 /D

남길이 안절부절 서 있는데 금주가 모처럼 기분 좋게 출근한다.

금주 굿모닝 해피 모닝 골드블루 이즈 베스트! 황금주 이즈 골드!

(흥에 겨워 노래 부르며 등장하자)

남길 대표님, 국제 사파이어 협회에서 공문이 날라왔습니다

금주 국제 사파이어 협회? 별 거지 같은 협회가 다있네. 뭐라는데?

(그냥 신경 안 쓰고 대표 이사실로 들어가는)

CUT TO - 대표 이사실 -

남길 (공문을 손에 들고 읽고 있다) 귀사의 무궁한 발전을 기원합니다. 귀업체의 사명인 골드블루는 미국에 있는 실제 사파이어 업체와 같은 네이밍을 가지고 있어 혼돈과 송사의 우려가 있으므로 사명의 교체를 여러 차례 권고 드렸으나 시정되지 않고 있습니다. 이에 마지막 경고를 드리는 바입니다. 사파이어 협회 회장 한수철.

금주 아휴… 할 일 없는 새끼들… 할 일 없는 데다 무식한 새끼들. 미국 골드'블루'는 푸르다! 우리 골드'블루'는 멜랑꼴리하다!

남길 아….

남길 네.

금주 배우 김남길이 너한테 내용증명 보내면 너 뭐라고 할래?

남길 배우 김남길이 저한테 왜 내용증명을….

금주 자기랑 이름 같다고… 그 얼굴로 돌아다니지 말라고 기분 나쁘다 그럼 너 어떡할래?

남길 (기분 나쁜) 아니 대표님… (하는데)

금주 그 정도로 말 안 되는 소리라고. 너랑 배우 김남길 이름만 같지

너무 다르잖아. 생긴 거부터 와~안전 다르잖아. 우리도 그래 그 골드블루 내 골드블루 영어 뜻도 엄연히 다르고 업태도 다른데… 됐고! 받아 적거라.

남길 네.

금주 미국 보석회사랑 전혀 무관한 우리 골드블루의 명예를 실추 시키는 공문을 보고 격노했다. 사명 같다는 이유로 20년 이상 지켜 온 브랜드명을 바꾸라고 지시하는 무례를 감히 두고 볼 수 없다. 바꾸고 싶으면 니들이 바꿔라. 니들이 사파이어 협회면 난 사채 협회를 만들겠다. 그리고 가만 두지 않겠다. 그리고 마지막으로 전해. 한수철! 내 고딩 때 사귄 새끼랑 이름이 같아서 기분 나쁘니까 이름 바꾸라고.

남길 (쫄아서는) 정말 이렇게 보내라고요?

금주 응 보내. 뭐 또 다른 건 없어?

남길 요새 주식과 채권 담보로 강남 사모님들이 현금을 많이 찾아가세요.

금주 !! 용도는?

남길 (아이패드 확인하며) 사모펀드 투자, 리츠 투자 뭐 이런 거라는데요?

금주 (끄덕) 브래드 송… 이름은 코미딘데 하는 짓은 범죄 느와르일 것 만같은 새끼야… (하는데, 전화 울리는) (받는) 여보세요?

여비서(F) 안녕하세요. 여기 HSC 파이낸스 센터입니다. 미팅 예약 잡아 드리려고 전화 드렸습니다 고객님.

금주 (똘기 어린 눈빛) 마침 잘됐네. 지금 갈게요! 롸잇 나우!

S#18 브래드 송의 사무실 /D

사무실에 앉아 있는 40대의 강남 사모를 능글맞게 웃으며 바라보는 브래드.
역시나 'I'm your man' 나오고 있는 가운데 묘한 눈빛으로 사모의 블라우스 깃에 붙은 작은 실밥을 떼 준다.
그 뻔한 행동에 부끄러움 가득한 사모(이하 송 여사).

브래드 결정은 직관적으로 하는 겁니다. 기본 데이터 분석은 전문가한테 맡기시고… 결정하셨습니까?

송 여사 (서류 넘기며) 1번으로 할게요.

브래드 잘 선택하셨습니다. (눈을 지그시) 저만 믿으세요.

송 여사 근데 여기 적힌 한신리츠가 브래드 송이 운영하는 신탁 회사인 거죠?

브래드 정확히 말씀드리면 전 세계에 있는 저의 파트너들과 제가 함께 운영하는 (또박또박) 금.전.신.탁.회사라고 보시면 됩니다.

송 여사, 서류를 넘겨 보고 고개를 끄덕인다. 신뢰가 간다.

송 여사 브래드?

브래드 (부드럽게 보는, 미소)

송 여사 오늘 저녁에 나랑… 식사 안 할래요? 이런 좋은 프로젝트 소개해 준 것도 고맙고….

브래드 (이런 이런~) 전 고객들과 개인적으로 밖에서 안 만납니다.

송 여사 (뻘쭘하지만 고상하게) 그래요? 나는 고마운 건 꼭 사례를 해야 하는 성격이라… 그러면 뭐…. (실망해서 일어나는데)

브래드 모든 일엔 예외란 게 있죠. 저도 남자잖아요? (묘한 미소 보낸다) 연락 드릴게요.

송 여사 그래요. (흡족한 듯 미소 짓는다. 수줍게 뒤 돌아서 나가는 어색한 몸짓)

S#19 동 파이낸스 센터 대기실 /D

금주에게 차를 건네는 남비서.

금주 담번엔 생강차를 줘요.

남비서 생강차 좋아하세요?

금주 아뇨. 그냥 여기오면 생강차가 땡겨. (마뜩찮다) 뭔가 느끼해서.

남비서 그러겠습니다. 사모님. (하고, 쟁반 가지고 가는)

금주 숫자 놀이 오늘은 안 해요?

남비서 (생각하다) 38, 54, 62….

금주 (생각해 본다) 그쪽 나이, 엄마 나이, 아빠 나이?

남비서 땡!!

금주 (기분 나빠서 보는데)

그 사모가 밖으로 나온다. 사모와 금주, 서로 보고는 반가운.

송 여사 황 대표님!

금주 민경 씨?

송 여사 여기 웬일이세요?

금주 업계 동향도 살필 겸 와 봤어요. 요새 캐쉬플로우가 이쪽으로 넘어가던데 뭔가 싶어서….

송 여사 (소곤) 나 여기 투자해서 세 달 만에 두 장 벌었어요. 엄청난 실력자예요.

금주 …

여비서 (내선 전화 받고는) 사모님! 안으로 들어오시랍니다.

송 여사 나 갈게요.

금주 잘 가요. (들어가려다 남비서에게) 힌트를 달라!

남비서 (안 된다는 듯 절레)

금주 야박한 인간 같으니! ('휙' 하고 방으로 들어가는)

S#20 동 오피스 안 /D

브래드가 안경까지 쓰고 두 개의 모니터를 열심히 보고 있는. 금주, 떡하니 앉는다.

브래드 유가가 안정이 돼야 되는데…. (혼자 중얼, 심각한)

금주 유가 말고 제 맘부터 안정시켜 주시죠? 유가는 빵 씨가 어쩔 수 있는 게 아니잖아요?

브래드 하하하하… 금주 씨 맘을 어떻게 안정시켜 드릴까요?

금주 근데 한국 이름이 뭐예요? 송빵은 아닐 거잖아.

브래드 하하하하… 귀여우시긴 (끼부리는, 지그시 보는) 송… 수… 현!입니다.

금주 송수현…. (가까이 오라는 손짓)

브래드 (가까이 가면)

금주 … 빵 씨… 당신… 사기꾼이지?

브래드 (몸 딱 거리두며 정색해서) 지금… 뭐라고 하셨습니까?

금주 나는 이 대한민국 땅에서 돈 버는 수단은 다 알고 있어. 근데 빵 씨는 아무리 봐도 하는 짓이…. (하는데)

브래드 (O.L) 황금주 씨! 아니 고객님, 고객님과의 거래는 거부하겠습니다. (짜증) 나가 주세요.

금주 … (헉) 허… 이봐(요).

브래드 끌려 나가기 싫으시면 나가 주세요.

금주 (그런 브래드 보다가) 좋은 제안을 하려고 왔는데… 자신의 정체성이 들키니까 불안한가 보네.

브래드 이보세요. 명예훼손으로 고소 당하고 싶으세요?

금주 됐고! 나갈게… 오늘은 일단 여기까지… (피식, 일어나면서) 큰돈 만지려면 그런 다혈질로는 힘들텐데… 아님… 너무 내가 훅~~ (손짓) 찔렀거나. (나간다)

브래드 (남겨진 채, 표정)

S#21 동 오피스 대기실 /D

금주, 남비서에게 다가간다. 능치는 표정으로 남비서 향해 웃으며.

금주　　번호 좀 땁시다.

남비서　　??

금주　　숫자 놀이… 나랑 쭉 하자 이거지. 재밌잖아~
(자기편으로 만들어 볼 생각인)

S#22　금주의 차 안 /D

금주, 차에 올라타 남비서 번호를 연락처에 저장한다. <숫자 또라이>라고 지장하고 폰을 닫으려는데 울리는 문자 알림음. '삐릭.'
<황금주 대표님 헤리티지 클럽 정기 모임 참석 여부 알려 주세요>
금주, 그 문자 번호 그대로 눌러 통화를 시도한다.

금주　　나예요. 황금주… 당연히 참석해야죠.
그전에 나 두고 류시오 대표랑 자리 한번 마련해 줘요.
미팅 시간은 2시간, 마작으로 할게요. 알았어요. (끊는, 표정)

[인서트] 동 클럽 /D
김 마담, 휴대폰 끊는다. 그렇게 걸어가는 데서.

S#23　서울 경찰청 총경실 /D

총경이 보고서를 넘기고 있으면 희식과 팀장이 서 있다.
차분한 희식과 달리 시선을 한곳에 두지 못하고 연신 침을 꼴깍거리는 팀장.

총경 물이라… 몸에서 검출도 안 되고… 다마가 무진장 크네… 하….

총경, 잔에 담긴 물을 마시자 눈이 번뜩 떠지는 팀장.
팀장의 시선이 청장이 마시는 물로 집중된다.
당장이라도 빼앗을 듯 몸이 앞으로 나가는데! 희식이 그런 팀장의 손을 꽉 잡는다.
총경, 마약으로 사망한 사람들의 사진을 보다 수영강사 사진에서 멈추고.
<수영장 물을 마셨다는 진술이 있음> 글자를 보다 고개 들면 팀장과 눈이 마주친다.
팀장의 시선을 따라가니 자기가 마시는 물로 향하는 듯한데….

희식 (상태 안 좋은 팀장 대신해) 추가 진술 확보되는 대로 다시 보고 드리겠습니다.
총경 (보고서 서류 닫고) 어어, 그래. 수고해. 내가 마수대 출신이라 특별히 더 신경 쓰는 거야. 본청 지원 필요하면 언제든 얘기하고.
희식 네.

희식, 서둘러 팀장을 데리고 나가려는데 '쿵!!' 소리.
보면, 팀장이 쓰러진 채 가파른 호흡을 내뱉고 있다.

그런 팀장을 보는 사색이 된 희식.

S#24 동 마수대 /D

같은 시각, 컴퓨터 화면을 바라보고 있는 영탁, 참마, 쓰봉.
교도소 CCTV에 찍힌 흐린 얼굴 사진.
얼굴이 뭉그러진 화면임에도 얼굴선, 머리카락부터 정교하게 복원되기 시작한다.

S#25 헤리티지 클럽 /D

고급스러운 인테리어로 한껏 장식된 헤리티지 클럽 안.
검은 양복을 입은 사내들이 달려와 문을 열면,
남성 구두 굽 소리와 함께 류시오가 들어선다.
이내 벽에 비스듬히 기대 묘한 웃음으로 류시오를 바라보는 김 마담. 류시오, 김 마담 앞으로 걸어가면 김 마담, 씨익 웃으며 뒤쪽에 자리한 문을 연다.

S#26 VIP 룸 /D

호텔 레스토랑처럼 꾸며진 VIP 룸. (2화, 재벌들 마약하던)

류시오 룸에 들어서면 - 정재계 거물급 인사들이 앉아 있다.
인사를 나누는 일련의 요식 행위가 끝나고.
이어 '똑똑' 소리가 들리자 비서처럼 서 있던 김 마담, 잠겨 있던 문을 연다.
휘황찬란 오색 빛깔의 비싼 술들이 얼음 박스에 담겨서 들어오고 그 술들을 잔에 따라 주는 김 마담. 그들 대화 이어진다.

양 의원 두고 다자녀 지원 프로그램 후원 감사드립니다.
덕분에 공약도 지키고 다음 재선도 문제 없을 것 같습니다.

류시오 제가 더 감사하죠. 두고 이미지도 업그레이드 시키고 의원님 덕분에 매출도 뛰었는데요. 앞으로도 공헌 활동 부탁하실 일 있음 언제든 말씀해 주세요.

황 판사 좋은 일은 나눌수록 더 좋아진다 했지요. 류 대표도 기업 상장 관련해서 자문 받을 일 있음 언제든 연락하세요.

류시오 그래서 말인데… 저희 두고가 이제 해외로 발을 뻗어 볼까 합니다. 아시겠지만 제가 필요한 건 여러분들 같은 섀도우 파워니까요.

정 국장 젊은 나이에 어떻게 그렇게 막대한 자금 조성을 한 건지 궁금합니다. 하하….

류시오 (그런 정 국장 보는 시선 무겁다)

정 국장 (얼른 태세 전환해) 능력자십니다. 하하하….

류시오 (눈빛, 표정) 이제 시작입니다. 뜻을 함께 해 주세요. (잔 리드하는)

일동 (잔 부딪치며 건배)

류시오 (그런 일동을 얕잡아 보는 듯한 싸한 눈빛에서)

S#27 동 마수대/D

눈 부분을 지나 코, 입까지… 완성되어 가는 사내의 몽타주.
이때 영탁에게 전화가 울린다.

영탁 어. 희식아. 뭐?!

S#28 희식의 차 안 - 경찰서 밖 (교차)/D

- 달리는 희식. 조수석에서 발작을 일으키듯 벌벌 떨고 있는 팀장. 희식, 불안한 눈빛으로 급히 핸들을 꺾는다.
- 다급하게 경찰서를 나오며 전화 받는 영탁.

영탁 어디로 갈건데?
희식 병원에 모시고 갈 거예요. 아는 의사 형이 있어서…. (하는데)
팀장(V.O) 차 돌려!
희식 (그런 팀장 일견하자)
팀장 (버럭) 차 돌리라고!
희식 선배 다시 전화 할게요. (끊는)

희식, 차를 일각에 세운다.

희식 인정하기 싫지만 팀장님… 마약에 중독되셨어요.

팀장	(O.L) (흥분) 그러니까 나! 어디에도 가면 안 돼.
희식	(흥분해서) 가만두면 죽어요!
팀장	(O.L) 내가 먹었어. 내가 내 손으로 찍어 먹었다고! 세상 누가 그 사실을 참작해 주겠어. 수사하다 찍어 먹었다고 마약 전문 형사가? (절통한) 나… 여기까지 오는데 얼마나 개고생한지 알아? 마약범 하나 잡으려고 10km도 뛰어 봤어. 그 새끼들이 워낙 빨리 뛰어서… 쪽수는 많지. 총은 못 쓰게 하지.
희식	(눈빛, 표정 - 흔들리는)
팀장	(눈시울) 나… 마약쟁이 잡는 형사야. 그런 내가 마약쟁이로 낙인 찍히라고?
희식	…
팀장	희식아… 나 그렇게 못해… (떨구는) 살려 줘~

S#29 동 마수대 /D

영탁, 희식과 전화를 끝내고 참담한 표정이다. 쓰봉과 참마에게.

영탁	팀장님, 총경님 앞에서 쓰러졌대. 희식이가 팀장님 집으로 데려갔어.
일동	(그 소리에 놀라서 보면)
영탁	(참담한) 팀장님 지시야.
쓰봉	(듣고는 심각하고) 하~

이때 참마가 작업 중인 모니터 안의 디지털 포렌식은 그 사내의 완성된 몽타주를 드러낸다.

S#30 동 VIP 룸 /D

그러면서 남순을 떠올린다. 비행기 멈춰 세우던 그 힘 인서트 되며 피식하는. 이어 마약량을 늘린다.
"더… 더 큰 힘이 필요해." 괴로워하는 류시오의 모습에서.
그때 노크하고 들어오는 누군가.
그리고 마스크를 벗고 인사하는 남성(이하 갈치).
앞 씬에 보였던 몽타주와 똑같은 남성의 모습이다!!
갈치는 작은 박스를 건넨다. 류시오, 박스를 열면 보라색 피들이 길고 얇은 플라스크에 담겨져 있는데.
그걸 본 류시오 기분이 좋은지 피식한다. 미스테리한 보라색 액체에 C.U 한다.

S#31 희식의 방 /D

팀장, 이불 속에서도 오한이 온 듯 벌벌벌 떠는데… 안색이 창백하다.
희식, 팀장이 계속해서 침대 밖을 빠져나가려 하자 겨우 팀장 손에 수갑을 채우는데.

초인종 울리고 희식이 나가면 영탁이 들어온다.

팀장(V.O) 물… 물… 물!!

희식과 영탁, 서로 얼굴 바라보며 절통한 표정이다.

(짧은 시간 경과)

- 동 집 일각 - 발코니 정도

희식 팀장님 서랍 안에서 사망한 간호사의 증거품인 마스크 하나를 발견했어요. 그때 이미 시작된 거죠.

영탁 그래서 마스크는 치웠어?

희식 네. 그걸 하루종일 찾더라고요. 근데 그 마스크 한쪽 면이 약간 떨어져 나가 있었어요. 직경 2mm도 안 되는 그 작은 양으로 사람이 저렇게 된다는 게… 믿어지지 않아요.

영탁 큰일이다 정말 어떡하냐.

희식 우리가 팀장님 지켜야 돼요. 지금 팀장님! 죽어 가고 있어요!

영탁 … 방법이 있긴 할까….

희식 팀장님을 살릴 방법을 먼저 찾아야 하는 건지… 아님… 마약을 먼저 찾아야 하는 건지… 팀 충원을 본청에 요청해야 하는 건지… 머리가 터질 거 같아요.

두 사람의 참담한 모습에서.

S#32 동 VIP 룸 /D

아무 일도 없었다는 듯 다시 멀쩡해진 류시오, 마담과 이야기 중이다.

김 마담　류 대표, 황금주 알지? 그때 인사했잖아.

류시오　황금주?

[인터컷]

헤리티지 클럽에서 본 황금주의 모습.

류시오　알지… 너무나 당당한 전당포 졸부 여자….

김 마담　그 여자가 류 대표랑 마작 한번 하게 룸 잡아 달래. 알아 두면 좋을 거야. 어레인지 해 줘?

류시오　(곰곰이 생각하다) 마작 말고 카드로 하자. 마작은 셋이 해야잖아. 1번 룸으로 스케줄 잡아 줘. 단둘이 만날게.

S#33 길가 – 희식의 방 (교차) /D

일이 끝난 남순, 노 선생과 지현수와 인사하며 헤어진다.

노 선생은 고생한 지현수의 허리를 토닥여 준다. 씩씩한 걸음으로 가는 남순.

- 희식의 방 -

팀장, 힘없이 축 늘어져 있으면 그 모습을 걱정스럽게 바라보는 희식.

한숨과 함께 의자에 앉아 마른세수밖에 할 수 없는 자신이 원망스럽다.

'푸우우…' 내쉬고 있으면 남순에게서 전화가 오는데.

희식	여보세요?
남순	간이식 많이 바빠?
희식	미안. 내가 오늘 퇴근하고 가려고 했는데 못 갈 것 같아.
남순	걱정 마 나 혼자 할 테니까….
희식	(피식) 씩씩하긴.
남순	넌 목소리 힘이 없다. 힘드냐?
희식	아니야. 네가 있어서 든든해. 고맙다 강남순.
남순	뭐 이 정도 가지고~ 더한 것도 시키라고~ 난 할 수 있다고~
희식	강남순 너 힘만 믿고 까불지 마….
남순	까불 건데? (히히) 나 까불려고 태어난 건데? 메롱. (하고, 전화 끊는)

희식, 전화 끊어지자 "지 맘대로야 암튼." 하며 다시 뒤돌아 팀장을 바라본다.

기절한 건지… 잠이 든 건지 모를 팀장 코에 조심스레 검지를 갖다 대는 희식.

바람이 미세하게나마 느껴지자 안심하는 듯한 희식의 모습에서.

- 길가 -

남순, 어딘가 홀린 듯 보고 있다. 남순 시선 따라가면 김이 넘실대는 찜기가 있는 만두집 앞이다.

S#34 희식의 집 - 거실 /D

희식, 컴퓨터에서 마수대 총경에게 보고 올린 보고서들을 쭉 훑고 있다.

희식 　마약 구매로 추정되는 날짜가… 전부 다 사망하기 2~3일 전. 팀장님은 그나마 적게 먹어서 증상 유지에서 그치는 건가?

희식, 사망자들의 신원 정보 조회를 넘겨 보던 중 커서가 어딘가에서 멈춘다.

어느 사망자 '기물 파손' 혐의로 신고된 전적이 보이는데.

희식, 해당 사건 번호를 입력한 뒤 사진을 보면 도저히 인간이 부쉈다고 생각할 수 없을 정도로 간판이 박살 나 있다.

S#35 희식의 방 /D

'으으으…' 괴로워하는 팀장. 그런 팀장의 귓가로 이상한 환청들이 들린다.

소리가 점점 더 세질수록 괴로워하던 팀장, 끝내 눈을 부릅뜨면 의자에 앉은 희식의 뒷모습이 괴물처럼 '팟-' 보이며 뜨며 웃다 사라진다. (환각)

팀장　　뭘 봐… 물 달라니까… 물 내놓으라니까….

팀장, 화가 난 듯 몸을 부들부들 떤다.
수갑이 위태로이 떨리는 소리가 들리기 시작하면.

S#36　희식의 집 - 거실 /D

'우지끈!' 소리와 함께 놀란 희식. 뒤를 돌아봄과 동시에 팀장이 뛰어와 희식을 날려 버린다. 남순의 괴력만큼은 아니지만 주방 끝까지 날아가는 희식.
팀장은 눈이 시뻘겋게 충혈된 채 희식을 그대로 덮쳐 목을 조르기 시작한다.
괴로워하는 희식. 그런 희식의 눈에 부엌의 칼이 보인다. 갈등하는 희식.

희식　　(괴물이 된 팀장을 차마 칼로 공격하지 못하고 호소한다)
팀장님… 제발… 정신 차리라고요…!

하지만 정신 차리지 못하는 팀장. 희식의 정신도 점점 희미해지

기 시작하는데
그때 팀장을 그대로 들어 날려 버리는 엄청난 파워. 남순이다!!
팀장이 거실 끝까지 날아가 처박힌다.

남순 (희식에게 시선 주며) 간이식. 괜찮아?

희식 팀장님이 약 기운으로 비정상이 됐어. 정신도… 힘도….

남순, 팀장쪽 보면 팀장은 완전히 기절해 있다.
남순, 걱정스런 눈빛으로 희식의 손을 잡아 일으켜 세우는 순간!
포효하듯 달려오는 팀장!
갑작스런 공격을 가까스로 피한 남순, 팀장의 주먹이 벽에 '쿵!'
하고 박히자, 남순, 그대로 팀장을 날리려는데!

희식(V.O) 팀장님 다치게 해선 안 돼!

남순, 주변에 둔 철제 의자를 들어 팀장에게 달려간다. 의자 발이
팀장을 향하도록 한 채 팀장과 의자 하나 사이에 두고 맞붙는다.
팀장, 힘줄 서며 쓰러지지 않고 버티려는데. 그때 희식이 달려와
온 힘으로 슬라이드해 팀장의 발을 걸어 넘어뜨린다! '쿵!'
팀장, 중심을 잃고 넘어진다. 쓰러진 팀장 위로 의자의 4면을 이
용해 팀장의 머리, 팔, 몸통이 감옥처럼 가둔다. 남순은 팀장이
그 의자에서 나오지 못하게 의자를 힘으로 찍어 누른다. 우지끈!
땅에 의자가 박혀 간다.
그 사이 희식은 팀장의 발과 팔에 수갑과 포승줄을 복잡하게 꼬

아 묶는다. 결국 움직이지 못하게 된 팀장. 남순도 의자에서 내려온다. 팀장, 아무리 힘을 주어도 의자 감옥과 포승줄 수갑들이 풀리지 않자 결국 자기 성에 쓰러진다.

남순 (손 툭툭 털고 희식 보다 피식) 아! 만두 어떡해…. (내동댕이 친 만두)

희식 저 마약… 심각해.

남순 힘이 세지나 봐. 빨리 물류 창고를 뒤져서 찾아야 되는데…. 문제는 거기 물건이 너무 많다는 거야.

희식 … 흰색…! 일단 흰색만 가져와 봐.

남순 좋아~ (일단 나가려고 후다닥 하자)

희식 (잡으며) 나말고 같이 갈 사람은 있고?

S#37 한강 - 게르가 있던 그곳 /D

한강으로 걸어오고 있는 지현수와 노 선생.

지현수 우리가 이렇게 쓸모가 많은 사람들일 줄 예전엔 미처 몰랐네요.

노 선생 그러게 두 번이나 우릴 부르고.

이때 두 사람 '벙!' 해서 발길 멈추고 시선은 어딘가에 고정. 저 멀리 무언가 끌고 오는 남순, 너덜너덜 그로테스크하게 완성된 지게다.

남순　　(지게 내려놓으며) 야 타!!

지현수와 노 선생, 멍청히 보다가 동시에 타는데.
남순, 둘을 태우고 걷다가 막 뛰기 시작한다.
그렇게 지게 위에서 흔들거리며 환호하며 소리 지르는 노 선생과 지현수.

S#38　금주의 집 - 서재 /N

금주, 컴퓨터로 오플렌티아에 보안 접속 후 1:1 채팅을 하고 있다.
금주가 한국어로 말하면 정 비서가 영어로 채팅을 도와주고 있다.

금주　　류시오는 내가 곧 만날 예정입니다. 그와 우선 친분을 쌓겠습니다. 그의 배후와 정체를 더 추적해 주세요.
정 비서　　(따닥따닥 친다)
금주　　수고했어 정 비서… 출퇴근해도 되는데 왜 여기서 먹고 자고 해?
정 비서　　집에 가면 뭐해요 혼자 외로운데… (하고, 나가려다) 아참 어머님 오늘 외박하신다고 하던데요.
금주　　외박? 나한테 그런 말 없었는데.
정 비서　　(눈 찡긋) 아까 저한테 전화오셔서 그럴 거라고 하셨어요.
금동 씨 한약 좀 잘 챙겨 달라고 부탁하시면서.
금주　　아니 웬 외박이야.
정 비서　　연애… 하시는 거 같아요. 아무리 봐도…. (나간다)

금주 하…. (바로 전화 건다)

[인서트] 노래방 /N
'당돌한 여자'를 끼 부리며 어깨 들썩여 가며 부르고 있는 길중간.
구석에 쳐박힌 휴대폰에 뜬다. '딸년' - 혼자 시퍼러둥둥 외롭게 울리는 폰.
길중간의 흥과 교태는 "그대 여자이고 싶었어요"에서 절정을 이루고
점잔 빼던 준희. 드디어 일어나 흥에 자신을 맡긴다.
정신 나간 듯 행복하게 '오호~~~' 난리 나는 두 사람.

- 금주의 서재 -
금주, 전화 안 받자 한숨 쉰다. "난리 났네, 난리 났어."
하는데 울리는 문자 알림음. 보면, <숫자 또라이>다.
<38, 54, 62 답이 뭘까요?>

금주 또라이 새끼…. (하고는, 답글을 쓴다) <그쪽 나이 엄마 아빠 나이아니라면서요?>

남비서(소리) 사무실에 남은 커피믹스, 녹차, 루이보스 티백 개수입니다. 하하하.

금주 (짜증) 으휴… 내가 이 시키 써먹어야 돼서 참는다.
(하다가, 표정 진지해져서는) 남순이는 잘하고 있나 모르겠네….
(하고, 시간 확인하면 12시가 가까워지는 늦은 시간이다)

S#39 두고 동 물류 창고 밖 일각 - 동 물류 창고 안 /N

남순, 지현수와 물류 창고로 들어온다.
노 선생이 나름 엄호와 감시의 중간쯤에서 주변을 살피고 있다.

- 물류 창고 안 -

남순 (야시경 쓴 지현수에게) 일단 오늘은 무조건 흰색 물건만… 가져갈 거야. 분유, 휴지, 물티슈, 강아지 기저귀, A4용지, 흰 양말, 흰 속옷, 흰 운동화, 밀가루, 전분가루, 설탕, 소금… 우유… 하나씩 다 훔쳐야 돼.

지현수 근데 왜 이런 짓을….

남순 묻지 말고 그냥 해.

- 밖 / 안 (교차) -

지현수 노 선생 감시 잘해요. 누가 올지 모르니….

노 선생 새벽 2시에 누가 와. 두고 새벽 배송 없잖아. 아무도 없어. (하는데)

허 팀장(V.O) 당신 뭐야?

노 선생 헉.

S#40 동 물류 창고 /N

노 선생과 통화 중이던 지현수는 그런 상황이 휴대폰을 통해 들리자 기함한다.

지현수 허… 들… 켰어요.

남순 헉! 숨자. (하고는, 숨을 곳을 찾는다)

지현수와 남순, 물류 창고 내 어딘가(현장 아이디어 활용)에 숨을 곳을 찾는다.

[인서트] 동 일각 /N

노 선생 화장실 가려고 잠깐 들렀어요.

허 팀장 (의심 가득해 보는) 몇 번 팀이에요?

노 선생 아저씨… 화장실… 미치겠어요. 아아… 너무 배 아파요. 죽겠어… 아아… (마치 애 낳듯이 난리치다 어그적거리며 뛰어가는)

허 팀장, 의구심 가득해 노 선생 뒷모습 살피다 결국 물류 창고 쪽으로 향하는 발걸음에 C.U 하면서.

S#41 동 물류 창고 /N

허 팀장이 문을 열고 안으로 들어온다. 불을 켜 보는 허 팀장. 환하게 밝혀지는 창고 안. 아무도 없다. 허 팀장, 안을 살펴보는.

긴장된 분위기 속. 허 팀장이 한 발 한 발 어딘가로 다가간다. 절묘하게 숨어 있는 남순과 지현수. (*현장 상황에 맞는 아이디어 필요)
허 팀장, 결국 아무도 없다고 판단하고 뒤돌아서다 툭 하고 보이는 걸레짝같이 만들어진 지게. 멍청하게 보다가 그냥 '휙' 지나가고 불이 꺼진다. 어둠 속에서 '휴' 소리 들리며 흰 눈동자 4개만 번쩍거린다. 그렇게 안도하며 벗어나는 남순과 지현수.
그때!! 눈 앞에 플래쉬를 얼굴에 비추고 서 있는 허 팀장.
남순과 지현수, 동시에 '악!!!' 허 팀장도 놀라 '악!! 악 !! 악!!' 앙상블이 이어지다가.
남순, '아악!' '퍽!' 허 팀장 때리고 저 멀리 날아가 벽에 부딪히고 쓰러지는 허 팀장.
얼른 짐 실은 지게를 지고 도망치는 남순과 지현수.

S#42 준희의 차 안 /N

로맨틱한 음악 - 'Tonight I celebrate my love for you.'가 흐르는 준희의 차 안.
준희, 운전 중. 중간, 마치 자신들의 사랑을 찬양하는 듯한 음악에 취해 눈을 감고 느끼고 있다. 어느덧 차는 어느 호텔 앞에 도착했다. 다소 느끼하고 수줍은 표정으로 중간을 지그시 바라보는 준희. 그런 준희에게 마음의 준비가 됐다는 듯 끄덕이며 시그널을 보내는 중간.

준희 제가 좀 예민해요.

중간 (그렇구나. 수줍게 끄덕)

준희 이 호텔 화장실이 서울 시내 호텔 화장실 중에 제일 깨끗해요. (주섬주섬) 노래방에서 참느라 혼났어요. 중간 씨도 화장실 가고 싶죠?

중간 (이게 무슨) 그러니까… 지금 화장실 가겠다고 호텔로 온 거예요?

준희 제가 다른 건 무난한데 화장실은 업소용 화장실을 잘 못 가요. (급한 듯 내리며) 빨리 내려요 중간 씨.

중간 (얼굴 썩어 들어가는)

S#43 호텔 앞 /N

중간, 준희 앞에 탁 서서는.

중간 너 누나 희롱해? 아님 멕이는 거야? 아님… 눈치가 없는 거야?

준희 (청순한 눈빛) 그게 무슨… 중간 씨…. (하는데)

중간 급하니? 나두 급해. (하고는, 그대로 준희를 어깨에 들쳐 업는다)

준희, 중간에게 보쌈 당한 채… "중간 씨… 중간 씨…." 발버둥 치고. 중간, 그렇게 준희를 보쌈하고 호텔 안으로 들어간다.

S#44 금동의 방 /N

누워서 일하는 책상에 컴퓨터를 두고 자판 치는 금동.
노크 소리 들리자 "네." 하는 금동. 정 비서가 한약을 챙겨서 들어온다.
금동, 받아서 마신다. 다 쪽 빨아 마시고는 약 봉투를 정 비서에게 건네는데.

정 비서　요즘 쓰는 웹소설 제목은 뭐예요?
금동　당신의 눈알을 먹고 싶어.
정 비서　(인상 쓰는) 장르가 뭐길래.
금동　나 로맨스 작가잖아요. 멜로예요.
정 비서　그게 멜로 제목이라고요?
금동　남자 주인공 이름이 명태예요. 그래서 여자 주인공이 도발을 그런 식으로 하는 거예요. 명태는 눈알이 시그니처니까.
정 비서　좋은 작가는 주인공한테 자신을 투영하지 않는 거예요. 명태… 왠지 금동 씨랑 멀지 않은 거 같아서.
금동　명태가 얼마나 쓸모가 많은데… 동태, 생태, 먹태, 노가리… 날 과대 평가 하시네 정 비서는.
정 비서　아무리 그래 봐야 명태는 명태죠. (하고, 나간다)
금동　기분 나쁜데 싸울 힘도 없다. (퀭한 눈으로 자판을 두드린다)

S#45　동 물류 창고 밖 - 두고 탑차 /N

남순이 지게에 산더미 같은 짐을 싣고 나온다. 지현수와 노 선생은 물품이 든 두고 비닐 자루들을 두 손에 가득 들고 걸어온다.
두고 탑차에 짐을 싣는 세 사람.
그렇게 차는 부웅 떠난다.

S#46 허름한 술집 안 /N

화자, 술을 마시고 있다. 그런 슬픈 표정의 화자 눈빛 위로 인서트 되는.

[인서트]
금주에게 사랑받고 행복했던 일장춘몽 같던 장면.

화자의 눈은 슬프지만 서서히 무섭게 변한다. 종국에는 분노로 변한다.
화자, 그렇게 술을 마시는 데서.

S#47 강한 지구대 앞 (다음 날) /D

참마와 영탁이 멍청한 표정으로 서 있다. 그 시선 따라가면.
지구대 앞에 한가득 쌓여 있는 지게 위의 엄청난 짐들과 또 짐들. 이삿짐 옮겨 놓듯 싣고 온 흰색 마약 후보 물품들. 벙한 표정의 참마와 영탁의 표정과 그 물품들에서.

S#48 두고 동 물류 창고 /D

'살려 주세요… 살려 주세요….' 소리가 창고 안을 울린다. 보면, 허 팀장이 창고 제일 꼭대기 위에 놓인 채 누워 있다. 벌벌벌… 떨면서 절규하는 허 팀장 모습에서.

S#49 희식의 집 - 거실 /D

포박당한 채 누워 있는 팀장, 물을 마시지 못해 입술이 바짝 말라 있지만 어제와는 다르게 눈빛과 표정이 진정되어 있다.

희식　　팀장님 물 안 드신지 얼마나 지났죠?
팀장　　어제 아침에 네가 뺏고 나서 안 마셨으니까… 하루 됐나.

희식, 팀장이 정상이 된 걸 보자 조심스레 밧줄을 풀고 의자에 박힌 나사를 풀어 그 위로 팀장이 빠져 나오게 도와준다.

희식　　저 죽이려고 했던 거 기억은 나세요?
팀장　　… 네가 괴물로 보였어. (괴롭다) 그리고 몸에서 설명 못 할… 반응이 … 느껴졌어. 그리고 나선 기억이… 안 나.
희식　　그때 팀장님… 엄청 힘이 세지고 공격성도 맥스를 찍었어요.
팀장　　몸도 달라… 근육이… 엄청 팽창된 느낌이야.

희식, 무언가 생각난 듯 컴퓨터로 사망자 신원 조회한 것을 본다. 사망자 사진들을 보면 거식증 걸린 환자도 있고 각양 각색인데!

희식 사람마다… 다른 반응을 보이고 있어!! 이 약 대체 뭐야!!!

연구원(소리) 이 마약은 뇌하수체에 직접 작용해요. 해독제 없이 사용하는 건 자폭하는 거나 마찬가지입니다.

S#50 마약 제조 공장 /D

류시오 그래도 자신이 원하는 걸 잠시라도 가져 보잖아.
그럼 죽어도 좋지 않나? (싸늘한 미소)

연구원 …

류시오 내가 진정 원하는 나! 더 강한 나! 더 아름다워진 나!
이 약이 그럴 수 있게 호르몬을 만들어 주잖아.

연구원 네. 그런 후에… 호르몬 컨트롤 타워는 완전히 박살 나서 더는 살 수 없게 되죠. 군소의 피가 없다면.

(2화 S#38에 나왔던) 연구원, 실험실 문을 열면 채혈 중인 군소들이 보인다.
뒤따라오는 류시오, 군소들에게 관이 연결되어 있다.
투명한 플라스크로 군소의 보랏빛 피가 옮겨지는데.

연구원 오늘 드린 양이 최대치입니다. 해외에서 수입해 와야 할 거 같습니다.

류시오 다른 대체재는 없는 거지?

연구원 네. 저놈들 피가 (보라 물병 꺼내면) 궁극의 해독제입니다.

류시오, 보랏빛 물병들을 바라보는 눈빛이 빛나면 실험실 문을 열고 들어오는 갈치. 그러자 류시오, 갈치에게 성큼성큼 걸어가 대뜸 발로 갈치를 걷어찬다.

류시오 경찰에 네 얼굴이 까였어. 그 얼굴로 살아서 안 될 거 같아서 말야.

'쿵!' 쓰러지는 갈치 위로 빈 유리 플라스크들을 마구잡이로 내려치는데.
류시오, 무언가 생각난 듯 갈치 울대를 콱 잡더니 군소 피를 부어 본다.
하지만 아무런 반응이 없고, 오히려 갈치의 상처가 부풀어 오른다.

류시오 마약에만 반응하나 보네. 얼굴은 아닌가 봐. (잔인하게 웃는데)

이때 핸드폰 벨소리가 울리자 전화 받는 류시오.

S#51 희식의 집 - 거실 /D

마약한 사람들의 사망 전 상태들을 다 비교해 보고 카드 명세서까지 다 보고 있는 희식. 간호사 카드 내역. 마약을 구입하기 전 죄다 다이어트 관련 기록 뿐. 그리고 사망 현장에서 발견되는 무수한 물병들.

희식	지금 이 약에 대해 확실한 건… 물이 약을 활성화 시킨단 거예요.
팀장	!!!
희식	24시간만 금식해 봐요. 물을 마시면 안 돼요. 견뎌야 해요 팀장님.
팀장	그래… (경찰)서로 출근해. 혼자 있어 볼게.
희식	정말 혼자 계실 수 있겠어요?
팀장	지금 날 도울 수 있는 거… 어차피 아무 것도 없어.
희식	… 그럼… 일단 묶고 나가겠습니다. (포승줄 가져오는) 냉장고에 있는 물 다 치우고 수도도 끊을게요.
팀장	(피식) 그래….
희식	꼭 이겨 내세요. 우리 할 일 많아요 팀장님. (눈빛 뜨겁다)

S#52 호텔 레스토랑 /D

지현수와 노 선생 호텔 조식을 먹고 있다.

지현수	아무래도 흰색 패티쉬가 있는 거 같아요. 흰색만 다 훔치는 거 보면.
노 선생	어뜩하니… 돈 많은 엄마 두면 뭐해, 도둑질을 하는데.

지현수　　무슨 사연이 있을 거예요. 난 남순 씨 믿어요.

노 선생　　난 남순 씨 도둑년이래도 이해할 거야.
근데 자기 은혜로운 마리아님이 주신 돈은 어디다 투자할 거야?

지현수　　귀한 돈이니 신중하게… 코인에다 재투자를 할 겁니다.

노 선생　　(실망) 코인으로 거지 돼 놓고 또 코인이래.

지현수　　사나이라면 근성이 있어야죠. 근데 은혜로운 마리아가 남순 씨 엄마인가요?

노 선생　　응 성모 마리아가 환생하면 그런 모습일 거 같아.

지현수　　은혜로운 마리아… 줄여서 은마라고 할까요? 이제 은마 님 신세 그만지고 이 호텔을 나가야 할 거 같습니다.

노 선생　　그래 염치가 있어야지 사람이. 그냥 우리 집 구하자.

지현수　　네… 구하세요.

노 선생　　자기 돈 내 돈 합치면 강북에 어지간한 전세는 구해.

지현수　　합치자고요?

노 선생　　같이 살아야지.

지현수　　노 선생… 우린 더 이상 노숙자가 아니에요. 절도 있게 살자고요.

노 선생　　???

지현수　　(휴대폰 울려서 받는) 여보세요? 아 네 조감독님….

노 선생　　(그런 지현수 원망스레 보는 데서)

S#53　금주의 집 /D

길중간이 살랑거리며 집으로 들어온다. 금주가 엄마 모드로 떡

하니 버티고 서 있다.

금주　　엄마 연애해?

중간　　(배시시) 응 그런 거 같아.

금주　　난 엄마 연애 찬성이야. 대신 아빠랑 이혼해. 깔끔하게 하라고. 그전엔 안 돼. 뭐하는 짓이야?

중간　　내가 네 아빠 버렸어? 지가 지 발로 나갔어. 그런 무책임한 인간 때문에 내 인생 마지막일지 모를 사랑을 포기하라고?

금주　　그런 뜻이 아니잖아. 길 여사 오늘따라 왜 이렇게 빽쩍지근해? 그 나이에 그렇게 물불 안 가릴 만큼 연애가 급해?

중간　　너 말 잘했다. 나 보란 듯이 한번 뜨끈하고 빽쩍지근하게 사랑이란 거 해 볼라고. 나 언제부턴가 텔레비전 드라마 안 봐. 왠지 알아?
죄다 젊은 것들 사랑 얘기뿐이야. 늙은이들은 노래 자랑만 보래. 왜? 늙어도 심장은 뛰어. 가슴이 쳐지지 심장이 쳐지니?

금주　　…

중간　　너답지 않다. 세상에서 제일 용감한 딸로 키웠는데 돈만 번다고 감성이 플라스틱이 된 모양이네. 불쌍한 년~ (하고, 일어난다)

금주　　(남겨진 채, 표정)

S#54　남순의 방 /D

남순, 과로로 피곤해 뻗어 잤다. 알람도 무시한 채 늦잠 잔. 남순,

눈을 뜨고는 시간 확인하고 놀라는. "하… 맞다 오늘은 오후 출근이야. 다행이다."
잠옷 차림의 남순, 아침에 일어나 행복하고 뿌듯한 표정으로 기지개를 펴고 아침 스트레칭. 그리고 울리는 휴대폰 알림음, 남순, 확인하면.

희식(소리) 어제 너무 애썼어. 너 정말 최고야! (하다가, 뒤이어 날라오는) 그래도 까불지 마!

남순, 빠빠의 말방울 소리가 '띠리링~', '까불지 마!' 소리가 황홀하게 번진다.

남순 아… 간이식… 귀여워… 까부는 게 누군데….
남인(소리) 누나 아침 먹어.
남순 알았어 남인아.

S#55 금주의 집 - 다이닝 홀 /D

메이드들 서빙이 시작되고 화려한 아침식사를 하는 금주, 중간, 남순, 남인, 금동.

남순 나 오늘 저녁에 아빠랑 밥 먹을 거야. 아빠 만나도 되지 엄마?
금주 그래.

남순 (생긋 웃으며) 맛있다. (맛있게 먹는데)

금주 가족 여러분들이 알아야 할 게 있어. 남순이는 지금 굉장히 중요한 일을 하고 있어.

금동 굉장히 중요한 일 뭐?

금주 남순이 힘… 의미있는 일에 쓰면서 살아야 된다고 생각하는데 다들 동의하지?

중간 뜻을 같이한다. 좋은 생각이야.

금주 그런 뜻에서 얘긴데… (하는데)

남인 (폭탄 선언) 나 이 집 나갈래.

일동 (그런 남인 보는)

남인 아빠랑 살래. 아빠는 내가 필요하고 엄마는 누나만 있으면 되잖아.

금주 (골치 아픈, 수저 탁 놓는)

중간 남인아… 안 돼 그건. 네 맘대로 결정할 문제가 아니다.

금동 우리 집은 모든 가족이 다 모여 살면 안 되나 봐. 남순이 찾은지 얼마 됐다고….

남인 (선언하듯 용기 내어) 난… 엄마보다 아빠가 좋아!!

일동 (벙)

남인 (버럭) 엄마가 나보다 누나 더 좋아하는 거처럼!!! (일어난다)

금주 (눈빛, 표정)

남순 (눈빛, 표정)

S#56 금주의 서재 /D

금주, 심각한 표정으로 서재에 앉아 생각에 잠겨 있으면 정 비서, 노크 후 들어온다.

정 비서	부르셨어요 대표님?
금주	금주호텔 연회장에서 파티를 열어야겠어. 정 비서가 도와줄 일이 있어.
정 비서	네 말씀만 하세요.

S#57 금동의 방 /D

금동이 여전히 누운 자세로 웹소설을 쓰고 있다. 야한 장면을 쓰는지 느끼는 표정으로 실룩대고 있다. "명태 씨 제발 그 선만은… 그 선만은 지켜 주…." 하는데 문이 열린다. 중간이 들어온다. 금동, "아 깜짝이야."

중간	그 한약이 효과가 있나 보네. 네가 다시 글쓰고 자빠진 거 보니.
금동	소설이 점점 야해지는 거 보니 약빨을 받나 봐.
중간	너 해킹 잘하지? 사십년 처누워 컴퓨터만 했잖아. 예전에 광화문 광고판 해킹해 가지고 내가 벌금 내주느라 3호 정육점 판 거? 기억하지?
금동	엄마가 빽 돌아서 그 광고판 부신 바람에 벌금 따따블 문 것도 다 기억하지.
중간	(한숨) 당장 씻고 카페로 나와! 나와서 나도 돕고 남인이 설득도

좀 하고!

S#58 금주의 드레스 룸 /D

금주, 옷을 갈아입으며 전화 받는다.

금주 네 알겠습니다. (표정, 눈빛)

S#59 두고 물류 창고 /D

남순, 혼자 흰색 물품을 하나씩 그어 가며 모으고 있는데. 낮이라 직원들 눈을 피해 하나씩 슬그머니… 훔쳐 주머니에 넣고 있으면, 누군가 그런 남순의 팔을 콱 잡는다.
깜짝 놀란 남순. 얼어붙어 돌아보면 희식이 웃고 있다. 세상이 다 환해지는데.

남순 (우와, 그 후광 느끼며 자기도 모르게 미소) 간이식~~
어쩐 일이야 온단 소리 없었잖아….

희식 영 맘이 안 놓여서… 너 이렇게 까불고 있을 줄 알았다.
여기 CCTV가 얼마나 많은데 이렇게 대놓고 도둑질이야….

남순 (배시시 웃으며 훅) 보고 싶었어.

희식 (훅 들어오는 남순이 귀엽지만 경계하듯 보며) 어제도 봤잖아~

남순　　그래두~ 자꾸 자꾸 보고 싶은뎅~

원거리에서 그런 두 사람을 보는 어떤 시선, 화자다.

S#60　주차장 (6화 S#59로. 촬영 완료) /D

준희와 통화 중인 중간. 주차장을 가로질러 걸어가고 있다.
"있다 봐요~"
누군가 중간의 어깨를 툭 치며 지나간다. 오형곤(차량 전복)이다.

중간　　(알아보고) 이봐! 너 보험 처린 했냐?
형곤　　(눈빛이 풀린 채 중간을 못 알아보고 간다)
중간　　저 버르장머리 없는 새끼….

S#61　남인의 사주 카페 /D

사주 카페에 앉아 있는 남인. 흥얼거리며 점심에 먹을 메뉴를 알아보고 있는데.
이때 '딸랑' 종소리와 함께 여자가 들어온다. 슬로우모드로 움직이는 청순한 여자… 남인, 순간 입이 떡 벌어진다. 그런데 이때 여자 뒤로 들어오는 남자. 자연스럽게 여자와 손을 잡고… 벌어진 입이 다시 다물어지는 남인. 여자가 그런 남인을 보고 이상한 표정을 짓자 남인, 자기도 모르게 사과하듯 꾸벅 인사하고는 핸드폰으로 시선을 돌린다. 남인, 무언가 꺼내 보면… 일전에 태리가 주고 간 다이어트 알약이다! 남인, 그 약을 손에 움켜쥐고는 물도 없이 입에 털어 넣는다.

S#62 희식의 집 /D

물이 없어 괴로워하는 팀장, 핏발이 선 채 묶인 손으로 액체를 찾아본다. 이젠 목까지 긁기 시작하며 수도꼭지를 열어 보지만 물이 나올 리가 없다. '쾅!' 선반을 주먹으로 치던 팀장의 눈에 선인장 화분이 들어온다. 좀비처럼 눈이 돌아가 선인장을 뿌리 채 뽑아 먹는데. 가시가 찔리는 바람에 몇 번 씹지도 못한다. 그러다 화장실로 달려간다.

S#63 희식의 집 - 화장실 /D

팀장, 세면대에 선인장을 '퉤퉤' 뱉어 내고 수도꼭지를 연다. 수도꼭지에 먼저 입이 들어가지만 여전히 나오지 않는 물. 망연자실하게 주저앉는 팀장, 변기물과 마주친다.
그 물을 보는 팀장의 눈빛. 그리고 자신의 손을 묶어 둔 포승줄과 번갈아 본다.

S#64 동 물류 창고 /D

얼굴에 멍 든 허 팀장, 구석으로 손을 뻗어 휴대폰 공기계 꺼낸다.
동영상 촬영을 멈추고 영상을 살피는데. 누군가 이리 휙 저리 휙 날아다니며 물건 훔치는 모습이 보인다. 당황한 팀장, 너무 빨라 얼굴이 안 보이자 슬로우모션으로 보니 지게를 한가득 싣고 나가는 찰나로 남순의 얼굴이 보인다.

S#65 헤리티지 클럽 /D

금주, 우아함과 고급스러움이 풀장착된 스타일로 헤리티지 클럽에 들어온다.
로비로 걸어오면 김 마담이 1번 룸 카드 키를 내민다. 1번 룸 앞에 카드 키를 대자 열리는 문. 들어가면 류시오가 앉아 있다. 호랑이와 사자의 싸움처럼… 서로를 바라보는 두 사람의 눈빛이 번뜩이며 긴장감이 맴돈다.

S#66 동 물류 창고 /D

모자 푹 눌러쓴 채 물류 창고에서 일을 하고 있던 화자. 주변을 두리번거리다 남순을 발견한다. 물건을 정리하느라 등을 보이고 있는 남순.
화자, 칼을 빼 들고는 남순을 향해 걸어가는데… 종내에는 매섭게 뛰기 시작한다.
마주 오던 희식, 칼을 들고 쫓아오는 화자를 발견하고 "강남순!!" 소리친다.
그 소리에 남순, 뒤돌아보려던 찰나 자기 쪽을 향해 남순의 몸을 '휙' 돌리는 화자.
남순의 배에 칼이 들어갔는지 아닐지 모를 화자의 섬뜩한 눈빛.

S#67 엔딩 /D

텐션 터지는 금주와 남순, 그리고 류시오의 모습이 교차되면서.

<6화 엔딩>

제7화

밤의 무지개

(Moonbow)

Title in “밤의 무지개 (Moonbow)”

S#1 동 물류 창고 (6화 S#66 확장) /D

모자 푹 눌러쓴 채 물류 창고에서 일을 하고 있던 화자.
주변을 두리번거리다 남순을 발견한다. 물건을 정리하느라 등을 보이고 있는 남순.
화자, 칼을 빼 들고는 남순을 향해 걸어가는데… 종내에는 매섭게 뛰기 시작한다.
마주 오던 희식, 칼을 들고 쫓아오는 화자를 발견하고, “강남순!!” 소리 친다.
그 소리에 남순, 뒤돌아보려던 찰나 자기 쪽을 향해 남순의 몸을 ‘휙’ 돌리는 화자.
남순의 배에 칼이 들어갔는지 아닐지 모를 화자의 섬뜩한 눈빛.
남순, 화자의 칼을 간발의 차로 피하고는, 이내 눈빛이 싸늘해지더니 화자를 밀쳐 낸다. 창고 끝까지 그대로 미끄러지듯 날아가 벽에 '쿵' 박히는 화자.

희식, 주변에 있던 다른 두고맨들, 허 팀장 등이 그 모습을 보고 눈이 휘둥그레진다.

허 팀장은 동요가 일어나는 물류 창고 안을 정리하며 "뭐해 다들 출동 안 하고."

남순 (이 상황이 믿기지가 않아 화자 보며) 내가 죽이고 싶을 만큼 미웠니?

화자 (쓰러진 채 눈빛은 살아) 너만 없었음 계속 행복할 수 있었으니까!

마음 아픈 남순, 복잡한 심정으로 화자에게 다가가려는데 희식이 남순을 제지한다.

희식 (무너져 있는 화자에게) 자수해. 아님 내가 연행할 거야. 현행범으로 바로. 나 (반 무릎 굽혀 앉아서 화자를 보며 작은 소리로) 경찰이야.

화자 (아픈지 인상을 잔뜩 쓰면서) 아아.

희식 강남순은 널 용서하려고 하던데… 난 그렇게 못해.
감히 칼로 찌르려고 해?

화자 아아… (아프다) 나… 뼈가… 부러진 거… 같아….

희식 (그제야 살펴보면 다리가 '훅' 골절되어 있다. 놀란다)

앰뷸런스 소리 (E)

S#2 헤리티지 클럽 여러 곳 (6화 S#67 이전 상황) /D

금주, 우아함과 고급스러움이 풀장착된 스타일로 헤리티지 클럽에 들어온다.
로비로 걸어오면 김 마담이 1번 룸 카드 키를 내민다. 인사하고 들어가는데.

- 1번 룸 안 -
1번 룸 앞에 카드 키를 대자 열리는 문. 들어가면 류시오가 앉아 있다.
호랑이와 사자의 싸움처럼… 서로를 바라보는 두 사람의 눈빛이 번뜩이며 긴장감이 맴돈다.
류시오, 그런 금주를 보고 일어나고. 금주, 환하고 여유 있게 웃으며 류시오를 본다.

금주 고마워요. 바쁘신데 저와의 만남에 응해 주셔서.
류시오 먼저 요청해주셔서 오히려 제가 고맙습니다.
저도 꼭 따로 뵙고 싶었거든요.
금주 우리 앉아서 편하게 얘기 나눌까요?

이때 노크 소리 들리고 김 마담 들어와 금주의 외투를 받는다.
뒤이어 매니저로 보이는 여자가 카드와 칩이 놓인 트레이와 함께 들어오는데.

S#3 동룸 밖/D

금주의 외투를 든 김 마담과 빈 트레이를 든 매니저가 밖으로 나와 데스크로 향한다.
룸 밖에 서 있는 카일. 그리고 그런 카일에게 갈치가 걸어오고 있는데. 류시오에게 테러 당한 후 얼굴에 흉이 심하게 나서 일그러져 있다.
카일에게 뭔가 속닥거리는 갈치. 카일 끄덕인다.
그런 카일의 무시무시한 얼굴이 처음으로 의미심장하게 C.U 된다.

S#4 헤리티지 클럽 내 1번 룸/D

류시오, 금주에게 카드를 건네자 금주가 능숙한 셔플을 보인다.
금주 역시 류시오에게 셔플한 카드를 건네면 역시 카드를 섞는 류시오.

금주 뭐로 할까요?
류시오 인디언 포커할 줄 아세요?
금주 그럼요. 그거로 할까요?

류시오, 다 섞은 카드를 테이블에 펼친다. 각자 카드 한 장씩 뽑은 뒤 뽑은 카드를 상대방에게 내미는 두 사람.

상대방으로부터 받은 카드를 이마 쪽으로 올리면 류시오는 10, 금주는 5이다.

금주 우리 이렇게 하죠. 이긴 사람이 진 사람에게 거절하지 못할 제안을 하는 거… 어때요?

류시오 (눈빛, 표정)

금주 쫄리시나 보네….

류시오 (픽) 아닙니다. 그렇게 하죠.

금주, 그런 류시오 단정하게 일견하고는 칩을 하나… 둘… 내밀기 시작하더니 점점 빠르게 칩을 베팅하기 시작한다. 살짝 놀랐지만 표정 관리하는 류시오.
어느새 금주 테이블에는 칩이 2개 밖에 남지 않았다.

금주 (류시오 보며) 베팅하시겠어요?

류시오 (금주를 빤히 바라보다) 아니요. 죽겠습니다.

금주와 류시오, 동시에 카드를 내려놓으면 류시오가 10, 금주가 5인 게 보인다.
류시오, 칩을 가져가려는 순간… '턱!' 금주가 류시오 테이블 쪽으로 손을 뻗어 칩 10개를 가져가고!!

금주 게임을 포기한 사람의 카드가 가장 높은 숫자인 10일 경우, 패널티로 칩 10개를 저한테 주셔야 하는 거 알고 계시죠?

류시오 하하하… (졌다는 듯 손들어 보이며) (눈빛, 표정) 저한테 뭘… 원하십니까? 제안해 보시죠.

금주 요즘 두고가 핫하던데… 어떻게 그런 회사를 만들었어요?

류시오 하하… 그야 당연히 이익 창출을 위해….

금주 (O.L) 난 그런 뻔한 대답 말고… (눈빛, 표정) '진짜' 이유를 원해요.

류시오 (금주 빤히 바라보다) … 게임 체인저(Game Changer).

금주 (보면) 게임 체인저….

류시오 자본주의 시장을, 세상을 뒤바꿀 힘…!!! 그 힘을 갖는 게… 제 목푭니다.

금주 그래서 그 힘으로 궁극적으로 뭘 얻고 싶은 거죠?

류시오 약육강식인 세상. 힘이 없으면 버려지고, 강자에게 짓밟히니까… 내가… 젤 위 상위 포식자가 되겠단 거지.

금주 상위 포식자가 되어서 남을 짓밟지 않을 자신은 있으세요? 진정한 강자는 약자를 보호하는 거라고 생각하는데….

류시오와 금주의 눈빛이 강렬하게 부딪치는데.

금주 (여유 있게) 저는 제가 가진 머니 파워로 모두가 살기 좋은 세상을 만드는 게 목표예요. 그런 의미에서 두고에 제가 투자를 좀 할까 하는데….

류시오 대체 현금을 얼마나 가지고 있으시길래 이런 호기를….

금주 (O.L) 얼마나 필요해요?

류시오 하하하… 맨손으로 성공했다고 세상이 우스우신가 보네.

금주 그럴 리가!

류시오　두고 시총은 알아보시고 그런 제안을 하는 겁니까 감히?

금주　그럼요. 1조6천2백억. 글로벌 기업으로 키우시기엔 아직 턱없이 부족해 보여서요.

류시오　하하하하… 배짱 한번 좋으시네요. 아님 정말 돈이 많으시던가… 돈을 어떻게 버셨길래… (피식) 어둠의 세력과 결탁이라도 하신 건지….

금주　그럴 리가! 난 이 자리 오는데 단 한 번도 탈세, 단 한 번도 어두 세력과 결탁한 적이 없어요. 미친 듯이 부지런했을 뿐. (백에 넣어 둔 USB를 건넨다) 이게 황금주… 개인 재산 내역이에요….
금감원도 국세청도 가지고 있는 자료라 기밀은 아니라서요.

류시오　(보면) 원하는 걸 얘기하세요. 알아듣기 쉽게 바로!

금주　두고의 실제 '쩐주!'가 누군지 알고 싶어요. 주주 명부에 나와 있는 주주들 말고… 실제 쩐주!

류시오　실제 머니 메이커… 그걸 알아 뭐 하시게?

금주　왠지 쩐주가 구린내가 날 거 같아서… 그냥 내 돈을 쓰란 거지. 내가 쩐주가 되겠다!! 그게 내… 제안입니다. 그럼. (일어나 나간다)

류시오　(남겨진 채 표정)

S#5 동 룸 밖/D

금주, 룸을 나오면 수문장처럼 서 있는 카일과 갈치가 보인다.
두 사내를 교대로 하찮게 보다가 '휙' 지나간다.
그런 금주를 빈정 상해 보는 카일과 갈치.

S#6 봉고 사진관 /D

봉고, 윈덱스로 사진관 창문을 닦고 있다. 행복한 표정의 봉고 시선 따라가면 중간, 금주와 금동, 남인, 남순 모두 의자에 앉아 있고 어설프게 혼자 서서 꼽사리 끼어 있는 봉고가 찍힌 가족사진이 보인다.

세 여자는 환하게 웃고 있고 남자들은 하나같이 표정이 어둡다.

봉고　　(중얼) 내가 저기 있는 게 맞나? 되게 뻘쭘하네… 가족인 것도 아닌 것도 아닌 애매한 생명체… (하는데, 누군가 봉고의 눈을 가린다) 남인이구나.

남인　　어떻게 알았어?

봉고　　눈에 느껴지는 손의 무게감. 그리고 무엇보다 네 손에선 늘 샌드위치 냄새가 나.

남인　　아빠. 나 독립 선언했어!

봉고　　독립 선언?

남인　　응. 독재자로부터 독립!

봉고　　(한숨) 에휴 과연 그게 될까? 헛된 꿈이 물거품이 되는 게 내 눈에 보이는 건… 내가 너무 황금주에게 길들여져서겠지?

남인　　(쇼윈도의 가족사진 보고) 아빠… 나 날씬하게 보정했네.

봉고　　응. 반을 날렸어.

남인　　아… 근데 저 사진 독재자가 보면 싫어할 건데.

봉고　　왜?

남인　　엄마, 누나가 엄마 딸인 거 비밀이랬는데.

봉고 대체 왜?

남인 모르지. 독재자 맘을 누가 알아? (휙 들어간다)

봉고, 걸레 들고 따라 들어가면. 카메라는 그 가족사진에 줌 인 하면서.

S#7 남인의 사주 카페 /D

금동이 준희의 핸드폰을 노트북에 연결해 문자 메시지와 통화 기록을 띄운다. 옆에는 오늘도 화려한 착장의 중간과 준희가 솔루션을 기다리며 앉아 있다.

금동 해킹 당하셨음 일단 폰에 있는 악성 프로그램부터 찾아야 하거든요?

금동, 준희 휴대폰 필터링하다 뭔가 찾은 듯.

금동 이거네. 이 파일 때문에 아저씨 핸드폰이 해킹당한 거예요. 이제 이 악성 프로그램을 리버싱하면 해킹한 놈 IP 뜨는데… 보통은 다 해외로 돌려쓰니까 안 뜰 거예요.

금동의 말대로 화면에 아무 주소도 뜨지 않는다.
그러자 금동, 다시 자판을 두드려 명령어를 입력한다.

금동 아저씨 폰에서 빼낸 파일들 안 지웠으면 그걸 역추적하면 되는데… 얘네들이 그게 되는 걸 알아서 해킹하자마자 바로 지운단 말이죠? 그럼 우리는 뭐다? 방향을 틀면 된다. 그놈들 컴퓨터로.

금동, 다시 영어로 된 명령어를 입력하고 엔터를 누르자 화면이 여러 개가 뜬다.
잠시 후 해킹범의 노트북 카메라 시선으로 해킹범 얼굴과 사무실 전경이 뜬다.
다른 한 놈이 딥페이크 작업 중인 모습까지 보이는데.
금동, 타자를 두드리다 해킹범이 준희 휴대폰 번호로 전화 건 흔적을 찾아낸다.
뒤이어 해킹된 노트북 위치가 뜨기 시작하면.

중간 있어 봐. (112 누르며) 이놈 번호가 뭐라고?
금동 엄마. 빵에 넣고 싶은 게 나인 건 아니지? 이거 불법이야.

중간, 빨리 내놓으라는 반협박적인 눈빛에 금동, 범인 주소를 적어 중간에게 건네는데. 중간, 종이 쥔 채 나간다.

준희 길 여사님… 같이 가야죠? (혼잣말) 어째 저리 번갯불 같으실까.

금동, 두 사람 나가자 퀭한 눈으로 보다가 과한 근로로 무리했다.

금동 (소파에 그대로 누워) 지쳐~ 쓰러져야 해….

이때 카페에 손님 둘이 들어온다. 카페 손님 둘 둘러보고 "카페에 사람이 아무도 없네." 하고 나간다.

금동 (구시렁) 그럼 난 사람 아니고 뭔데… (하다가 둘러보면) 남인이 얘는 대체 어디 갔어. 아 정말 나 혼자 카페를 지키란 거야 뭐야? (하다가 생각난 듯 어딘가 전화한다) 여보세요? 나예요 명태… 지금 뭐 해요? (듣는) 그럼 내 눈알 파 먹으러 올래요?

S#8 희식의 집 /D

팀장이 침대에 우두커니 앉아 있다. 입술은 바짝 말라 타들어 가는 수준이고.
하지만 결국 물은 먹지 않았다. 이때 영탁이 문을 열고 들어온다.
팀장을 살피는 영탁.

팀장 나 물… 안 먹었어… 이겨 냈어.
영탁 잘 하셨어요 팀장님… 조금만 더 견디세요.
팀장 (눈가 뜨거워지며) 너희들 정말 고맙다. 근데 희식이는?
영탁 두고 갔어요.
팀장 거기 아니라고 했는데 왜 자꾸 가?
영탁 희식이가 뭐 아는 게 있는 거 같아요. 맡겨 보죠 팀장님.

팀장 (일어나며) 가 보자.

영탁 이런 상태로 어딜 가요.

팀장 놔 새끼야. 지들 멋대로 하면서… 이거 풀어 빨리.

영탁 (피식)

S#9 두고 차량 안 /D

희식, 운전대에 앉아 있고, 남순 그 옆에 시무룩하게 앉아 있는데.

희식 내가 그랬지 사람 고쳐 쓰는 거 아니라고.

남순 정말 죽일 생각이었을까?

희식 너 왜 이렇게 착해? 나한테만 착하라고. 딴 사람한테는 착하지 마.

남순 …

희식 치료 끝나는 대로 바로 구속 수사할 거야. 살인 미수로.

남순 (맘이 씁쓸하다) (그러다) 아참… 근데 팀장님은 이제 괜찮아?

하는데, 희식의 폰이 울린다.

희식 (보며, 남순에게) 팀장님이야! (전화 받는) 팀장님? 괜찮으세요?

팀장(F) 어… 이 물건 전부 아니야.

희식 (실망하는) 물에 반응 안 한다고요? 또?

팀장(F) 안 해… 이 정보 확실해?

희식 (한숨) 있다 들어갈게요. (끊는)

남순 마약 성분이 안 나왔대?

희식 (끄덕) 응…. (실망)

남순 물건을 어렵게 빼 올 필요 없이 실제로 물건을 주문하면 되지 않아? 거기 있는 물건을 싹 다 사는 거지!

희식 그 물건은 일반 소비자에게 유통되지 않아. 절대.

남순 그럼 대표실 컴퓨터를 뒤지는 게 맞지 않아?

희식 (보면)

남순 그렇잖아. 두고에 마약이 있단 건 그 마약을 사는 특별 고객 명단이 컴퓨터 안에 있단 소리잖아. 그러니 그걸 찾는 게 먼저 아니야??

희식 (끄덕) 난 마약을 먼저 찾아서 영장 청구 하는 걸로 가려고 했는데…순서를 바꿔야 할 거 같네. 좋아! 고객 명단부터 찾자. 물론, 암호로 다 처발라져서 찾긴 어려울 거야. 하지만 찾아내야지. 그 고객들을 추적할 수 있다면… 이보다 더 확실한 증거는 없어.

남순 (예리한 눈빛으로) 대표실에 어떻게 접근하지?

그런데 이때, 힘겹게 물건을 끌고 가는 하차맨이 보인다. 남순, 그 모습을 보다가 차에서 내린다.

S#10 차량 밖 + 안 /D

하차맨에게 다가가는 남순, 차 안에서 그런 남순을 보고 있는 희식.

남순 다친 데는 괜찮아? 바로 막 이렇게 일해도 돼?
하차맨 그럼요. 지금 1, 2, 3교대 제가 다 하고 있는데 아무렇지도 않아요.
남순 뭐야 잠도 안 자고 일하는 거야?
하차맨 나 하나도 안 피곤해요. (컨디션 좋아 보이고) 특별한 자양강장제를 먹거든요.
남순 자양강장제? 뭐야 그건. (하며, 하차맨의 차량에 짐을 싣는 걸 도와준다)

CUT TO
하차맨의 짐 싣기를 도와주고 다시 차에 오르는 남순.

희식 나한테만 착하랬더니~
남순 아니 한국 젊은이들은 왜케 일을 많이 하는 거야? 쉬지 않고 일해.
희식 나도 마찬가지야~ 출발한다~!!

S#11 화자의 병원 /D

화자, 환자복을 입고 입원실에 누워 있다. 병동 밖에는 여 순경이 보초를 서고 있다.
화자, 몰래 휴대폰 들어 전화를 건다. 도베르만이다.

화자 나야.
도베르만(F) 너 잡혔단 거 진짜가?

화자　　두고에 경찰이 와 있었어.

도베르만(F)　그 간나가 신고를 결국 했구먼.

화자　　나 빵에 들어가게 될 거 같아. 강남순을 찌르려고 했거든.

도베르만(F)　그런 짓을 와 했나… 너 왜 긁어 부스럼 만드니….

화자　　그냥… (울컥) 근데 도베르만… 와 강남순이가 두고에 와 있는지 그거이 궁금해… 대체 거는 와 있는 기가? (하는데, 여 순경이 들어온다) 전화 끊을게요. (서울말로 끊는)

여 순경　엑스레이 찍으러 가셔야 한대요.

화자　　예.

S#12　골드블루 전경 /D

금주가 출근한다. 금주, 자리에 앉아 휴대폰 들어 전화번호부에 '봉고차' 검색한다.
그리고는 전화 연결한다.

금주　　나야. 내일 바빠?

봉고(F)　응 바빠.

금주　　다 취소해. 슈페리어룸에서 가족 파티가 있을 거니까.
(끊는 - 그런데 전화가 울린다. 전화 받는) 여보세요? (듣는)
네 안녕하세요. 좋아요. 만나죠. (끊는 데서)

S#13 봉고 사진관 /D

봉고 (금주와 전화를 끊고는 시큰둥) 암튼 지 멋대로야. 내일 파티 한대.

남인 알아. 아빠 내일 생일이잖아. 헐~ 독재가가 아빠 생일 챙겨 주려나 봐.

봉고 그럴 리가. 생전 안 하던 짓을 왜 갑자기.

봉고, 그런 남인 시선 주면 남인이 주문한 치킨 5통 중 한 통만 겨우 다 먹고 있다.

봉고 (이해가 안 간다는 듯) 너 왜 도통 못 먹냐? 치킨 한 통? 말이 돼?

남인 나 다이어트 약 한 알 먹었는데 그게 효과가 있나 봐…
이상하게 입맛이 없다?

봉고 (눈이 동그래져서) 그래? 어떤 다이어트 약인데?

S#14 남인의 사주 카페 /D

정 비서와 금동이 앉아서 카페를 지키는 중.
니힐리즘에 빠진 정 비서와 또 다른 허무주의인 금동이 카페 손님처럼 앉아 있다.

금동 아무리 경비 처리 하려고 만든 카페지만 손님이 너무 없네요.

정 비서 남인이 경영 공부 가르친다고 차린 카페니까… 매출 의미 없어요.

금동 정 비서는 왜 살아요?

정 비서 살아 주는 거죠. 뭔가 있지 싶어서….

금동 정 비서… 나 어떻게 생각해요?

정 비서 (황당하게 보면서) 왜 그런 걸 물어요?

금동 (정 비서 대답 기다리듯 보는데)

'딸랑' 종소리 나면서 문이 열리고 남인이가 들어온다. 남은 치킨 4통 양손에 들고.

남인 (둘러보며) 사람이 하나도 없네.

금동 같은 말 두 번 들으니까 치 떨릴라 그래. 난 사람이 아니니?

남인 (치킨 각각 2통씩 건네며) 남은 치킨이야.

정 비서 (놀라는데) 남았다고요?

금동 엄마는 너 매형이랑 동거하는 거 말리랬는데 난 생각이 달라. 난 네가 누나보다 매형이랑 사는 게 맞다고 봐. 둘이 MBTI도 같고. 둘이가 셋트야. 인간은 셋트여야 해.

남인 할머니랑 바리스타 님은? 대체 어딜 가셨어?

금동 그 둘도 셋트 같더라. 먹태와 마요네즈, 오성과 한음, 누렁이와 밭두렁처럼….

남인 아~ 자빠뜨린다 어쩐다 하시더니 진짜…. (짜증)

S#15 사무실 앞/D

중간, 낡은 사무실 앞에 선다. 금동이 적어 준 주소를 보니 여기가 맞다.
똘기 만땅된 눈빛으로 문고리를 잡는데… 그대로 들어 올려 문고리를 뜯어 버린다. '우지끈!' 해체되는 문.
그러자 금동의 노트북에 보였던 사무실 전경과 해킹범 둘의 모습이 보인다.
뒤따라 도착한 준희가 그 모습에 놀란다. 중간, 천연덕스레 안으로 들어가면.

해킹범	뭐, 뭐야?!

해킹범 앞으로 걸어가는 중간. 그러자 뒤에 있던 사내가 중간을 향해 달려드는데, 이를 눈치채고 있던 중간이 그대로 사내 울대를 잡아 날려 버린다.
'쾅!' 저 멀리 날아가 캐비넷에 맞고 쓰러지는 사내.
중간, 괴로워하는 사내를 번쩍 안아 들자 허공에서 버둥거린다.

중간	(해킹범을 보며) 일루 와!
해킹범	(겁먹은 아이처럼 걸어가면)
준희	(놀라서 서 있는)
중간	척추 두 개 부러지고 앰뷸런스 실려 갈래. 아님 걸어서 나갈래?
해킹범	(도망치려 한다)
중간	(들고 있던 사내 바닥에 툭 놓고는 그대로 해킹범을 잡아서 저 멀리 집어 던진다)

S#16 사무실 밖 /D

남자 둘을 양어깨에 거뜬히 이고 람보르기니로 가는 중간.
뒷좌석 문을 열고 짐짝 던지듯 해킹범과 사내를 던져 버린다.

중간 (준희에게 상냥하게) 많이 놀랐죠. 차차 설명할 테니까 일단 타요.

준희 (버쩍 얼어 있다)

중간 (일단 운전석에 탄다)

S#17 강남 경찰서 안 /D

중간이 기절한 남자 둘을 양어깨에 올려 매고 강남 경찰서를 걸어 들어온다.
홍해 바다 가르듯 갈라지며 놀라 자빠지는 경찰들과 민원인들.
2층을 올라가고 있는 중간. 그 뒤를 여전히 '벙!' 한 채 따르고 있는 준희.

- 사이버 수사대 안 -
사내 둘을 그대로 '휙' 바닥에 내다 꽂는 중간.
놀라는 사이버 수사 형사. 언제 따라왔는지 따라와서 구경 중인 경찰 1, 2. 그리고 그때 그 경찰.

중간 잡아 왔어. 이것들이 딥페이크 범인들이야. 처넣어 당장…

(우렁차게) 6개월 걸린다며? 근데 왜 난 이렇게 바로 잡았을까나? 도주의 우려가 있으니 구속 수사 반드시 하고 (쓰러진 남자들 발로 툭툭 치며) 일어나… 니들 조사 받아야 돼.

남자들 (아파서 시름시름)

중간 니들 사기 친 2천만 원 빠른 시일에 안 돌려주면 니들 척추뼈 있지? 곰국에 넣을 수준으루다 정성껏 분질러 버릴 거야.

남자들 (끙끙)

중간 대답 안 해? (버럭)

남자들 예에….

중간 (형사 싹 노려보면서) 수사 제대로 안 하믄 애들뿐 아니라 당신도 가만 안 둬. 법은 멀고 주먹은 가깝단 거 내가 보여 주게 하지 좀 말자 어?

사이버 형사 (질려서) 네….

중간 (갑자기 태세 전환해 음성이 나긋해져 준희에게 다가와 팔짱 끼고) 가요 준희 씨… 나 오늘 간만에 감자탕 먹고 싶어요. 뼈다귀 얘기하니까.

준희 네…. (하얗게 질린)

그런 중간과 준희를 졸졸 따라서 1층까지 내려오고 있는 오형곤 사건 관련 경찰 1, 2.

- 1층 -

경찰 1 저기 여사님.

중간 (돌아보는)

경찰 1 그때 그 차량 전복 피해자. (어이쿠) 아니 피의자요.

중간 …

경찰 1 사망했습니다.

중간 (그제야 반응하는) 뭐? 아니 어쩌다….

경찰 1 사인은 심장마비인데… 본청 마약 수사대에서 사건 가져갔어요.

중간 마약?

[인서트] 동 주차장 (6화)

오형곤의 정신 나간 듯한 모습.

중간 (뭔가 짚이는) 애초에 차 세울 곳이 많은데 내 차 앞에다 차를 그렇게 대 논 거부터가 좀 이상했지. 하… 젊은 사람이 안됐네….

경찰 1 조만간 참고인 조사차 마약 수사대에서 연락 갈 수 있어요 여사님. 협조 부탁드릴게요.

중간 그래요. (손가락 2층 가리키며) 빨리 해결하게 수시로 좀 올라가 봐. 내가 형사를 때릴 순 없지 않겠어?

경찰 2 그럼요 그럼요. 지금도 바로 올라가서 신경 쓰라고 하겠습니다.

중간 그래 믿어 볼게. (준희 팔짱 끼고 살랑거리며 간다)

경찰 1/2 (넙죽 숙이고 인사하는)

S#18 중간의 차 안/D

준희에게 드링크류 건네는 중간. 옆자리에 타고 여전히 멍한 준희. 드링크류 마시는 중간.

준희 아니 여사님… 그 힘… 대체….

중간 (미소) 저희 집안이 좀 특별한 모계 유전 혈통이 있거든요.

하는데, 휴대폰에 알림음이 울린다.

<이번주 토요일 가족 파티가 열립니다. 시간: 6시 PM / 장소: 금주호텔 슈페리어룸>

중간 (보고는) 내일 6시에 딸년 (아니) 딸아이가 여는 파티가 있는데 같이 가요 준희 씨. 그럼 다 설명되고 이해될 거니까?

준희 혹시… 그 전에 저기… 실례긴 한데… 성… 전환 수술… (용기 내서) 남자셨나요?

중간 (귀엽다는 듯 살짝 볼 꼬집으며) 하하하하 농담도 잘해. (정색해서) 근데 안 웃겨.

준희 (헉)

중간 내가 아까 딸아이라고 했잖아. 내가 직접 낳았어. 우리 엄마도 나처럼 힘이 천하장사예요. 내 이름이 왜 길중간인데… 우리 엄마가 날 길 중간에서 낳아서 이름이 길중간이야. 집안 내력이라고. 남자는 무슨… 그리고… (짓궂게 웃으며) 그날 밤… 다 확인도 해 놓고선. 웃긴다 증말…. (하고, 시동 걸고 '휘이익', 기분 좋다)

S#19 마수대/D

쌓여 있는 두고 물품들. 팀장은 어느덧 안정되어 수사 파일을 보고 있다.
사망한 오형곤의 사진 및 다른 여러 사망자 사진들을 보는 심상찮은 눈빛들.
손톱들이 힘을 써서 까져 있고.

[섬광처럼 플래시백 되는 인터컷]
자신이 괴물처럼 힘이 세지던.

팀장, 목이 타지만 입술에 물만 적실뿐 마시지 않는다.
팀장, 그대로 수사 파일을 덮고는 희식이 책상으로 걸어간다.
이내 서랍을 열자, 마스크가 들어 있는 지퍼백을 보는 데서!

S#20 어느 풍광 좋은 거리 /D

금주, 걷고 있다. 옆에는 젠틀맨이 나란히 걷는 중.

금주 미끼는 던져 놨어요. 덥석 물진 않겠지만 제 떡밥은 충분히 자극이 될 겁니다.
젠틀맨 류시오는 두고를 설립하기 전까지 줄곧 러시아에 있었습니다.
(안쪽 주머니에서 사진을 꺼낸다)

금주, 사진 보면 러시아에서 찍은 듯한 다양한 시간과 공간의 류시오 모습이 보인다. 카페에서 커피를 마시거나 잡상인과 사진을 찍거나 술병 들고 브이하는 평범한 사진.
(*훗날 그 사진의 잡상인은 브래드 송임이 밝혀진다)

젠틀맨　어떤 거래가 오고 갔는지 오플렌티아에서 파악 중입니다.
금주　그 러시아 마피아 이름은 뭔가요?

S#21 두고 류시오의 대표 이사실 /D

허 팀장, 들어온다. 예의 바르게 류시오에게 인사하고 동영상을 건넨다.
류시오, 싸한 표정으로 허 팀장이 건넨 동영상을 보고 있다.
남순이가 밤에 물류 창고에서 물건을 훔치는 동영상이다.

류시오　왜… 이런 짓을 했을까.
허 팀장　그 의문을 뒷받침할 사건이 오늘 일어났습니다. (하고, 화자를 밀어 버리는 남순의 동영상을 또 보여 준다)
류시오　(눈빛, 표정)
허 팀장　이 사람과 체첵이 싸웠습니다.
류시오　왜 싸워?
허 팀장　제 추측으론 둘이 절도 공모를 한 거 같습니다. 뭔가 수틀려서 안은지가 안 한다고 하니까 체첵이가 날려 버린 거죠.
류시오　… (그저 그 강렬한 힘에 시선이 갈 뿐)

허 팀장　　아 근데 안은지… 신분을 속이고 들어왔습니다. 본명이 이명희라고….

류시오　　!!

S#22　아파트 앞 일각 /D

희식, 차를 세워 놓고 택배 물건을 하차한다.

희식　　(남순에게) 여기가 마지막이지? 이것도 몇 번 하니까 손에 붙네.

남순　　나 오늘 밤에 아빠 만나러 간다?

희식　　가~ 누가 가지 말래?

남순　　나 혼자 후딱 다녀올 테니까 너 여기서 기다려.

희식　　아니? 늦게 오면 확 가 버릴 건데?

남순　　그럼 때려 버릴 건데?

희식　　까부네… 까불지 말라니까.

남순　　까불 건데… (희식이 말투 얄밉게 따라 하며) 꺄부녜… 꺄불쟤 맬래내깨~

남순, 생긋 웃으며 생수 번들을 가볍게 한 손으로 들고 아파트 현관으로 들어간다.
그런 남순의 뒷모습을 보는데 귀엽기 짝이 없고. 그런 희식의 모습 위로.

금주(소리) 우리 남순이 좋아해요?

희식 (애써 부인) 아뇨~~ 아닌데요. 아니지… 아니야….

S#23 두고 류시오의 대표 이사실 /D

윤 비서, 노크와 함께 대표 이사실로 들어가 서류와 금주가 준 USB 함께 건넨다.
류시오, 서류를 펼쳐 보면 황금주가 소유하고 있는 재산 목록이다.
셀 수 없는 0 갯수에 류시오, 휘파람이 절로 나오는데.

류시오 황금주… 하… 장난이 아니네.
윤 비서 한국에서 황금주 사채 안 쓴 재벌이 없다고 합니다.
류시오 이 여자에 대해 좀 더 알아봐.
윤 비서 네 대표님. (하고, 나가면)

S#24 동 장소 일각 /D

금주와 젠틀맨, 나란히 걷고 있다. 대화가 마무리 되는 듯 보인다.

금주 아 참 (하고는, 브래드 송 명함을 건네며) 이 사람에 대해 좀 알아봐 주세요. 사기꾼 같은데… 강남 여자들이 다 넘어가고 있어요.

젠틀맨 (끄덕이고 접수하는) 이젠 사라지고 없는 제비의 부활인가요?

금주 그보단 사이즈가 커요. 놀부 집에 찾아온 제비뻴이랄까….

이때 금주의 휴대폰이 울린다. '숫자 또라이'다. 금주, 전화 받는.

- 이하 교차 -

금주 네.

남비서 112, 348, 289. (어느 구석 자리에서)

금주 (짜증) 됐고! 오늘은 숫자놀이 할 기분이 아니야 남비서.

남비서 우리 대표님 지금 어딨는지 알려 달라셨잖아요.

금주 ??

남비서 대표님 계신 지피에스 주소예요. 112, 348, 289.

금주 (O.L) 숫자 말고 한글로 말 안 할래?

남비서 (냉큼) 청담 라운드 지지.

S#25 청담 라운드 지지 야외 테라스 /D

브래드 송, 고상하게 냅킨으로 입을 닦아 가며 크림빵을 먹고 있다.
앞에는 고독해 보이는 중년 강남 사모(이하 공 여사)가 앉아서 커피를 손에 받쳐 들고 브래드 송의 얘기를 경청 중.

브래드　독일 샤이타 항공 주식이 1억 주가 발행돼 있습니다. 한 주당 가격이 지금 10유로로 폭락을 했어요. 시가 총액이 10억 불인 셈이죠. 이론적으로 10억 불이면 그 회사를 살 수 있단 얘깁니다. 근데….

공 여사　(초집중)

브래드　그 회사를 뜯어 보니 비행기만 다 팔아도 20억 불이 넘는다 이겁니다. 창고나 부동산 은행 예금 다 합치면 10억 불, 그럼 실제 가치는 30억 불이란 얘기죠. 그 회사 가치가 팬데믹 땜에 추락한 건데. 사실 비행기는 더 필요하잖아요. 사람을 태우는 게 아니라. 화물을 태워야 하니까.

공 여사　그렇지. 브래드 이번 펀드가 거기 투자하는 펀드란 거잖아?

브래드　(끄덕) 가을날 소백산 낙엽처럼 우수수 돈 떨어지는 소리가 들릴 겁니다. 곧 사모님 귀에… 우수수~

공 여사　(황홀하게 브래드를 바라보며) 우수수~ 들리는 거 같아.

브래드　(쉿 모양) 혼자만… 들으세요. (느끼하게) 아무도… 모르게~ 우수수~

- 동 카페 밖 -

브래드와 여자의 모습이 보인다. 혀를 끌끌 차는 금주.

금주　저 사기꾼 새끼… 외로운 여자들만 골라서 후리는 거 봐.

(하고는, 얼른 카페 안으로 들어간다)

- 동 카페 안 -

금주가 브래드 앞에 떡하니 걸어가 선글라스 벗고 서 있자, 브래드 표정이 안 좋아진다.

브래드와 동석 중인 공 여사, 금주를 알아본다.

공 여사　　황 대표?

금주　　어머… 공 여사님? 요새 골프 모임도 빠지시더니… 여기 계시네.

브래드　　(찜찜한 표정으로 빵맛이 뚝 떨어지는)

금주　　공 여사님 공이나 한번 쳐요 담에? 어머 빵 씨는 빵 드시네? 라임 오지네요. 하하~

브래드　　(빵을 벌레처럼 씹으며 빈정 상해 있다)

금주　　(턱 하니 공 여사 옆자리에 앉는)

브래드　　(당황)

금주　　투자 얘기 하는 거 아니에요? 나두 좀 끼워 주지?

브래드　　(탁자 위에 달러 지폐 몇 장을 팁으로 올리며) 저는 바빠서 이만. (여자에게) 다시 전화 드릴게요. (하고, 일어나 나가자)

공 여사　　브래드? 브래드? 브래드? 같이 가 브래드~~

금주　　(달러 손에 들어보고 탁자에 두며) 어휴… 허세도 풍년이지. 딸라 팁 허~

S#26　두고 차량 + 두고 물류 창고 /D

차에서 내리는 남순, 희식에게 손을 흔들면 탑차를 끌고 두고를 벗어나는 희식.

남순이 물류 창고에 도착하면 허 팀장이 얼른 다가온다.

허 팀장　　체첵, 대표님이 불러.

남순　　대표가 날 왜?

허 팀장　　뭐 그냥… 왜… 왜 창고 물건 훔쳤어?

남순　　(알아듣고) 어떻게 알았어?

허 팀장　　내가 팀장인데… 그걸 모를 줄 알았어?

남순　　(오히려 좋아, 예리한 눈빛) 대표 방이 어디야?

S#27　두고 창고 밖 일각 - 두고 차 안 (교차) /D

희식　　(인이어로 전화 받는) 여보세요?

남순　　(전화하는 - 작은 소리) 간이식… 나 도둑질한 거 들통났어.

팀장이 어떻게 봤나 봐.

희식　　뭐?

남순　　그래서 대표가 나 불렀어.

희식　　하… 류시오가?

남순　　좋은 기회야. 대표에게 접근해서… 정보를 캐올게.

희식　　야… 너… 그게 그렇게 쉬운 일이 아니….

남순　　걱정 마… 나 강남순이라고. (전화 끊는)

희식　　(걱정이 태산, 골 아픈) 얘는 도통 겁대가리가 없냐…. (하는데, 영탁에게 전화가 온다)

[인서트] 동 마수대 /D

영탁, 죽은 마약 사망자 사진들 현황판에 붙이고 사건 브리핑 준비하는.

영탁　　야 너 안 들어오고 뭐해? 사건 브리핑 해야 하는데.

희식, 전화 끊더니 고민하다 결국 핸들 휙 틀어 남순에게 향하는데.

S#28 두고 복도 - 두고 류시오의 대표 이사실 /D

남순, 당당하게 걸어간다. 뭐 잘 한 게 있나 싶지만 목적을 정확히 가지고 움직이다 보니 상대가 자신을 어찌 생각하는지 관심이 없다.

남순　　(마음의 소리) 고객 정보를 빼내야 해. 난 지금 경찰이야 가짜긴 해도 … 그렇지!

어느덧 대표 이사실에 도착한 남순. 앞에는 거구 카일이 서 있다. 남순, 방긋 웃으며 손인사. "안녕" "하이" 하는데, 반응 없는 카일을 보자.

남순　　(몽골어로) 멍텅구리야…. (하고, 안으로 들어간다)

카일　　(그제야 눈썹 실룩)

S#29 두고 류시오의 대표 이사실 안 /D

남순, 문 '쾅' 열고 들어가면 류시오가 그런 남순을 의미 있게 본다.
류시오, 남순을 보는 순간, 남순, 류시오를 보는 순간. 두 사람 눈빛이 부딪치면서.
류시오의 동물적 촉이 발동하듯.

[인서트1] (플래시백 1화 S#68 몽타주 중)
비행기 바퀴에서 손 떼고 빠져 나오는 남순.

류시오, 남순을 보고 의미심장한 눈빛으로 피식. '저 여자야!' 하듯 보는.
그런 류시오의 시선을 받는 남순의 표정 위로.

[인서트2] (플래시백 5화 S#41 중)
식은땀과 함께 힘줄이 솟아 있는 류시오. 뒤돌아보는 류시오의 옆모습.

그런 류시오를 떠올리는 남순의 표정, 이내 본심을 숨기며 방긋 웃는 남순.

남순 (걸어와 당당하게 손 내밀며) 안녕… 난 체첵이라고 해.
류시오 반가워요. 류시오예요.

남순 응. 반가워.

윤 비서 (작은 소리로) 원래 말이 좀 짧다고….

류시오 (첫눈에 남순이 맘에 든다) 윤 비서 좀 나가 있어.

윤 비서 네…. (하고, 나간다)

남순 (소파에 턱 앉는다. 그리고는) 물건 훔친 건 미안해. 몽골에 있는 우리 부모님 드리려고 그랬어.

몽골에서 흰색은 위대한 걸 의미하거든. 한국에서 기념품을 사 드리고 싶은데… 월급을 아직 내가 못 받았지 뭐야.

내 월급에서 까. 됐지?

류시오 하하하하… 되게 당당하네. 몽골 어디 살았어요?

남순 그냥 작은 마을에 살았어. 말한다고 아냐?

류시오 이상하네… (여유 있지만 싸한 표정으로) 몽골은 울란바토르 아니면 택배 받기 힘들 텐데? (눈빛, 표정)

남순 옛날에는 EMS 써야 되고 그랬지. 요샌 에지간한데 다 해 줘. 유통회사 대표가 그것도 몰라?

류시오 (그런 남순 보다가 갑자기 웃으며) 하하하하. 너무 맘에 들어.

남순 (당황하는) 뭐가 맘에 들어?

류시오 당신… 체첵!

남순 (어이 없다는 듯 보다가) 나랑 친해지고 싶어?

류시오 (쭉 당황) 그래요. 친해지고 싶어요.

남순 그럼 (휴대폰 주머니에서 꺼내서) 전화번호 줘.

류시오 (그저 기가 막힌 듯 보며 번호 눌러 주고) 그쪽 번호도 줘야죠?

어이없게 바로 친해지는 남순과 류시오. 류시오는 첫눈에 남순에게 강렬하게 끌린다.

그런 류시오에게 방긋 웃어주는 남순의 시선은 류시오의 책상과 주변 물건들을 탐색하고 있다.

류시오 번호도 교환했겠다 오늘 나랑 저녁 먹을래요?

남순 (그 소리에 경각 돼) 저녁? 안 돼… 약속 있어….

담에 내가 시간 잡아서 문자 줄게. 그때 먹자. 고기 사 줘.

류시오 하하하하 아쉽지만 다음을 기약해야겠네요.

남순 그래야겠네.

류시오 (남순을 보는 눈빛)

남순 아무튼 다신 안 훔칠게. 미안했다. (나가려는데)

류시오 (남순 탁 잡고) 연락 줘요 꼭… 고기 사 줄 테니까.

남순 그럴게. (나간다)

류시오 (남순이 나간 자리를 그대로 바라본다)

S#30 두고 차량 /D

희식 운전 중. 불안한 표정으로 안절부절못하고 있으면 남순에게서 전화가 온다.

희식 (인이어로 전화 받는) 강남순… 어떻게 됐어?

남순(F) 번호 땄어.

희식 뭐?

남순(F)　그 대표 번호 땄다고. 이제 고객 정보 빼 올 연구를 해 보자고.
희식　창고 주차장에서 딱 기다려. 다왔으니까. (전화 끊고는) 번호를 따? (어이 없다)

S#31　두고 주차장 /D

남순이 희식과 전화 끊고는 봉고와 통화 중.

남순　그래 아빠. 조금만 기다려. 곧 갈게 응…. (끊는)

희식의 두고 차량이 도착한다. 희식, 차를 주차하고 차에서 내린다.
남순이 예쁜 원피스로 갈아입고 서 있다.

남순　간이식~ (하고, 뛰어간다)
희식　어떻게 된 거야… 물건 가져간 건 어떻게 해결됐어?
남순　몽골식으로 해결했어.
희식　뭐?
남순　나중에 얘기해 줄게. 나 빨리 가야 돼. 아빠 기다린단 말야.
희식　아빠 만난다고 이렇게 이쁘게 입고 있는 거야?
남순　한국 드라마 보니까 한국 남자들은 이쁘단 소릴 그렇게 하드라. 거기선 이런 거도 나오든데… 나 잡아 봐라~
희식　(그런 남순 귀엽다) 그럼 남자가 따라가면서 그래… 잡히면 죽는다~~

S#32 동 대표 이사실 /D

창밖으로 보이는 남순과 희식의 다정한 모습. 그 모습이 류시오의 시선에서 부감처럼 원거리에서 보인다. 그런 두 사람을 보는 류시오. 묘한 질투로 미간 찡그리고.

S#33 놀이동산 /N

봉고가 설레며 기다리고 있는데 남순과 희식이 걸어온다.

남순 아빠?

희식 안녕하세요.

봉고 어… 누구?

희식 네 안녕하세요. 강희식이라고 합니다.

봉고 (희식을 찬찬히 보는) 남자… 친구….

희식 아뇨…. 그냥 친굽니다. 아버님.

봉고 낯이 익은데….

희식 아버님 사진관에 간 적이 있습니다. 그때 저한테 사진 쿠폰 주신 걸 제가 남순이에게 줬거든요. 그래서 남순이가 여권 사진 찍으러 가서….

봉고 (흐뭇한, 납득) 그랬군요. 참 이런 인연도 있네요.

희식 그럼 좋은 시간 보내세요. (남순에게) 나 갈게… 전화할게.

봉고 (그런 희식 흐뭇하게 본다)

남순　　잘 가… (손 흔든다) 아빠… 가자…. (팔짱 끼는)

S#34　놀이동산 몽타주 /N

놀이기구 타는 남순과 봉고. CUT TO
회전목마 타는 봉고와 그런 봉고 사진을 찍어 주는 남순. CUT TO
봉고를 어깨에 목마 태우고 뛰고 있는 남순.
사람들 그 광경에 놀라 사진 찍으면 찍지 마라고 소리치는 봉고. CUT TO
츄러스를 반으로 갈라 나눠 먹는 남순과 봉고. CUT TO
남순과 봉고, 행복해 하며 걷고 있다. 어느덧 밤에 별이 반짝인다.
어딘가에 앉아 별을 바라보는 남순과 봉고.

봉고　　재밌었어?
남순　　완전.
봉고　　너 안 잃어버렸음 진작 아빠가 데려오고 싶었던 곳인데…
이 놀이동산까지 오는데… 시간이 참 많이 걸렸어.
남순　　지금이라도 온 게 어디야. 너무 행복해 아빠.
봉고　　너한테 별 보여 주고 싶어서 몽골에 있는 고비 사막에 갔었어.
네가 어릴 때… 아빠랑 별 보는 걸 진짜 좋아했거든.
엄마는 돈 버느라 정신없고 내가 널 키웠는데… 밤마다 자꾸 나가는 거야. 따라가 보면 지금처럼 이렇게 별을 가만히 서서 보고 있더라고.

남순 (봉고를 보는 표정, 눈빛)

봉고 네가 그랬어. 저 별까지 뛰어가 보고 싶다고. 다른 아빠들은 그 소리에 놀라지 않았겠지만 난 놀랄 수밖에 없었어.
넌 정말 뛰어 올라갈 걸 아니까.

남순 그래서 내가 정말 뛰어 올라갔어?

봉고 응. 옥상에 올라가서 별 따겠다고 뛰어 올라가다가 떨어졌어.
그래서… 너 다쳤고.

남순 (눈빛, 표정)

봉고 네 엄마는 네가 힘세다고 아무 걱정을 안 하겠지. 안 키워 봤으니까… 근데 난… 그때나 지금이나 늘 네가 걱정돼 (울컥, 눈물) 너 잃어 버리고 단 하루도 맘 졸이지 않은 날이 없었어. 어디서 다칠까 봐… 또 별 따겠다고 뛰어 올라갈까 봐.

남순 (눈가 그렁해지고)

봉고 아빠가 미안해….

남순 아니야 내가 미안해 아빠. 나 이제 절대 별 딴다 소리 안 할 거니까 … 걱정 마 아빠.

봉고 아빠랑 약속해. 절대 다치지 않을 거라고. 위험한 짓 안 할 거라고.

남순 (방긋, 손가락 건다) 알았어 약속~

봉고와 남순, 꽉 끼고 있는 손가락들에서.
그리고 그 손가락을 의미 있게 비춰 주는 별들이 아름답게 반짝인다.

S#35 류시오의 집 /N

샤워 가운을 입은 채 화장실에서 나오는 류시오. 윤 비서에게 전화 온다.

윤 비서(F) 대표님. 황금주 씨 말입니다. 최근에 잃어버린 딸을 찾았답니다.

류시오 잃어버린 딸?

윤 비서(F) 그게요 저희 두고에 가짜 신분증으로 들어왔던… 이명희였습니다. 체첵 씨와 싸워서 다쳤다는.

류시오 !!!

윤 비서(F) 그런데 진짜 딸이 나타나서 이명희가 가짜 딸인 게 들통났답니다.

류시오 진짜 딸 찾은 정보 소스는 어디야?

윤 비서(F) 금주일보입니다. 황금주 씨가 1인 대표로 있는 일간지요.
금주일보를 인수한 이유도 딸을 찾기 위해서였는데… 딸을 찾았다는 기사에 딸 사진이 첨부되어 있습니다.

류시오, 전화 끊으면 윤 비서로부터 기사 스크랩이 도착하는데.
'금주제국. 황금주 딸. 기적 같은 상봉!' 헤드라인으로 보이는 강남순 사진.
류시오, 그 사진을 바라보고 있으면.
그 후 남순의 사진에 클로즈업 되는데. 봉고 얼굴에 여자 가발을 씌운 듯한.
영락없는 22살 여자 봉고 버전이다.

S#36 마수대 - 강한 지구대 밖 /N

마수대로 들어오는 희식. 눈치 보면서 들어오면 영탁, 쓰봉은 없고 참마만 있다.

참마 브리핑 끝나니까 오는 거 살짝 레전드긴 하네요.

희식 (그 말에 괜히 찔려서) 내가 놀다 왔냐?

참마 (영혼 없는 목소리) 형 요새 두고 직원 같아요. 마수대 형사가 아니라… 적성에 맞나 봐요? (싱겁게 웃자)

희식 농담 받을 기운도 없다. 너 두고 서버 좀 파 봐.

참마 두고 서버요?

희식 거기 물건들 홈페이지랑 어플에 다 올라가 있잖아.
서버를 파서 올라가 있는 물건 추적해 봐. 그 소스 코드 추적하다 보면 마약으로 둔갑한 물건을 찾을 수 있을지도 몰라.

참마 형… 저 요즘 일이 정말 너무 많아요. 잠을 못 자서 심장 쿵쾅거린다고요.

희식 (어깨 툭 치고) 부탁한다? (나가려 하면)

참마 선배들한텐 뭐라 해요?

희식 (글쎄?) 그건 네가 알아서 해.

참마 아 진짜~

CUT TO

희식, 기분 가뿐하게 지구대 밖으로 나오면 영탁 부재중이 엄청 찍혀 있다.

짧은 한숨과 함께 영탁에게 문자 보내려고 하면 금주에게서 문자가 도착한다.

금주(소리) 강 경위 내일 저녁 6시 금주호텔 슈페리어룸에서 파티가 있으니 꼭 참석해 줘요.

희식 파티?

밝은 스윙 음악 (ON)

S#37 금주호텔 슈페리어룸 /N

파티 분위기가 한창이다. 음식을 준비하는 메이드들의 모습이 보인다.
봉고와 남인이 팔짱을 끼고 깨끗한 턱시도를 입고 등장한다.
금동 역시 턱시도를 입고 등장한다. 파티 테이블 앞에 자리 배치표를 본 세 남자,
각자 배치표에 맞게 자리 잡고 앉으면 중간이 등장한다.
화려한 드레스와 눈부신 보석을 두른 중간.
그 모습에 메이드들 중간에게 길을 터준 뒤 이열종대로 서서 박수 친다.
정 비서 역시 강렬한 파티 드레스를 입고 등장한다.
룸 밖에서 서성이던 준희가 기웃거리면, 정장 입은 남길과
금주의 프라이빗 레스토랑 매니저가 그런 준희를 예의 바르게

안으로 들인다.

[인서트] 호텔 주차장
주차장에 차를 대는 희식, 차에서 내린다. 대충 차려입었지만 뿜어져 나오는 멋짐.
희식, 차에서 내린다.

- 다시 연회장 -
필리핀 남자 가수의 클래식하지만 뽕삘나는 팝 메들리가 시작된다.
준희, 팔짱을 끼고 자리에 앉히는 중간. 준희, 어색하게 자리에 앉고.
남인, 옷이 터질 거 같다. 그런 남인의 양복 단추 열어 주는 봉고의 다정함.
이때 드디어 문이 열리고 남순과 금주가 등장한다.
귀여운 드레스코드의 남순, 화려하고 우아함 그 자체인 금주가 팔짱 끼고 등장.
필리핀 남자 가수의 음악은 절정에 다다르고.
금주가 상석에 앉는다. 봉고와 금동이 마주 보고 중간과 준희가 마주 앉는다.
남순의 앞은 비어 있다. 이때 희식이 남길과 매니저의 에스코트 받으며 들어온다.
희식이 들어오자 남순이 "간이식~" 하며 방긋 웃고.
희식은 어색하게 남순의 맞은편에 앉는다.

다들 참석이 끝나자 금주가 음악 멈추라는 수신호 보내자 음악은 끊어진다.

금주 오늘 중요한 발표를 할까 해서 이렇게 가족 여러분을 불렀어요. 귀한 시간 내주신 서준희 님 그리고 강희식 님께도 감사드리고 두 분 간단히 자기소개 부탁드려요.

황당해 하는 희식과 준희.

희식 (주변의 강렬한 시선에 못 이겨 일어난다) 안녕하세요. 저는 강희식이라고 합니다. 직업은 경찰입니다.

금동 남순이와 어떤 사이에요?

희식 (망설이다) 아직은 뭐라 단정지을수 없지만… 꼭 필요한… 사인거… 같습니다. (자리에 앉는다. 뻘쭘)

남순 (방긋)

일동 (고개와 시선 일제히 돌려 준희에게 향하는)

준희 (일어난다) 안녕하세요… 저는 서준희라고 합니다. 직업은 바리스타예요. (뻘쭘) 저희는… (툭) 사귀는 사입니다.

일동 (놀라는)

준희 (늠름하게 자리에 앉는)

중간 (하하 호호 웃으며 박수 친다) 멋있다 우리 준희 씨….

금동 우리 엄마한테 병약한 아들이 있는 건 아세요?

준희 들었습니다.

희식 (풉)

금동　　우리 엄마한테 집 나간 남편이 있는 건 아세요?

준희　　네. 들었습니다. 10년째 행방불명이시란 것도.

봉고　　(남인에게 톡 보낸다) <분위기 어쩔?>

남인　　(봉고에게 톡 보낸다) <독재자가 자기소개하란 게 잘못이라고 봄>

중간　　10년 연락두절이면 자동 이혼이야. 너 좋은 날 왜 초를 쳐?

금주　　참석해 주셔서 감사합니다. 아무쪼록 저의 길 여사와 서준희 님의 앞날에 쌍무지개가 뜨길 희망하며 식전 와인을 들면서 이 파티를 열겠습니다. 자 건배~

일동　　건배!

금주　　그리고 우리 남순이 올해 합방시킬 생각입니다.

희식　　!!

금주　　집안 전통을 계승해야 하니까! (하고, 희식 향해 잔 들어 보이며 부담 준다)

희식　　(당황, 황당)

그렇게 건배하고 와인 마신다. 남순, 희식에게 방긋 웃고 그런 남순에게 잔 들어 보이며 미소 짓는 희식의 눈 맞춤이 어색하다. 그런 두 사람 보고 있는 금주, 대견하고 흐뭇하게 미소 짓는다. 이때 스멀스멀 일어나는 정 비서.

정 비서　　여기 가족분들 다 모인 자리에서 드릴 말씀이 있습니다.

일동　　(보는)

정 비서　　저… 임신했습니다.

일동　　(황당)

정 비서　　(배를 만지며) 아이를 생각해 와인은 삼가려고요. (잔 내려놓고) 아이 아빠는… 강봉고 씨입니다!!

중간 (와인 내뿜는, 준희 얼굴에 튀고)

봉고 (일단 상황 파악 안 돼 그저 보고 있자니)

일동 (봉고에게 집중하는)

봉고 (사태 파악하고 어이없다는 듯 웃으며) 정 비서 왜 그런 농담을….

정 비서 선생님… 이제 우리 밝혀요. 뭐가 무서워요? 우리 떳떳하자고요.

봉고 (황당해서) 뭐라는 거야? 아니 나한테 왜 그래? (사람들 향해) 아니야… 나 아니라고….

금동 엑스 매형… (배신감으로) 정말 너무 하시네요.

봉고 나 진짜 아니라니까!!!

정 비서 뱃속의 아이를 생각해야죠. 어차피 두분은 이미 끝났잖아요.

중간 강 서방 그렇게 안 봤는데… 아메리칸 스타일이네. 여기가 무슨 할리우드야?! (기가 막힌)

준희/희식 (그냥 얼굴이 허얘져 구경만 하고 있는)

일동 전부, "어떻게…", "아니 무슨…" 수군거리고… 이때 어디선가 '쿵!!' 소리.
보면, 금주가 놀라 기절초풍해 쓰러지면 금동이 "누나!!" 달려간다.
금동, 2L 생수병을 힘겹게 들고 뚜껑을 따는데 잘 안 따진다.
겨우 따고는 손에 물 묻혀 금주에게 뿌리는데. 힘이 약해 얼굴에 튀지도 않는다.

남인 아빠. 진짜 실망이야.

봉고 나 아니야!! (주변 보며) 아니야!! 아니라고!! (미치겠는데)

이때 불이 꺼진다. 그리고 폭탄 소리 같은 게 난다. 일동 정적이 흐른다.
어둠 속 연회장 천장에 레이저 빔이 쏘아진다. <강봉고의 생일을 축하합니다>
가족들의 박수 소리와 함께 외쳐지는 "서프라이즈!!"
"생일 축하해." "생일 축하해요 매형." "해피버스데이 엑스 사위." "아빠 생일 축하해." 이어지는 봉고의 흐느끼는 소리… "꼭 이렇게 해야 돼?"
불이 켜진다. 봉고는 기쁘기 보다 놀래서 울먹인다.
일동 박수 치고 황당한 건 준희와 희식 뿐. 멍하다.

금주 (환하게 웃는) 생일 축하해 강봉고.

그러자 직원들이 봉고의 선물을 들고 나온다. 10만 원짜리 수표로 접어 만든 엄청나게 큰 꽃 화환이 보이고. 꽃 화환을 받은 봉고. 크기가 너무 커 반이 가려진다.
황망하기 짝이 없는 상황에 정신 못 차리는 봉고는 꽃 화환에 정신도 얼굴도 다 파묻힌. 이때 금주와 중간, 손을 잡고 무대로 향한다.
중간이 피아노 연주를 하고 금주가 샹송 같은 고상한 노래를 폼 잡고 부른다.

가족들 아예 무관심하고 무대를 보고 있는 건 행복하게 웃는 남순과 황당하게 보고 있는 희식과 준희뿐. 나머지는 듣는 둥 마는 둥. 하루 이틀인가.

봉고 (톡 보내는) <난 정말 황금주 이런 투머치에 질렸다>

남인 (답글 보내는) <ㅋㅋㅋ 난 이번 파티 맘에 들어. 기획도 신선>

금주의 끈적하지만 시리어스한 노래는 계속되고 느끼듯 연주를 하는 중간의 표정.
이때 바이킹 잔들과 엄청난 술탑이 테이블에 올려져 웨건에 실려 들어오고.

CUT TO
스테이크류의 식사가 세팅된다. 식사를 시작하는 사람들.
행복한 사람들의 모습들 가운데.
남인의 시선으로 보이는 그 맛있는 고급 스테이크가 돌덩이처럼 딱딱하게 보인다.
남인 먹다가 결국 포크와 수저를 놓는다.
그런 남인을 보는 봉고. "쟤가 왜 저래?" 하는 의구심 어린 표정이다.

CUT TO
식사가 끝나고.
금주는 비싼 와인을 폭탄주로 말아 넣는다. 탑 위로 붓는 일명

드라큘라주.

금주가 술을 말고 있는 동안 메이드들, 숙취 음료를 테이블 위에 쌓는다.

봉고, 금동, 남인, 오토매틱으로 그 음료를 따서 마시기 시작한다.

봉고 (준희와 희식에게) 마셔 둬요. 살아서 나가고 싶으면.

희식 (얼른 따서 마신다)

준희 (뒤따라 따서 마시는데)

금주, 남순에게 큰 글라스를 건네고 술을 따라 준다.

남순, 그대로 원 샷 한다. '캬아~~~' 박수 치는 사람들.

그렇게 '건배~' 하며 술을 마시는 사람들.

S#38 동 연회장 테라스 /N

중간과 준희, 부둥켜 안겨 술에 취해 춤을 추고 있다.

테라스로 걸어 들어오는 남순과 희식, 중간과 준희 모습에 미소 짓는다.

희식 몽골에 계신 부모님하고는 연락해? 너 키워 준 분들 말야.

남순 보고 싶어. 몽골 엄마 아빠. 할 수 있다면 다 같이 살고 싶어.

희식 살면서 가장 아픈 게… 좋아하는 사람과 헤어지는 거야.

남순 헤어져 봤어?

희식　　응 우리 형.

남순　　…

희식　　형이 내가 열여덟 살 때 저기 저 별이 되어 하늘로 갔어.

남순　　(놀라는)

희식　　유학 중이었는데 형이 사고가 났어. 미국에서… 총기 사고.

남순　　하… 그래서 간이식이 경찰이 됐구나.

희식　　늦게 만난 쌍둥이 동생한테 잘해 줘. 난 형이 살아 있음 내가 가진 거 다 줄 수도 있을 거 같거든.

남순　　(끄덕) 응. 그럴게. 간이식~ 너 그래도 씩씩하게 잘 이겨 냈네. 역시 내 브라더~

희식　　널 보면 늘 기분이 좋아. 넌 날 기분 좋게 만들어.

남순　　… 나도… 그런데….

남순과 희식, 술도 마셨겠다 묘한 눈빛들이 교차하다 키스할 듯 서로 보는 순간!!
'쿵!!' 소리에 돌아보면, 저 멀리 테라스 일각에 준희가 과음으로 쓰러졌다.
술이 깨는 중간, 그대로 준희를 둘러업고는 연회장 룸으로 들어간다.

- 동 연회장 룸 -

중간　　스위트룸 비었어?

금주　　(누가 들을까 겁난다) 집으로 모셔. 기사 부를 테니까.

중간 뭐라는 거야. 여기가 호텔인데 왜 집으로 모셔. 빨리 스위트룸 콜 해.

금주 (한숨) (근처에 있는 매니저 손짓으로 부르는)

- 다른 일각 -
남인과 봉고, 서로를 챙기는 모습.
정 비서와 금동, 시큰둥하게 카나페를 먹고 있는 모습.
준희를 업고 스위트룸으로 향하는 중간의 모습.
마지막으로 남순과 희식, 서로 행복하게 바라보고 있는 모습.
이 모든 모습이 금주의 시선에 들어오면서. 금주가 행복하게 웃는다.

S#39 호텔 사우나 /N

숙취로 힘들어 하는 남인, 금동, 봉고. 디톡스 하러 사우나에 들어 왔다.
희식이는 다음날 출근이라 졸린데 묘하게 껴서 힘센 여자 집안에 대한 이야기를 듣는다. 희식이 '허걱' 하는 그들의 대화.

봉고 막장 서프라이즈 그거 황금주 아이디어지?

금동 당연하죠. 막장력 만렙이잖아요 누나.
(희식 보면서) 술을 많이 마시던데… 그거 다 사위 테스트예요.
엑스 매형도 결혼 전에 술을 궤짝으로 마시고 통과했거든요.

봉고　　8할은 황금주가 마셔 줬어. 부담 주지 마. 그냥 친구라잖아.

남인　　우리 누나는 우리 엄마랑 달라요. 착한 사람이니까 상처 주지 마세요.

봉고　　딸을 낳아야 돼. 이 집안에 사위가 되면 그게 운명이야. 반드시 딸을 낳아 줘야 해. 대를 이어야 한다고.

희식　　(헉)

중간(소리)　　참하더라. 보쌈이라도 해 오고 싶던데… 요샌 그럼 납치잖아.

S#40 노천 목욕탕 /N

멀쩡한 중간, 금주, 남순, 세 모녀가 야외 노천탕에서 목욕을 하고 있다. 가운 입고.

남순　　할머니 간이식 잘생겼지?

중간　　응. 아주 잘생겼어. 잘생긴 남자여야 이쁜 딸을 낳거든.

금주　　사람 인물만 보면 안 돼. 더 살펴봐. 나도 네 아빠 너무 인물 위주로만 봐서 이렇게 된 거라고.

중간　　(어이없게 보는) 강 서방이 네 눈엔 그케 잘생겼냐?

금주　　걔 생긴 건 괜찮지. 하는 짓이 메롱이라 그르지… 이목구비 뚜렷하고 두상이랑 귀가 얼마나 이쁜데.

중간　　두상이랑 귀? 왜 세 번째 발가락이라고 하지. 그러면서 왜 이혼했어? 다시 합쳐 이참에. 남순이도 찾았겠다.

금주 우린 이혼 후 관계가 좋아진 거야. 살면 안 맞아서 또 싸워.

S#41 동 남자 사우나 /N

희식 저기 저는 내일 일찍 출근해야 해서 먼저 나가 보겠습니다.

일동 그래요. / 가 봐요. / 멀리 안 나갑니다.

희식 (나가면)

봉고 맘에 들어.

남인 나도.

금동 요리도 좀 하나? 그거 중요한데 우리 집 남자는. (구시렁)

S#42 동 노천탕 /N

금주 우리 삼모녀가 이렇게 같이 목욕도 하고 술도 한 잔씩 할 날이 오네.

남순 (하늘 보며) 모처럼 서울 달이 크네. 몽골은 정말 하늘도 맑고 달도 커. 무지개 오로라도 자주 볼 수 있는데.

금주 엄마가 밤 무지개 보여 줄까?

남순 어떻게?

금주, 일어나 바가지로 물을 한 대 푼다. 중간도 바가지로 물을 푼다.

그러자 남순이도 물을 푼다.

금주 하나 둘 셋 하면 동시에 하늘로 뿌리는 거다. 하나 둘 셋!

- 느린 화면 -
세 모녀 바가지 물을 힘껏 저 하늘로 뿌린다. 하늘 위로 솟구치는 물들.
그러더니 그 물들이 하늘로 올라가서 달빛을 받아 반짝이는 밤 무지개가 된다.

남순 우와!

[인서트] 거리 /N
희식, 호텔에서 나와 걷고 있다. 속이 쓰리지만 기분은 왠지 좋은데… 갑자기 비가 내린다.

희식 (구시렁) 마른 하늘에 비? 뭐야….

희식, 그렇게 주위 돌아보면 자신이 걷고 있는 곳에만 비가 오고 저만치 보이는 달빛에 반짝이는 무지개.
신기한 듯 보고 있는 희식의 행복한 표정.

- 다시 노천탕 -
그리고 세 모녀, 그 무지개를 보며 어깨동무 중이다.

금주　　이런 밤 무지개를 우린 만들 수 있어. 그러니 이런 특권을 누리는 만큼 세상을 위해 뭔가 해야겠지?

그 밤 무지개가 서서히 사라지고 해가 뜨는 (타입랩스) 아침이 밝아 온다.

경적 소리 (E)

S#43　두고 차량 /D

하차맨이 차량에 머리를 박고 죽어 있다. 그 바람에 경적 소리가 계속 울리고.
주변에 사람들이 차량 근처로 모이면서 입을 틀어막고 있다.
"어머 죽었나 봐."

S#44　동 물류 창고 일각 - 동 마수대 (교차) /D

남순　　(희식과 통화 중) 나 방금 대표가 방으로 불렀어. 이제 물류 창고 일하지 말래.
희식　　뭐?
남순　　있다가 다시 연락할게. (전화 끊는)
희식　　(불안한 표정인데)

영탁 야. 강희식. 팀장님하고 연락 돼? 지금 팀장님 출근도 안 하고 연락도 안 돼.

희식 !!

S#45 두고 류시오의 대표 이사실 /D

남순, 대표 방을 노크한 뒤 들어가면. 류시오, 운동 중이었는지 숨을 헐떡이며 와이셔츠를 입고 있다.

류시오 어서 와요.

남순 …

류시오 돈 벌고 싶죠?

남순 …

류시오 (커프스 단추 잠그며, 남순 본다) 내가 체첵 씨를 키워 주고 싶은데….

남순 나… 키는 쪼끄매도 다 컸는데 당신이 어떻게 키워?

류시오 내 사람이 돼 줘요. 당신을… 두고의 '로비스트!!'로 키우고 싶어.

남순 !!

류시오 당신의 인생을 바꿔 줄게. 부와 명예를 가지게 해 줄게.

남순 (동공이 떨린다. 이내) 좋아!

류시오 대신 테스트를 통과해야 돼.

남순 테스트?

S#46 아침의 전경 (몽타주)

1. 동 마수대
희식, 그대로 일어나 밖으로 나가 자신의 차에 탄다.
차를 몰고 어디론가 향한다. 다급한 표정이다.

2. 남인의 사주 카페
그때 남인에게 알약 준 여자가 다가와 환하게 미소 지으며 남인에게 알약이 3개 담긴 병을 건넨다. 남인 그 알약을 만질까 말까 주저주저 하다 결국 '훽!'

3. 류시오의 차량 안
이동 중인 류시오 차량. 뒷자리에 앉아 있는 류시오와 남순.

S#47 어느 폐공장 /D

남순과 류시오가 그 폐공장에 들어온다.
불이 환하게 밝혀짐과 동시에 주변을 둘러보는 남순. 류시오가 어딘가에 앉는다.

류시오 불안해하지 마요. 죽게 두진 않을 테니까. (하고, 버튼 작동을 하자)

남순이 서 있던 자리에 철문이 확 닫히면 어디선가 기계음이 시작된다.
위에서 대형 압축 프레스기가 내려오자 남순, 그대로 쓰러진다.
엄청난 프레스기의 무게를 두 발로 버티는 남순의 팽팽한 긴장.
류시오가 프레스기 압력을 높이자. 두 손까지 사용해 프레스기를 막는 남순인데!

S#48 금주의 집 - 호텔 스위트룸 (교차) /D

- 금주 커피를 마시다 느껴지는 동기 감응. '삐이~~' 심장에서 신호가 온다.
- 호텔 스위트룸에서 자고 있던 가운 차림의 중간, 동기 감응을 하고 심장을 부여잡으며 잠에서 깬다.
- 금주의 서재에 있던 배트우먼 가죽 슈트가 비춰지고.

S#49 동 폐공장 /D

남순이 온 힘을 다해 프레스기를 발로 차 버리자, 위로 올라가는 프레스기.
그런데! 가속이 붙어 그대로 수직 하강하는데!
부감으로 보이는 - 위기에 처한, 남순의 놀란 표정에서!!

S#50 거리 /D

가죽 부츠 황금주가 오토바이를 타고 달리고 있다.

S#51 엔딩 /D

위기에 처한 남순과 달려가는 금주의 모습에서.

<7화 엔딩>

제8화

강남의 빛과 그림자

(Brightness and Darkness In Gang-Nam)

Title In "강남의 빛과 그림자 (Brightness and Darkness In Gang-Nam)"

S#1 금주의 서재 (7화 S#48 확장) /D

금주, 커피를 마시다 느껴지는 동기 감응. '삐이~~' 심장에서 신호가 온다.
남순에게 무슨 일이 생긴 것이 틀림없다.
얼른 휴대폰 들어 남순의 위치를 추적해 본다.
카메라는 금주의 황금 부츠 착장을 비춰 주고.

S#2 금주의 주차 공간 /D

금주, 그대로 오토바이에 올라타고 '부릉~' 출발시킨다.

S#3　거리 (7화 S#50 확장) /D

금주, 그렇게 오토바이를 달리고 있다.
거치대에 올려진 금주의 폰. 남순의 위치가 깜빡거린다.

S#4　주차장 /D

희식, 팀장에게 전화하지만 받지 않는다. 차에 오르던 순간 전화 온다.

희식　　여보세요?

- 교차 - 마수대

참마　　형 얘네 안 뚫려요. 자꾸 중간에 끊기는 게 안티 디버깅 걸어 논 것 같아요. 다른 소스도 마찬가지고… 거의 우주 방어 수준인데요?

희식　　(한숨) 그래도 어떻게든 뚫어 봐. 나 지금 팀장님 집에 가 볼 거야. 팀장님 전화 안 받아. (전화 끊고는 그대로 핸들 돌려 팀장 집으로 향한다)

S#5　동 폐공장 (7화 S#49 확장) /D

남순이 온 힘을 다해 프레스기를 발로 차 버리자, 위로 올라가는 프레스기.
그런데! 가속이 붙어 그대로 수직 하강하는데 부감으로 보이는 위기에 처한, 남순의 놀란 표정에서!! (7화 S#49)
남순, '으악!' 구령하며 그대로 주먹으로 그 프레스기를 올려친다.

음악 (ON) 칭기즈 칸의 '칭기즈 칸' (혹은 비슷한 바이브의 음악)

- 멈춤 화면 -
남순의 주먹에 그대로 우그러지는 프레스기.
남순, 멈추고 튀어나와 철문을 박찬다.
상황 보고 있던 류시오, 마른침을 삼킨다.
자기가 본 그때의 그 여자의 괴력은 사실이구나. 온몸에 소름이 돋듯 놀라는 류시오.
이어 그 눈빛 희열에 차오르듯 싸늘하게 웃으면!

머리에 바람 불어넣으며 걸어가는 남순의 모습이 환상처럼 햇빛 속으로 사라진다.
남순을 감탄하며 보는 갈치와 카일.

S#6 동 거리 /D

금주, 동기 감응이 사라지자 오토바이를 세운다. (몸 안에 있던 오라가 사라진) 헬멧을 벗고 머리 털면 남순이 안전함을 느낀 듯, 피식 웃음이 난다.

잠시 숨 좀 돌리듯 망중한 즐기다 이내 다시 오토바이에 타려는 금주. 그런 금주 앞에 오토바이족 사내 둘이 멈춘다.

덩치 큰 사내가 오토바이에서 내려 어슬렁거리듯 금주에게 다가오면 징그럽게 씩 쪼개는 사이로 금니가 반짝. 다른 사내는 뒤에서 망보듯 살피는.

오토바이맨 (금주 오토바이 한 번 금주 한 번 살피다) 소속?

금주 …

오토바이맨 어느 바이크 동호회 소속? 소속 동호회 이름이 뭐냐고.

금주 무소속인데.

오토바이맨 (헬멧을 오토바이에 탁 올려놓으며) 남편 뒤에서 텐덤이나 할 것이지. 여자가 이렇게 혼자 겁 없이 쏘다니면 쓰나. 간덩이 부은 게 맘에 드네. 우리 동호회 들어와라.

금주 (그제야 짜증나는지 오토바이에서 내려 사내를 노려본다)

오토바이맨 (금주를 보며 또 징그럽게 웃는다, 그리고는 안주머니에서 명함 건넨다) 예쁜 누나라 특별히 잘 챙겨 줄게. 내 타입이라…. (윙크하고 가려는데)

금주 이거 (금주 바이크 위에 올려둔 오토바이맨 헬멧을 건네려 하자)

오토바이맨 (아 깜빡했네 하는 식으로 받으려 한다)

금주 (헬멧 딱 들어서 하나하나 과자 부수듯 부순다)

오토바이맨과 그 뒤에 가드치던 다른 사내, 금주의 힘에 놀라 눈이 커진다.

금주, 마무리로 헬멧 본체를 두 손으로 바작바작 부수자 잔해가 바닥에 쏟아진다.

금주 그 동호회 가면 너같이 불어 터진 라면 같은 놈 말고 쫄면 같은 남자가 내 뒤에서 텐덤해? 그럼 들어가고.

사내 둘 (완전 쫄아서 있자)

금주 너! 앞으로 여자들한테 그딴 식으로 개소리하면 담엔 네가 이 헬멧처럼 박살 나. 알았니?

오토바이맨 (쫄아서) 네.

금주 (오토바이 탁 앉으며) 너 내가 없다고 네가 뭐 하는지 못 볼 거라 생각하면 큰나. 나 인천 앞바다에 있어도 네가 똥 싸는지 오줌 싸는지 다 알아.

오토바이맨 ??!!

금주 헬멧 가루 깨끗하게 치우고 가. 가루 한 알이라도 남기면 그게 네 식도에 박혀 밥 먹을 때마다 걸리게 할 거야. 환경 오염? 알지? 예쁜 누나 간다…. (하고, '획' 오토바이 출발시키고 '부릉~~')

남겨진 두 사내 '벙!' 쪄서 얼어붙어 있다가 순간 정신이 바짝 든 듯 일제히 바닥에 가루된 헬멧을 손으로 긁어모으기 시작한다.

S#7 금주호텔 스위트룸 /D

동기 감응으로 잠을 설치던 중간, 다시 잠자리에 들려고 하는데 옆자리 준희가 없다.

중간, '준희 씨 준희 씨…' 찾으면 욕실에서 샤워를 마치고 가운 차림으로 나오는 준희. 자신도 모르게 배시시 미소가. '히히히…'

준희 해장해야죠 중간 씨. 어제 새벽까지 달리셨잖아요.

중간 (애교 가득) 내려가요. 이 호텔에 특식 선지 해장국이 있어요.

중간, 기지개 켜고 일어나 침대에서 벗어난다. 너무나 깜찍하고 귀여운 잠옷 차림으로 모닝 스트레칭하면 허리가 완전 아치형으로 꺾인다. 준희, '헉!' 놀라는 데서.

S#8 어느 아파트 복도 (7화 S#46 연결되는 동선) /D

희식, 팀장의 집 앞이다. 벨을 누르려는데 팀장이 밖으로 나온다.

희식 (팀장이 무사하자 안도하며) 왜 전화는 안 받으세요?

팀장 그래서 일부러 왔어? 나 걱정돼서?

희식 그럼요.

팀장 걱정 마. 나 괜찮아. (앞서 걸어가다) 참. 물도 마셔 봤는데….

희식 (헉) 언제부터요!

팀장 너네 집 나오고… 하루 더 지났나? 그 뒤론 마셔도 멀쩡해… 하하. (컨디션 좋아 보인다)

두 사람, 엘리베이터 앞에 도착한다.
희식, 팀장을 못 미덥다는 듯한 시선으로 바라본다.
엘리베이터 문 열린다. 두 사람 안으로 들어가고 문이 닫히고.

S#9 동 엘리베이터 안 /D

희식과 팀장, 함께 서 있다. 편안해 보이는 팀장의 모습 위로.

[인서트] (회상) 팀장의 집 일각 /D
팀장. 옷걸이에 걸린 겉옷 주머니에서 무언가 꺼낸다. 마스크 조각이 조금 담긴 지퍼백인데. 마스크 작은 조각(0.2ml)을 그대로 입에 넣는다. 그리고 물을 마신다.

그때 희식의 전화 울린다. 전화 받는 희식.

희식 여보세요? (듣는) (표정 어두워지고) 알았어요.
(전화 끊는) 또 사망자 나왔대요.

팀장 눈빛 이상해지고 자신의 상황을 숨기듯 서 있다.
그런 팀장의 주먹에 힘줄이 팟팟 튀어나온다.

S#10 금주호텔 레스토랑 (노숙자 커플이 쭉 조식 먹었던 동 장소) /D

호텔 조식을 먹는 중간과 준희. 선지 해장국을 먹고 있다.

중간　　맛있죠?

준희　　호텔 선짓국이라서 그런가요? 선짓국이 맛이 정말 깊네요.

중간　　하하하하… 뼈를 다 손으로 부숴서 그래요. 손 칼국수가 아니라 손 선짓국이랄까? 하하하.

준희　　중간 씨… 이름은 중간인데 뭐하나 중간인 건 없는 우리 중간 씨….

중간　　(귀엽게 웃으며) 우리 중간 씨… 아흐… 설레게 왜 그래 술 깨기 싫게.

준희　　이 호텔이 그럼 중간 씨 따님 거란 거예요?

중간　　네.

준희　　아직 나이도 젊던데… 집 나간 남편이 행방불명된 재벌? 그래서 상속? 받은 거예요?

중간　　아니 아니… 그 사람은 거지예요. 가진 거 부* 두 쪽 뿐이었어.

준희　　(놀랄 뿐인, 무안해 헛기침)

중간　　우리 딸이 공부를 못하드라고 학교 다닐 때부터. 초딩 때도 구구단을 1년 동안 외우더라고… 짠하죠?

준희　　(인정할 수밖에 없다) 그러네요.

중간　　그래서 내가 얘는 공부는 텄다 싶어서 아예 그때부터 공부는 안 시켰어. 내가 마장동에서 정육점을 했잖아요. 거기 데리고 다니면서 카운터에 앉히고 돈 계산을 시켰더니… 구구단이 뭐야 두 자릿수 곱하기도 바로 되더라니까요. 돈에 대한 감이 남다르단 걸 알았지.

준희　　(끄덕끄덕) 그럴 수도 있군요.

중간　　개 스무살 때 대학 안 보내고 대학 보낼 돈이랑 지가 정육점에서 일한 아르바이트비 모은 돈 1억을 종잣돈으로 줬어요. 뭐든 해 보라고.

[인서트] (회상) /D

<자막: 1999년>

중간의 앞에 앉아 있는 금주. 중간은 소뼈를 턱, 손에 들고 있다. 그들 사이에는 1만 원권(5만 원권 없던 시절)의 돈뭉치.

금주　　3년 안에 이 돈을 10억으로 만들게. 그리고 5년 안에… 반드시 50억으로 만들게.

중간　　불법으로 탈세 투기라도 하려고?

금주　　그럴 리가!

중간　　그럼 어떻게 뭐부터 시작할 거야?

금주　　엄마 정육점의 모든 소뼈와 선지를 나한테 원가로 납품해 줘. 1억 중 3천으로 선지 해장국집을 차릴 거야! 나머지 3천은 주식을 살거고. 나머지 4천으로 봐둔 임야를 살까 해.

- 다시 동 호텔 -

중간　　선짓국집은 정말 초대박이 났어요. 거기다 개가 산 주식은 3년 후에 상장하면서 10배가 됐죠. 문제는 그 임야예요. 그냥 밭떼

기랑 쓰지도 못할 산을 사서 묘목 사업하는 양반에게 빌려주고 수익의 10프로를 받았는데 그 묘목 사업이 말 그대로 대박이 난 거지. 그리고 그 임야가 아파트로 개발된 거 있죠? 우주의 에너지가 내 딸 주변을 휘젓고 다니는 거 같더라고요.

준희 (신통방통해 입 쩍 벌리고 듣고 있다)

중간 근데 그 임야를 그냥 판 게 아니라 아파트 시공하는데 같이 뛰어든 거예요.

[인서트] (회상) 아파트 건설 현장 /D

금주가 용역 깡패 하나를 들어 그대로 날린다. 사색이 된 용역 깡패들 모습 위로.

중간(소리) 남자들이 판을 치던 건설 현장을 혼자 힘으로 평정을 했어요.

중간 손대는 것마다 황금이 되는 말 그대로 황금손이 된 거지. 나이 스물넷에. 자산이 당시 돈 100억이 된 거예요.

[인서트] (회상) /D

중간의 앞에 앉아 있는 금주. 중간은 여전히 소뼈를 턱, 손에 들고 있다.

그들 사이에는 1억의 돈뭉치가 10억으로 불어나 있다.

금주 약속대로 10억이야. 받아. 고마웠어 길 여사.

중간 (그 돈 소뼈로 다시 금주에게 쭉 밀며) 5년 뒤에 100억으로 돌려줘.

재투자한다. 내 딸이 아닌 황금주 사장에게!

금주 … 그러지. 5년 뒤에 100억 플러스 알파 조건은?

중간 5년 뒤에 정육점 그만둘 거야. 내 노후 즉 내가 죽을 때까지 매달 5천만 원씩 용돈을 줘. 할 수 있겠어? 자신 없어?

금주 그럴 리가!

- 다시 동 호텔 -

중간 돈이 돈을 낳는다고… 손대는 것마다 터졌죠.
무슨 일까지 있었는지 알아요?

- 중간의 소리 위로, 장면 애니메이션화 -

중간(소리) 금주가 남인이, 남순이가 네 살이 되었을 때 강 서방이랑 아프리카 케냐에 놀러 갔어요. 남순이가 코끼리와 사자가 보고 싶단 이유로. 거기서 뜬금없이 선짓국집 단골이던 택시 기사를 만난 거예요. 그 양반이 나이로비에서 외교관 기사 일을 해 주고 있었어요. 근데 대사관 관저가 불이 나면서 관저를 다른 데로 옮기게 된 거예요. 그때 금주가 불난 관저를 한국 정부한테 싸게 샀죠. 그 땅에 별장을 지으려고. 남순이가 너무너무 아프리카 초원을 좋아하더래요. 그래서….

준희 (드라마보다 재밌다) 그래서요.

중간 무슨 일이 일어났게요?

준희 빨리 얘기해요.

중간 그게요… (하는데, 휴대폰 울린다. 전화 받는) 여보세요?

준희 (궁금해서 애가 탄다) 아 진짜… 무슨 일이 일어난 거야….

중간 (O.L) 아니 용감한 시민상 표창은 무슨? 아 됐어. 됐다고.

- 동 호텔 다른 테이블 -

쓸쓸하게 혼자 밥을 먹고 있는 노 선생과 지현수. 어제 과음했는지 해장국을 먹고 있는 노 선생. 격식 있는 조식을 먹고 있는 지현수. 예전과 다르게 뭔가 변한 듯한 두 사람.

노 선생 (혼자 중얼) 오늘이 호텔 조식 마지막날이네… (선짓국 한술 뜨는데) 하… 이 선짓국 너무 맛있어. 한번 먹어 봐.

지현수 … (그저 자신의 조식을 먹을 뿐)

노 선생 방은 새로 구했어?

지현수 네. 오늘 들어가요.

노 선생 자기… 좀… 변한 거 같아.

지현수 뭐가요?

노 선생 따뜻함이 사라졌어. 돈이 생기고 나서부터인지 아님 자기가 배우를 시작하면서부터인지 모르겠지만 예전과 달라.

지현수 노 선생… 우리 이제… 연인 관계는… 이쯤에서 정리해요.

노 선생 (눈가 빨개져) 사랑이 어떻게 변하니?

지현수 세상에서 제일 변하기 쉬운 게 사랑이에요.

노 선생 여자… 생겼어?

지현수 그런 거… 아니에요. 난 환승 안 해요. 지하철도 환승하는 코스면 버스 탈 정도로 환승 싫어해요.

노 선생 근데 왜… 갑자기… 나한테 이러는 건데.

지현수 더 이상… 노 선생을… 지켜 줄 필요가 없어졌잖아요.

노 선생 …

지현수 내가 노 선생을 좋아하고 우리가 하나 될 수 있었던 건… 서로에 대한 연민이었어요. 근데… 이젠 서로가 없어도 살아갈 수 있잖아요.

노 선생 삼각김밥 나눠 먹던 그 시절로 차라리 돌아가고 싶다.

지현수 난 절대 결단코 돌아가고 싶지 않아요.

노 선생 (그런 지현수를 안타깝게 쳐다보는 데서)

지현수 (그 시선 아랑곳 하지 않고 그저 절도 있게 식사를 마무리하는 데서)

- 다시 중간의 테이블 -

중간 강남 경찰서에서 용감한 시민상 표창 받으러 오래잖아요. 귀찮게.

준희 그 다음은 어떻게 됐어요. 그 관저를 사서 따님한테 무슨 일이 일어났냐고요!

중간 (약 올리듯) 보채지 말고 기다려 좀!

준희 (버럭) 중간 씨!!!

중간 (그런 준희 약 올리듯 보며) 광고 보고 오실까용~~?

S#11 금주의 집 /D

금주, 가죽옷을 갈아입고 출근 준비를 한다. 오늘은 4/4분기 임원 모임이라 더욱 신경 쓰는 금주, 고급 악세사리와 시계들 가운데 하나 골라 착장한다.

S#12 어느 건물 일각 /D

전당포가 아닌 건물 안을 걷고 있는 금주의 모습. 그 뒤로 정 비서가 걷고 있다.

S#13 동 건물 내 회의실 /D

금주가 들어가면 금주의 테스크포스들 모두 먼저 와 브리핑을 기다리고 있다.
족히 10명은 되어 보이는 사람들, 그 가운데는 남길이도 보이고 금주일보 편집장도 보인다. 정 비서가 앞에서 진행한다.

정 비서 4/4분기 금주 그룹 중요 안건 회의를 시작하겠습니다.
금주금융지주, 금주건설, 금주일보, 금주호텔, 골드블루 각 대표님들 참석해 주셨고요. 법무 팀장님, 그리고 홍보 팀장님, 회계 팀장님 참석해 주셨습니다.
우선 회계 팀장님 이번 분기 그룹 총결산 부탁드립니다.

참석한 일동 전원, 아이패드를 들어 내용을 확인하는 모습에서.

S#14 봉고 사진관 /D

사진관 앞에 걸려 있는 봉고의 가족사진. 카메라, 사진관 안으로 들어가면 남인이 다이어트약과 약통에 붙은 계좌(5화 S#39에서 받은)와 명함을 보고 있다. 그런 남인의 모습 위로.

[인서트] (회상) 남인의 사주 카페 /D
다이어트약 건네는 태리.

태리 한 알만 더 먹어 봐요. 확실히 효과가 있을 테니. (하면서, 명함을 건네고 일어난다)

남인, 결국 명함에 적힌 계좌번호로 이체한다. 5백만 원을 입금하는 데서.

S#15 두고 류시오의 대표 이사실 /D

류시오와 남순, 마주 보고 서 있다.

류시오 대외협력팀 입사 축하해요 체첵 씨.
남순 근데… 앞으로 나 시험하는 짓은 하지 마. 기분 나쁘니까.
류시오 알았어요. 이젠 체첵 씨한테 어떤 시험도 하지 않을 거니까 안심해요. 근데… 그 힘… 대체 어떻게 설명할 겁니까? 몽골에서 특별한 훈련이라도 받은 건가요… 아니면 뭔가 (눈빛, 표정) 특별한 음식이라도 먹는… 거예요?

남순 …

금주(소리) 그 사람 앞에서 힘센 게… 집안 여자들 혈통이란 얘기는 절대 하면 안 돼.

남순 차차 얘기해 줄게.

류시오 … (보다가 끄덕) 그래요… 차차 합시다 우리.

남순 그건 그렇고… 일단 물류 창고 마무리는 해야잖아.
허 팀장이랑 얘기하고 다시 올게. 수고. (하고, 휙 나간다)

류시오 (남겨진 채, 표정) 뭐야…. (피식)

S#16 동 물류 창고 일각 /D

남순, 물류 창고에 도착해 핸드폰 확인하면 '간이식'으로부터 10통이 더 와 있다.
그제야 희식에게 전화 거는데.

S#17 사건 현장 일각 - 물류 창고 일각 (교차) /D

또 누군가가 사망한 사건 현장을 망연자실해 보고 있는 희식.
이때 남순에게서 전화가 온다. 얼른 현장 벗어나 전화 받는 희식.

희식　　야 강남순. 너 왜 이렇게 연락이 안 돼. 걱정했잖아.

남순　　나 테스트 통과하고 류시오랑 일하게 됐어.
대외협력팀? 뭐 그런 건데… 아무튼 수사에 가까워진 건 확실해.

희식　　뭐? 테스트? 무슨 테스트?

남순　　힘 테스트를 하더라고.

희식　　뭐? 힘을 테스트해?

남순　　응. 아무튼 가뿐히 합격했지. 내가 짜부된 게 아니라 프레스기를 짜부시켰으니까.

희식　　프레스기로 널 눌렀다고? (화나는) 미친 새끼 아니야?

남순　　야. 난 여기서 내 할 일을 할 테니까 넌 수사에 집중해 알았지?
(하는데, 울리는 허 팀장 전화) 간이식 이따 다시 연락할게.
(허 팀장 전화 받는) 여보세요?

[인서트] 허 팀장 집 - 화장실 /D
허 팀장, 다크서클이 윗입술까지 내려온 처참한 얼굴로 양변기에 앉아 있다.

허 팀장　　체첵 씨… 나… 허 팀장이야.

남순　　출근 안 하고 뭐 하냐.

허 팀장　　체첵 씨가 시킨 대로 날계란 백 개 먹었는데… 밤새 토사곽란이 왔어.

남순　　그게 뭔데.

허 팀장　　토하고 설사하고 토하고 설사하고 토하고 설사하고….

남순　　(무표정) 드러워.

허 팀장 아무래도 나 입원해야 할 거 같아. (유언하듯 점점 심각해지는) 체첵 씨… 문제는 우리 물류3팀 알바생 홍정호가… 어제 사망했대.

남순 뭐?

허 팀장 내가… 지금… 죽어 가거든… 체첵 씨가 대신 좀….

남순 (표정) 어떻게 죽은 건데?

허 팀장 (죽어 가는) 그건… 나도… 잘… 지금 경찰에 가 봐야 할 거 같은데… 잠시만… 걔 관할이….

허 팀장, 변기에서 벌벌 떨며 휴대폰으로 하차맨 인사기록을 찾아본다. 한 장 한 장 넘기는 손에 힘이 떨어지고 눈의 초점이 흐려지다 드디어 찾아낸다.
인사기록 카드를 '힘센 체첵'에게 전송하고는
사력을 다한 듯 그대로 변기에서 고꾸라져 '훽' 쓰러진다.
하의가 내려진 채 훽 쓰러진 허 팀장. 살색이 드러난 부분이 모자이크 처리된다.
그렇게 전송되는 휴대폰에서.

S#18 금주의 건물 사무실 일각 /D

S#13이 이어진다. 아이패드를 보며 실적 및 사안 보고가 이어지는 회의실 전경.

금주 회계 감사 준비는 제대로 하고 계시죠 회계 팀장님?

회계 팀장 금주 법인과 계약된 모든 회사와 법인에 채권채무 조회서를 발송한 상태입니다.

금주 올해 저는 큰 그림 하나를 그리고 있습니다. 금주일보가 금주미디어로 거듭나면서 적자 케이블로 고전을 면치 못하는 티지비를 인수할까 합니다.

회계 팀장 그런 적자 케이블이 인수 가치가 있을까요?

금주 저도 이제 돈 안되는 일도 해 봐야지 않겠어요? 좀 날리고 털어먹고 해야 황금주도 인간이구나… 할 거고… 하하하. (웃다가 정색)

일동 (그런 금주 멍청히 보자)

금주 (다시 표정 단정히 하며) 채널 이름은 금주TV입니다!!!

S#19 어느 경찰서 (하차맨 관할) /D

경찰서에서 조사 받는 남순.

남순 과로사?

경찰 뭐 카드 빚이 4천만 원이 넘어서 신용불량 되고 그러니 닥치는 대로 일했나 보더라고요.

남순 (딱하다. 맘이 아린데)

경찰 지명 수배자 신고하고 불법 쓰레기 투기 신고하고 뭐 돈 되는 건 다 했더라고. 낮엔 두고 하차랑 배달하고 밤엔 대리 운전하고 휴일엔 야간 포차서 일하고 하루 열여섯 시간 이상을 일했대요. 그렇게 해서 빚 갚아 놓으면 방세가 밀려서 또 쫓겨나야 되고…

악순환이지.

남순　　한국에… 그렇게 가난한 사람이 있어?

경찰　　???

남순　　열심히 일하면 누구나 다… 잘 살 수 있는 나라 아니야? 한국은 그렇다고 하던데….

경찰　　몽골에서 왔다더니 도통 아무것도 모르시네. 한국도 지구에 있는 나라지 무릉도원이 아니야.
가난한 사람이 부자보다 훨씬 많아요.

남순　　… (씁쓸한 표정이다가) 그 친구 가족은 있어?

경찰　　고등학생 남동생 하나 있어요… 고모 집에서 얹혀살더라고.
유족이 시신 인수를 거부했어요. 공영장례로 갈 겁니다.

남순　　(눈빛 깊어진다) 그 고모 집 어디야?

S#20　동 경찰서 밖 /D

경찰서를 나와 걷는 남순, 감정이 복잡하다. 대리 운전 명함을 보니 더욱 그렇다.
이내 뭔가 결심한 듯 씩씩하게 어디론가 '휙휙' 걸어간다.

S#21　두고 류시오의 대표 이사실 /D

류시오, 이사실에 앉아 있으면 체첵의 문자가 날아온다.

남순(소리) 물류 창고 홍정호 씨가 사망했어. 과로로. 출근은 내일부터 할게.

류시오 (그 문자에 표정 굳어져 내선 전화 누른다)

윤 비서 (들어온다)

류시오 물류 창고 직원 사망했어?

윤 비서 네.

류시오 알고 있었는데 왜 보고를 안 해 나한테?

윤 비서 그 친구는 회사 정직원도 아니고 두고에선 파트타임으로 일해요. 그리고 입사한 지 2개월도 안됐고요. 두고에서만 일한 게 아니라 대리 운전 알바에… (눈치보다 결국) 별로 중요한 일이 아니라고 생각돼서 보고 안 드렸….

류시오 (사자후) 중요하고 안 하고는 내가 판단해!! 네가 뭔데 판단해?!!

윤 비서 죄송합니다 대표님, 시정하겠습니다.

류시오 우리 회사 직원이 죽었어. 두고 브랜드 이미지가 지금 얼마나 중요한 시점인데!! (책상 위의 물건 집어 던지는) 언론은….

윤 비서 기자들 손은 이미 다 써 놓은 상태라… 기사는 안 날 겁니다. 기사가 나더라도 두고가 메인 이슈는 될 일이 없다고 했습니다.

류시오 (분노 조절이 안 되어 억지로 참아 내며) 개자식… 왜 내 회사에서 죽고 난리야. 재수 없게.

윤 비서 (표정) !

S#22 어느 임대아파트 문 앞 /D

허름한 임대아파트 전경. 둘러보는 남순, 보면 볼수록 기가 막히다.

종이를 들어보면 홍정호 가족사항이 보인다. '동생 홍정민 17세 주소 서울시 구로구 월광동 (실제 없는 동네) 104호'

남순, 현관문 두드리면 17세 된… 그러나 몹시 약해 보이는 홍정민이 보인다.

남순 안녕… (하다가) 하세요? (하고, 뒤로 보이는 고모에게 인사한다)

고모 누구…?

남순 홍정호 씨 친구… 예요.

고모 친구?

남순 (정민 쪽 시선 주면서) 네가 정민이야?

S#23 집 안 - 현관 /D

쓸쓸하게 앉아 있는 정민과 싸한 표정으로 팔짱 낀 채 앉아 있는 고모.

남순 (돈 봉투를 고모에게 건넨다) 이거로 장례식 치러 줘요.
정민이 학비나 용돈은 내가 줄게요. 그러니까… 정민이 잘 키워 주세요.

고모 우리 정호랑 무슨 사이길래… 이렇게 도와줘요?

남순 꼭 무슨 사이여야 도와주는 건 아니잖아요.

고모 …

남순 정민아… 난 몽골에서 살았어. 한국에서 부모님을 잃어버려서… 친부모님 없이도… 너무너무 사랑받으면서… 그분들 덕분에 난 지금도 이렇게 잘 살고 있어. 그 고마움 너한테 돌려주고 싶어…

정민 … (눈물을 뚝 흘린다)

남순 울지 마. 몽골에선 사랑하는 사람이 죽으면 울지 않아.
눈물이 죽은 사람의 영혼이 가는 길을 막는 대. 그러니까 울지 마.

정민 고맙습니다.

남순 (자신의 번호를 정민에게 남긴다) 무슨 일 있음 나한테 연락해.
(하고, 벗어나 현관 문을 열고 나가려는데)

정민(V.O) 누나! 이름이 뭐예요?

남순 … 체첵… (하다가, 진실해야 싶은지) 내 이름?… 강남순!

S#24 마수대 /D

컨디션이 좋아진 팀장. 열심히 수사 파일을 뒤지고 있다.
참마가 쓰봉에게 갈치 신원 전달한다. 쓰봉이 갈치 신원을 파일에 올려 브리핑하는.

쓰봉 이름 신강수 나이 37세. 마약 전과뿐 아니라 범죄 기록은 조회되지 않아요. 러시아에서 발레 학교를 다녔더라고요?

팀장 발레?

쓰봉　　네… 하… 참 중구난방이에요. 통장 기록 조회했더니 이 사람, 헤리티지 클럽 직원으로 급여를 받아왔더라고요. 매달 2천만 원 이상의 고액 연봉자예요. 무슨 일을 하는지는 아직 알아보기 전이고요.

팀장　　헤리티지 클럽?

쓰봉　　네. 상위 0.01프로만 가입할 수 있는 최상류층… 전용 클럽이에요.

희식　　상류층이라기보단 부유층이죠. 정재계 엄청난 커넥션이 이루어지는 섀도우 파워 집합체.

팀장　　거기 컨트롤 타워는 누구야?

쓰봉　　(김 마담 사진 띄운다) 이 여자요. 헤리티지 클럽 마담.

희식　　(눈빛, 표정)

쓰봉　　이 헤리티지 클럽에! 두고 대표 류시오가! 회원입니다.

일동　　!!!

CUT TO

희식　　(혼자 골머리를 잡고 중얼) 어째야 두고 수색 영장이 발부되지?

영탁[V.O]　　증거가 있어야지.

희식　　(혼잣말) 없으니 이러는 거지. 빽빽이 죽으면서 업 라인이 막혔지. 그러니 아무 증거도 없지.

영탁[V.O]　　다운 라인도 다 죽었지.

희식　　두고 국정 감사를 하면 되지 않을까?

영탁　　(그제야 슥 다가와) 너 말이 짧다.

희식　　혼잣말 한 건데….

영탁 뭐래 나랑 완벽한 대화를 해 놓고.

(이때 울리는 희식의 문자 알림음 - 남순이다)

남순(소리) 저녁에 우리 술 한잔 할래? 브라더?

희식 술 먹자네.

영탁 나도 껴죠.

희식 (그제야 존대하는) 싫~~습니다!

영탁 (헐)

S#25 헤리티지 클럽 VIP 룸 /D

술을 마시고 있는 류시오, 그리고 그때 봤던 VIP들.
윤 비서와 갈치가 복분자주 술병 4개와 넥타이 선물 세트를 가지고 들어온다.

류시오 복분자주입니다. 정말 행복하고 싶으실 때 한 잔씩 마시면 저 세상 행복을 선물할 겁니다.

윤 비서 (넥타이 선물 나누어 준다)

류시오 이건 넥타이 선물입니다. 이정도 선물은 부담 없지 않나요.

윤 비서 (넥타이 선물 곽을 열자, 넥타이 한 중간에 4캐럿은 족히 넘는 큰 다이아몬드가 박혀 있다. 그렇게 선물 곽을 닫고)

의원들 (흡족한 미소 짓는다)

양 의원 　오늘 내가 한 사람 더 소개해야 해서… (시간 확인하고) 올 때가 됐는데….

문이 열리고 누군가 들어온다. 다름 아닌 이정식 총경이다. (6화 S#23에 나온)

양 의원 　인사해. 이정식 서울 경찰청 총경, 차기 경찰청장이야.
류시오 　안녕하세요. 류시오입니다.
이정식 　안녕하세요. 이정식입니다.
일동 　(일어나 인사하는 행위 이어진다)

S#26 　동 화장실 일각 /D

팀장의 손과 팔이 거대해지고 몸이 헐크처럼 변한다
거울 속 자신의 모습을 보는 팀장, 그대로 거울을 주먹으로 친다.
산산조각 난 거울과 손에서 흐르는 피. 그제야 정신이 드는 팀장이다.
머리를 가로 저으면 원래 모습의 팀장이 보인다. 모든 게 다 환상인듯 한데.
환각 증상이 심각해지는 팀장의 모습에서.

S#27 　어느 포장마차 /N

남순, 쓸쓸하게 앉아 술을 마시고 있다. 남순, 혼자 술을 마시는데 누군가 와서 탁 뺏는다. 보면, 희식이다. 남순, 방긋 웃는다. "간이식~"

남순 (취하지 않았다. 볼만 빨간) 간이식? 좀 늦는다더니 일찍 왔네.

희식 얼마나 마신 거야. (보면, 빈 소주병이 10병 정도)

남순 술은 참 신기해… 되게 쓴데 달아.

희식 왜 마시는데? 배고파서 마시는 건 아니잖아.

남순 바부냐… 배고픈데 술 마시는 사람이 어딨어?

희식 너 이제 빠져. 이제 내가 알아서 할게.

남순 이제 시작인데 뭘 빠져?

희식 류시오 위험한 사람이야. 그런 사람 옆에 너 둘 수 없어.

남순 류시오 옆에 내가 있는 게 아니라 내 옆에 류시오가 있는 거거든? 위험한 건 내가 아니라 그 사람이라고.

희식 (어이없어 웃을 뿐)

남순 간이식… 물류 창고에서 같이 일하던 사람이 어제 사망했어.

희식 안 그래도 여 순경한테 들었어. 그 사람이 이화자 두고에 있다고 신고했던 사람이야.

남순 그럼 이화자가 그 친구 사망과 관련이 있는 거야?

희식 그 가능성으로 수사도 했는데 아니야. 과로사가 맞아. 차량 블랙박스에 사망 경위가 다 찍혔는데…. 잠 안 자려고 각성제 드링크 계속 마신 게 사인이야.

남순 어떻게 사람이 일을 많이 해서 죽을 수가 있어. 그렇게 죽어선 안 되는 거잖아.

희식 네 어머니 같이 돈 많은 사람이 있단 소리는 누군가는 돈이 정말 없어야 그게 가능해. 자본주의가 도박판 같은 거라서… 판돈은 정해져 있어. 누군가 잃어 줘야 누군가가 따지….

남순 자본주의….

희식 빛과 그림자! 빛이 있으면 그림자가 있는 법이야.

남순 내가 그 그림자로 뛰어가서… 빛이 돼 주고 싶어.

희식 (그 소리에 남순을 빤히 본다)

남순 (남순도 그런 희식 본다) 내가… 꼭 그렇게 할 거야.

희식 해! 내가 도와줄 테니까….

남순 (희식의 머리를 쓰다듬는) 기특하다이~

희식 이게 또 까불어. (하고는, 남순에게 뭔가 건넨다. 다름 아닌 운전면허 필기 책)

남순 (받아 보는)

희식 운전면허 따. 운전은 내가 가르쳐 줄 테니까.

남순 우와. (뒤적거리며) 글자 너무 많아.

희식 (그런 남순 귀엽게 보다가) 너 볼 빨개지니까… 좀 이쁘다.

남순 볼 빨간 여자 좋아해? 몽골에 엄청 많은데.

희식 아 그래… 언제 한번 몽골 가야겠네.

남순 가긴 어딜 가… 그냥 나 사귀면 되지.

빠빠의 말방울 소리 '딸랑~~'

희식 (심장이 쿵쿵하다) 이게 또 까부네~~

남순 비 참드 해르타이~ (몽골어)

희식 …

남순　　비 참드 해르타이~

희식　　무슨… 말이야?

남순　　(부끄러운 듯 밖으로 뛰쳐 나간다) 비 참드 해르타이~~~

S#28　동 포장마차 밖 /N

남순, 막 뛰어가다 '훽' 넘어진다. 희식, 뛰어가서 남순을 일으킨다.
무릎이 까져 창피해 하는 남순을 업는 희식.
희식, 남순을 업은 채 걷고 있으면 부끄러움은 온데간데없이 그저 행복한 남순이다.

남순　　네 등 위에 있으니까 빠빠 생각나… 날 태워 주던 착한 내 말….

희식　　내가 말이라고? 이게 정말 계속 까부네…. (하고, 달린다)

남순　　야호 야호…. (팔을 뻗어 소리 지른다)

그런 두 사람의 모습이 야경과 아름답게 어우러지면서.
[디졸브]

S#29　골프장 /D

네 여자 골프 치며 브래드 송 얘기 중.

조 여사	사기꾼? 하하하. 황 대표 우리가 그렇게 허술한 사람들이야?
금주	그 사람이 정말 월스트리트 불맨이었다고 믿으시는 건 아니죠 다들?
공 여사	아니어도 상관없어.
금주	왜 상관이 없어요. 자신의 정체를 속이고 접근한 건데.
송 여사	본인 입으로 월스트리트 출신이라고 얘기한 적은 없어. 우리가 만들어 낸 일종의 신화지.
조 여사	우리도 어련히 알아봤지 않았겠어. 근데 그 사람 정체를 알 방법이 없어. 조사가 안 되는 사람이야.
금주	그러니까 이상하단 거죠. 이 투명한 세상에 조사가 안 되는 사람이 어딨어. 귀신인가?
송 여사	돈을 벌어다 줘. 실제로 우리 모두 브래드 덕분에 돈을 벌었어. 페이퍼 컴퍼니도 차명으로 잘 굴려 주고 있고.
금주	그 차명은 확인들 해 보셨어요?
공 여사	확인할 게 뭐 있어. 우리가 지명한 사람들 명의로 한 건데.
금주	(당황하는)
조 여사	단돈 100만 원에 얼씨구나 명의 빌려주는 노숙자들… 서울역에만 얼마나 많게.
금주	그 사기꾼 명함에 적힌 이름 브래드… 스펠이 브래드 피트의 브래드인 Brad(비알에이디)가 아니라 빵 Bread였어요. 그거부터가 어이없잖아. 이름이 빵이래.
여자들	(다 웃는다) 하하하하. 그지 너무 웃겨.
금주	(황당)
공 여사	우리 브래드가 그래. 유머가 끝장이야. 이름이 빵이래… 하하.

내가 그래서 왜 스펠을 그렇게 했냐니까… 자긴 빵을 좋아한대. 삼시 세끼 빵만 먹어도 된대… 초코파이만 빼고…. (*중요한 단서임)

금주 초코파이? 는 왜 빼요?

공 여사 그건 모르지. '초코파이'가 중요한가? 안 물어봤어.

금주 (여자들 상태가 너무 이상하다)

송 여사 안 치고 뭐해?

금주 네… (하고, 방심하고 그냥 퍼트로 대충 휙 치자 저만치 공이 하늘로 날아 올라간다)

여자들 (헉, 눈이 커진다, 공이 보이지 않다가 대낮에 별이 되어 '띵!')

금주 (작은 소리) 방심했네… 젠장. (갑자기 오버해서 깔깔깔) 놀라셨죠… 이 퍼트가 매직 스틱이에요. 하하하~

여자들 (입이 떡 벌어져 그 퍼트 신기해 다가와서 만져 보는 데서)

S#30 클럽 하우스 일각 /D

금주와 사모들, 나른한 듯 쉬고 있다. 이때 젠틀맨의 문자가 도착한다.

젠틀맨(소리) 주신 정보만으로는 도무지 이 사람의 정체를 알 수 없습니다. 브래드 송이란 인물. 미스테리합니다. (뭔가 신기하단 듯한 목소리)

금주 (갸우뚱) 이 시키 뭐지? 진짜 귀신인가?

젠틀맨(소리) 브래드 송의 사진을 보내 주세요.

금주 사진? 사진…. (결국 숫자 또라이에게 문자를 보낸다)

[인서트] 브래드 송의 사무실 로비 (이하 교차) /D
무료하게 앉아서 생강차를 먹던 남비서, 금주의 문자를 받는다.

금주(소리) 빵 사진 좀 보내 줘요.

뒤이어 정말 빵 사진이 전송되어 온다. 그것도 누런 식빵 사진이.

금주 (구시렁) 하 이 새끼… 개그도 타이밍 삑사리 나게… 뭐냐.
(문자 찍는)
금주(소리) 인간 빵 사진 말야 인간 빵!!! 빵! 빵 씨 빵 씨!
남비서 (보다가 답신 한다) 왜 사진이 필요하세요? (답신 기다린다)
금주(소리) 그냥… 그 남자… 내 스타일이야.
금주 (문자 보내 놓고 한숨) 미쳤나 봐. 못하는 소리가 없네 황금주.

뒤이어 '띠리릭' 날아오는 브래드 송의 사진 - 섹시한 모습의 부담스런 사진이다.
금주, 눈 버린 표정으로 '으휴~ 뭐야.'

S#31 브래드 송의 사무실 /D

브래드 송, 뭔가 불만 가득해서 앉아 있고.
옆에는 남비서가 두 손 조신하게 모으고 서 있다.

브래드 (뭔가 기분 잔뜩 나빠 자신의 감정을 짜증스럽게 분노하며 표출 중) 아주 불쾌한 여자라고… 날 스토킹하는 걸로 밖에 안 보여. 내가 공 여사랑 만난 곳은 어떻게 알았냐는 거지. 누가 내 좌표를 찍어 준 게 아닌 이상. (하다가, 남비서 힐끗 보면서) 네가 얘기해 줬어?

남비서 (뜨끔) 아닙니다.

브래드 사기꾼이라니… 대체 내가 어딜 봐서. 하~ 명예훼손이야 이건.

남비서 그런데 제가 최근에 그분하고 좀 친해졌거든요.

브래드 그런 사람하고 친하게 지내고 그러지 마. 바쁘라고 남비서.

남비서 그분이 저한테 자기 회사 3년간의 재무제표를 보내 주셨어요.

브래드 왜?

남비서 자랑하려고 보낸다고 하던데요?

브래드 (못마땅) 아무튼 비호감이야. (하는데)

남비서 (은밀히) 돈이 정말 만수르 수준으로 많으십니다. 자산이 가늠이 불가능한 수준인 거 같더라고요. 저도 다른 루트로 접한 정보예요.

브래드 (마뜩찮지만) 뭐… 얼마나 많길래….

남비서 일단 수십조 이상인 건 확실합니다. 작년에 법인세 말고 종합소득세만 2000억을 냈답니다. 이건 본인 피셜입니다.

브래드 (그 소리에 헛기침) 그래?

남비서 그리고… 그분… 혼자 사십니다.

브래드 (뭔가 끌리는) 그래?

남비서 (나가려다) 대표님한테 관심이 있는 거 같기도 해서…. (끄응)

브래드 (생각하는) 하 참… 여자들 진짜…. (피곤하다)

S#32 남순의 방 /D

남순, 출근 준비한다. 커리어우먼 뺌나는 시크한 패션으로 풀착장. 끝으로 뿔테 안경 하나를 탁 걸치니 영락없는 오피스걸이다. 그렇게 멋있는 표정 짓다 팔에 걸친 스마트워치를 보니 이내 배시시 미소가 번진다.

[인서트] (회상) 동 회차 S#27에서 연결 /N
집 앞에 남순을 데려다 주면서 남순의 팔에 스마트워치 채워 주는 희식.

희식 이거 네 위치를 내가 언제든 알 수 있는 위치 추적 장치와 몰래 카메라가 장착된 특수 워치야.
남순 우와… 나 스파이 영화 주인공 된 기분인디?
희식 늘 얘기하지만 까불지 말고.
남순 (이래저래 만져 보는)
희식 넌 그냥 아무것도 만지지 말고 늘 이렇게 (손으로 꽃받침 흉내) 촬영할 장소를 향해 팔을 들고 있어. 그리고 화장실에선 버튼 눌러서 끄고.

다시 남순의 방. 남순, 피식 웃으며 시계에 뽀뽀한다.

[인서트] 희식의 차 안 /D
마수대로 출근 중인 희식. 동영상이 연동되어 보이는 - 남순의

입술이 화면 가득하자 깜짝 놀라는 희식. "아 깜짝이야~"

남순, 그렇게 가방을 메고 밖으로 나간다.

S#33　두고 내 대외협력팀 사무실 안 /D

구조적으로 대표 이사실 바로 옆에 붙어 있다.
윤 비서, 카일, 백 대리, 양 부장만이 함께하는 미스테리한 분위기의 사무실.
이때 남순이 들어온다. 환하게 웃으며.

남순　　안녕 안녕 안녕~ (한 명 한 명 인사하며 방긋) 난 체첵이야. 잘해 보자. 내 자린 어디야? (하자)
윤 비서　(윤 비서 맞은편 자리 안내해 주면)
남순　　(냉큼 앉는다. 앉기 무섭게 내선 전화 울리는. 전화 받는) 여보세요?
류시오(F)　체첵 씨… 내 방으로 좀 와요.
남순　　알았어. 갈게. (하고, 일어나 나간다)

서늘한 분위기의 사무실 안. 남순의 등장에 시선도 주지 않는 사람들 모습에서.

S#34　두고 류시오의 대표 이사실 /D

류시오, 남순에게 컴퓨터 화면으로 명단을 보여 준다. 자신이 관리하는 VIP 명단인데. 남순, 어색한 자세로 시계 부분이 류시오를 비추도록 자세 잡고 서 있다.

류시오	파일은 공유할 수 없어요. 페이퍼로 보고 바로 파기해야 합니다. 윤 비서가 프린터 해 주면 받아서 바로 머릿속에 입력해요. 이 사람들을 이제 체첵 씨가 만나야 돼요.
남순	알았어. 근데… 이 사람들 누구야?
류시오	내 사업을 도와주는 국내 협력자들이에요. 해외파들은 차차 익혀요.
남순	이런 걸 시키면서 테스트는 왜 힘으로 한 거야? 이해가 안 돼.
류시오	곧 알게 되겠지만… 내가 하는 일은 체첵 씨말곤 누구도 못해요. 워낙 위험한 일이라… (표정, 눈빛) 겁대가리가 없어야 되거든.
남순	(얼굴이 가까이 있는 상태에서 그런 류시오 빤히 본다)
류시오	(남순의 눈을 빤히 본다) 힘이 세면 겁이 없어져. 그럼… 뭐든 할 수 있는 거고….
남순	알았어. (하고, 환하게 웃자)
류시오	(자신도 모르게 무장해제 된다) 왜 웃어요?
남순	울까 그럼?
류시오	(피식) 대표라고 부르지 말고… 차라리… 시오라고 불러요.
남순	(선선히) 그르까, 시오?
류시오	(피식) 네.
남순	이 사람들 프린터 해 줘 외우게. 나 외우는데 시간이 좀 걸려.
류시오	(귀엽다) 그러죠. (ㅎ) 근데 이름은 바꿔요.

대내외적으로 활동할 영어 이름으로.

남순 힐러리 어때?

류시오 힐러리요?

남순 응. 우리 아버지 이름이 칸이거든? 내 몽골 이름이 칸 체첵이야, 몽골에선 아버지 이름이 성이 되거든. 그러니 힐러리 칸. 죽이지?

류시오 (핏) 죽여요. 그렇게 해요.

S#35 동 마수대 안 /D

노트북으로 그런 남순과 류시오의 상황 보고 있던 희식, 빡이 돈 표정으로.

희식 저 새끼 눈빛 뭐야… (하다, 동영상 보면서 류시오 흉내) 시오라고 불러? 힐러리? 저러다 저 새끼 클린턴이라고 이름 바꾸는 거 아니야? 이것들이 돌았나….

[인서트] 동영상 화면 /D
류시오, 차에 탄다. 남순의 시계에 찍혔다 보니 남순의 모습은 보이지 않고.

희식 어디 가… (하는데)

남순(F) 어디 가?

류시오(F) 가 보면 알아요.

희식 어딜 또 데려가려고… 새끼… 씨….

영탁(V.O) 너 뭐 하냐… 헤리티지 클럽 김 마담 동선 파악 됐어. 빨리 가.

희식 가요. (하면서, 동영상 끄고 휴대폰으로 연동하는 작업 마치고)

S#36 류시오의 차 안 /D

남순, 프린트 된 파일을 자신의 가방 위에 두고 시계가 프린트를 비추도록 어색하게 자리 잡은 뒤 열심히 따라 읽고 있다. (희식이 듣도록)

남순 문성우 차장 검사, 황태준 부장 판사, 성황당 국회의원 양희숙 TBO 정대철 본부장, 김기열 기획재정부 차관, 변호사 강혜정 괄호 열고 로펌 대서양 대표 괄호 닫고. 안병호 경찰청장 괄호 열고 임기 말년 괄호 닫고….

류시오 소리를 그렇게 꼭 크게 내야 외워져요?

남순 응. 난 그래. 시오… 시끄럽나 지금?

류시오 (웃는다) 미치겠네… 아니 괜찮아. 계속해요.

남순 (시계를 파일에 들이대며) 근데 정대철이랑 김기열은 생긴 게 왜 이렇게 비슷해. 헷갈려. 어뜩하지?

류시오 괜찮아요. 이름이 생각 안 나면 그냥 영감님이라고 하세요.

남순 영감?… 할배?

류시오 (그 소리에 빵 터져 웃는다. 하하하하)

남순 (탄력 받아) 영감 왜 불러~ (동작까지 곁들여) 뒤뜰에 매어 놓은 병아리

한 마릴 보았소? 보았지 어쨌소. 시오 받고~ (하면서, 들고 있던 펜을 마이크 삼아 넘기면)

류시오 (엉거주춤 어색해 못 받아서 입술만 낼름, 엉거주춤)

남순 (꿀렁꿀렁) 이 몸이 늙어서 몸보신 할려고 먹었지? 잘했군 잘했어.

운전석에 앉아 있던 윤 비서, 황당하기 짝이 없는 표정으로 '벙!' 해서 앉아 있고.

남순[V.O] 시오 다시 해 보고~~ (박수 치면서)

시오[V.O] 이 몸이 늙어서 몸보신 할려고 먹었지…. (어색하지만 해내고)

남순 잘했군 잘했어… 잘했군 잘했군 잘했어.그러게 내 영감이라지~~

[인서트] 희식의 차 안 /D

희식과 영탁, (둘다 모자 쓰고) 차 안에서 잠복 중, 희식 폰으로 동영상 보는데 흘러나오는 남순의 노랫가락. "잘했군 잘했어… 잘했군 잘했군 잘했어… 그러게…"

영탁 야 너 이 판국에 노래 듣고 있냐?

희식 (그 소리 귀에 들어올 리가 없다) 놀고들 있네… 하….

영탁 (바깥 살피며) 나왔다. 김 마담. 옆에 여잔 누구야~~

그렇게 김 마담 쪽으로 시선 두면 창밖으로 보이는 김 마담이 누군가와 접선한다.

보면, 남순이 보낸 동영상 속 파일의 사진인 양희숙(국회의원)이다.

희식의 빠릿해지는 표정에서.

S#37 동 차 안 /D

윤 비서, 운전하며 류시오를 살피면 류시오가 웃고 있다.
이렇게 웃어 본 게 얼마만인지 행복한 류시오다.

류시오 몽골에서 살았으면서 그런 노랜 어디서 배웠어요?

남순 한국말 가르쳐 준 할머니가 가르쳐 줬어. 말 배울 땐 노래로 배우는 게 최고라고…. (방긋)

류시오 (그런 남순을 보는 찐한 표정, 사랑에 빠지고 있는)

S#38 어느 거리 - 길중간의 차 안 /D

길중간, 스카프 휘날리며 운전 중. 속도를 내며 아우토반을 밟고 있다.
시끄러운 록 스피릿 음악에 몸을 맡기며 '부르르 부르르' 느끼고 있는 준희.
그런 준희를 보며 깔깔깔 웃는 중간, 갑자기 자신의 스카프를 집어 하늘로 날린다.
넘실넘실 스카프가 하늘로 날아오른다. 뭉게구름과 스카프가 하나의 그림이 되는 위로.

라디오 DJ(F) 오늘 마지막 곡입니다. 최희준의 하숙생. (전주가 흘러나오고)

중간 준희 씨 우리 나가서 춤춰요.

준희 (황당) 춤요?

중간 네, 춤.

준희 길바닥에서 춤을 추자고요?

중간 그럼요. 미국 영화처럼 우리도 춤춰요. 눈치 볼 게 뭐 있어…. 날씨가 너무 좋잖아요.

준희 그럽시다 까짓것….

♬구름이 흘러가듯 머물다 가는 길에… 정일랑 두지 말자…♪
볼륨 커지고.
두 사람 차를 옆에 세워 두고 갓길에서 음악에 맞춰 부르스를 추는 두 사람.
노래도 따라 부르며… 행복하다.

준희 중간 씨… 이름은 중간인데 뭐 하나 중간인 건 없는 우리 중간 씨….

중간 (눈감고 안긴 채 느끼며) 늙었지만 이름만큼은 트렌디한 우리 준희 씨 왜요?

준희 우리 같이 살까요?

중간 (가슴팍 툭툭 치며) 아 몰라… 예열되고 나니 너무 급발진이다 준희 씨~

준희 이 노래처럼… 어디서 왔다가 어디로 가는지 알 수 없는 게 인생인데… 뭣이 중하겠어요. 그냥 맘 가는 대로 사는 거지.

중간 (배시시 웃는다)

차들이 도로를 휭휭 달리는 가운데, 꼭 껴안고 부르스 추는 중간과 준희는 바야흐로 열애 중이다.

S#39 헤리티지 클럽 앞 /D

김 마담이 안으로 들어가면 폰 화면으로 같은 공간이 보인다. 핸드폰 화면에도 김 마담이 보이자 희식, 창밖 한 번 - 화면 속 공간 한 번, 왔다 갔다.

희식 (폰 영상 보면서) 뭐야 같은 곳이야? (눈빛) 여기가 헤리티지 클럽인가 봐요.

영탁 뭐야…. (자연스레 시선은 희식의 폰 영상으로)

S#40 동 클럽 안 /D

남순과 류시오, 안으로 들어오면 서 있는 갈치. 남순, 갈치를 촬영할 목적으로 팔을 이상하게 들어 흔들며 인사한다. 흔들리며 찍히는 갈치의 얼굴.

[인서트] 희식의 차 안 /D

휴대폰 영상 보고 있던 희식과 영탁. 희식, 영탁 알아봤다…. 놀라기 시작하는.

영탁	가만있어 봐… 이 새끼… 빡빡이한테 마스크 준 그 새끼지?
희식	(또 반말) 그 새끼 맞아.
영탁	(신경 거슬리기 시작)

- 다시 동 클럽 안 -

남순과 류시오 들어오면 김 마담이 그런 류시오와 남순을 맞이한다.

김 마담	어서 와요 류 대표님.
류시오	앞으로 내 일 도와줄 로비스트야. 소개해요.
남순	안녕하세요 힐러리 칸이라고 해요. (악수 청한다)
김 마담	네 마리 킴이에요.
류시오	마담이 하던 일을 이제 우리 체첵… 아니 힐러리한테 넘겨줘.
김 마담	(당황하는)
남순	근데 여기는 뭐하는 데야?
류시오	힐러리가 사람들을 만나서 일해야 할 곳 중 하나예요. (김 마담에게) 마작이랑 카드… 보드 게임부터 하나하나 가르쳐 줘.
김 마담	류 대표님 잠깐 나 좀 봐요.
류시오	(남순에게) 저 방에 좀 들어가 있어요.
남순	알았어. (VIP 룸에 들어간다)

- 일각 -

김 마담, 류시오를 다그치듯.

김 마담 대체 저 사람 누구야?

류시오 아까 얘기했잖아. 내 일 도와줄 사람이라고.

김 마담 내 일을 넘기란 건 대체 무슨 소리야? (눈빛, 표정) 어디까지 넘기란 거야?… 폴까지?!!! (*폴: 마약을 뜻하는 그들만의 은어)

류시오 (피식) 저 사람… 내 사람으로 만들 거야. 약을 먹고 힘이 센 여자가 아니야. 타고나길 힘이 센 여자… 어쩌면… 신이 내게 선물한 여자일지도 몰라.

김 마담 (분노 다스리려는 심호흡) 아니!

류시오 …

김 마담 일을 넘기는 건 나야. 그러니 나한테도 믿음을 줘야지… 안 그래?

류시오 (싸늘하게 웃는 모습에서)

S#41 동 VIP 룸 /D

주위를 둘러보는 남순. 이때 김 마담이 들어온다. 위스키 병과 잔을 가지고… 김 마담, 작은 술잔에 따르면서 남순을 바라보는.

김 마담 류 대표와 일하려면 술이 세야 해요… (눈빛, 표정) 마셔요.

김 마담과 남순의 텐션이 긴장된 음악과 함께 지속되는데.
남순의 시선은 김 마담 향하고 그대로 마신다!!
김 마담, 그런 남순을 비웃듯 보는데. 남순, 서서히 표정이 변하는데. 남순, 결국 목을 잡고 휘청이기 시작한다.

김 마담 (비웃으며) 이렇게 경계심이 없어서 어떻게 류 대표를 지키겠단 거지? 처음 본 사람이 준 술을?

남순 (땅에 쓰러진 채 숨 쉬기 힘들어 한다)

[인서트] 동 차 안 /D
그 상황 지켜보던 희식이 흥분해서 벌떡 일어난다. 화면에 뜨는 남순 스마트워치의 심박수가 빨리 뛰는 게 보이자 영탁이 말리기도 전에 그대로 밖으로 뛰쳐나간다.

김 마담 테트로도톡신 독이 소량으로 들어서 3시간 동안은 전신 마비 상태로 있어야 할 거야. (뒤돌아 문을 향해 가는데)

남순(V.O) 이것도 테스트냐?

김 마담, 뒤돌아서 보면 똘기 어린 시선으로 목을 뻑뻑 돌리는 남순. 놀라는 김 마담.

남순 하~ 간만에 먹은 것들 중 제일 세네.

김 마담 (헉)

남순 나 몽골서 불에 달군 돌도 먹었어. (씨이) 허르헉이 짐승 장기 안에 돌 을 넣어 고기를 굽거든. 하도 배고파서 허겁지겁 먹다 돌이 고긴 줄 알고 먹었지. 이깐 독이 대수야?

김 마담 …

남순 (김 마담 싸하게 꼴쳐보며) 앉아.

김 마담 (나가려 하자)

남순 (김 마담 휙 던져서 저 멀리 앉히는)

김 마담 (그대로 패대기쳐지며 앉는다. 포스에 눌려서 보는)

남순 (앉아서 김 마담에게 술을 따라 주며 방긋) 너도 마셔~!!

남순, 그런 김 마담 보며 웃음기 싹 거두자 부딪치는 두 여자 팽팽한 텐션에서.

S#42 헤리티지 클럽 밖 /D

희식이 안으로 들어가려는데 앞에 탁 서 있는 누군가 - 다름 아닌 류시오다.
희식과 류시오의 운명적 만남!! 시선 부딪치고!! 희식, 순간적으로 시선 회피하고 모자 고쳐 쓰며 들어가려는데 '빠아아앙―!!' 경적 울려 보면 영탁이다.
희식에게 와서 보라는 듯한 제스처를 취하고는 차를 움직여 반대편으로 돌아간다.
그런 두 사람 보는 류시오의 싸늘한 표정.
희식, 그 모습에 류시오를 지나쳐 건물 일각을 그대로 가로질러 걸어간다.
이때 류시오의 폰 울린다.

류시오 임상 실험은 끝났습니다. (듣는) 내가 해 봤어요. (표정) 완벽해요.

S#43 희식의 차 안 /D

영탁, 희식을 데리고 차에 타고. 영탁은 희식에게 남순이 멀쩡한 걸 보여 주는 동영상 던져 주면 - 술대작 중인 마담과 남순. 마담은 점점 눈이 풀리고 남순은 멀쩡하다.
희식, 안도하고 시선을 창밖의 류시오에게 두면.
류시오, 통화 끝내고 다시 안으로 들어간다.

S#44 금주의 세단 안 - 거리 /D

골프가 끝나고 집으로 가는 길. 정 비서가 조수석에 앉아 있다.
이때 희식에게 전화 온다.

- 이하 교차 - 통화 중

희식 헤리티지 클럽에 대해서 좀 아세요?
금주 그럼요 나도 거기 회원입니다.

희식 …

금주 류시오를 만난 곳도 거기고. 류시오 러시아 마피아 '파벨'입니다.

희식 !! 파벨요?

금주 네 (끄덕) 근데… 우리 남순이는 지금 어딨나요?

S#45 동 VIP 룸 /N

술병이 다 비어 있다. 그대로 픽 쓰러지는 김 마담.
남순, 얼굴만 빨갛고 정신은 말짱해 주변을 둘러본다.
천리안 이용해 도청 장치 등을 찾아본다. "도청 장치는 없다." 시계에 대고 말하고.
이때 마담의 옆에 놓여진 폰의 메시지가 온다. 확인하는 남순.
<태리 "오늘 할당 분량 딜리버리 완료">
남순, 휴대폰 화면을 찍은 뒤 일어나 여기저기 팔을 들며 촬영을 시작하는데.
갈치가 밖에서 룸으로 들어오는 씬과 긴장 교차 이어진다.
문이 탁 열리고 갈치가 들어온다. 놀라는 남순. '헉!'
남순, 순간 팔 든채 춤을 추는 임기응변. 갈치, 어이없게 그런 남순 보는.
남순, 몽골 노래 춤 부르며 덩실덩실 나간다. 그런 남순 보는 갈치.

S#46 동 클럽 안 1번 룸 /N

류시오, 다시 들어와 자리에 앉는다. 그리고 곧 문이 열리고 남순이 문 열고 들어온다. 볼 빨개서 웃으며.

남순 시오… 마담 뻗었어.
류시오 (남순이 귀엽다)
남순 나 취했어… 집에 갈래. 잘래.
류시오 (귀엽다는 듯 웃는) 혼자 다 결정해… 그래요. 들어가요.
남순 (문 닫고 나간다)
류시오 (남겨진 채 미소)

S#47 봉고의 사진관 앞 /N

택배가 놓여 있다. 그 택배를 집어 드는 손. 남인이다.
남인, 주변을 둘러보고는 안으로 들어가는 데서.

S#48 헤리티지 클럽 밖 - 희식의 차 안 /N

대기하고 있던 희식, 남순이 나오는 모습 보이자 클랙슨 울리고.
남순, 희식의 차에 올라탄다. 볼이 한참 빨간데 정신은 말짱한 남순.
희식은 그런 남순의 양볼을 잡고서 괜찮은지 살핀다.

희식 야! 너 괜찮아? 병원 안 가도 돼?

남순 (스파이 영화의 한 장면처럼) 나 완~~전 체질에 맞아.

희식 뭐?

남순 스파이~~ 헤리티지 클럽 다 찍었어. (시계 들어 보이며) 저기 마약과 관련된 거 틀림없어. 마담의 폰 메시지가 심상찮았어. 내가 오늘 밤에 사무실에 가서… 빼 올게. 고객 리스트!

희식 네가 그렇게 빼낼 수준으로 허술하게 존재하지 않아.

남순 아니 난 할 수 있어. 어차피 나 출입 카드 있으니까 보안실 가서 마스터 카드 가져오면 돼.

희식 들키면 어쩌려고? 참 나… 물류 창고가 아니야 거긴.

남순 내가 그 정도도 모르겠어?

희식/영탁 …

남순 분장 아니 변장할 거야. 아무도 못 알아보게.

두 사람 ??

남순 그러고 도망치면 아무도 못 잡아! 보안 카메라에 걸려도 증거가 없잖아? 어차피 우리도 두고 증거를 못 찾아서 이러는 거니까….

영탁 어떻게 변장할 건데요.

남순 나한테 맡겨! 내가 누구야? 강남순이야!! (비장한 눈빛, 믿음직하다. 멋있다)

희식 어차피 CCTV 해킹도 해야 되고… 하… 그냥 네 스마트워치 보면서 우리가 무전 쳐 줄 테니까….

남순 아니!! (스마트워치 풀어서 희식에게 던지는) 작전에 방해돼!! (눈빛)

S#49 골목길 /N

후진 골목길. 막다른 벽에 다다른 팀장. 모자를 푹 눌러쓴 채 핸드폰을 든다.
'도착했습니다' 메시지 보내면 차에서 누군가 내리는데. 갈치다.

[인서트] (플래시백 마수대) /D
컨디션이 좋아진 팀장. 열심히 수사 파일을 뒤지고 있다.
갈치의 신원이 밝혀진다. 쓰봉이 갈치 신원을 브리핑 파일에 올려 보고한다.

팀장 !!!

S#50 금주의 서재 /N

금주, 퇴근해서 책상에 앉는.
"류시오~~" 하면서 젠틀맨이 주고 간 사진들을 보고 있다. (7화 S#20에 나온)
그러다 금주의 시선이 되어 서서히 줌 인 되는 – 류시오의 사진 뒤로 보이는 브래드 송의 모습.

금주 뭐야 이 새끼… 귀신이 아니라 홍길동이야?
야 브래드 송 네가 왜 거기서 나와~ 헐~~~

S#51 두고 회사 여러 곳 /N

두고 회사 통제실 안. 야근 중인 직원, 하품하면서 꾸벅꾸벅 졸고 있으면 뒤로 무언가 잽싼 것이 '휙!!' 하고 지나간다.

직원 (싸한 기운에 뒤돌아보면 아무것도 없다) 뭐야….

S#52 희식의 차 안 /N

남순을 혼자 보내고 찝찝하게 앉아 있는 희식, 손에는 남순이 남긴 스마트워치를 들어서 보고 있다.

희식 내가 걜 뭘 믿고 혼자 들여보낸 거야? 그것도 두고 대표 사무실을.

영탁 (심각하고 진지한 모드로) 아냐. 뭔가 분명 작전이 있어 보였어.
(혼자 흥분) 특수 장비 특수 분장, 스페셜한 디바이스가 있을 거야. 미션 임파서블의 시작은 자금이잖아. 강 요원 엄마의 돈과 강 요원의 괴력이 시너지를 발휘하는 거지.

희식 (덩달아 감정이입 돼서 듣고 있는)

S#53 상상 속의 남순 스파잉 - 실제 상황 (교차) /N

1-1. 상상 / 두고 복도

가죽 슈트를 입은 남순, 빨간색 보안 레이저를 리드미컬하게 피해서, 마지막 레이저까지 다 피한 후 블랙위도우 시그니처 포즈로 땅에 착지해서 두고 대표실로 들어간다.

영탁(소리) 최첨단 보안이 갖춰진 두고를 그에 걸맞는 첨단 스파이 장비와 아크로바틱한 날렵함으로 뚫고 들어가지.

1-2. 현실 / 두고 복도
퀄리티 떨어지는 사다코 복장과 가면을 쓴 남순, 마치 찐 귀신처럼 복도를 걷는다.
와중에 소복은 길어서 땅을 다 끌고 다니는 허술함.
대표 이사실 앞에서는 어떻게 들어가야 하나 깡총거리다 그냥 마스터 카드를 대니 '삐릭' 소리 나며 대표 이사실 불이 켜진다.

2-1. 상상 / 대표 이사실
사이버 고글을 쓰고, 해커 같은 빠른 손놀림으로 컴퓨터를 해킹하는 남순. 정통 첩보 영화처럼 매서운 눈빛과 더불어 프로페셔널한 움직임인데!
컴퓨터 화면에 'Transmission Complete!' 뜨자 여유로운 미소 짓는 남순.

영탁(소리) 현란한 손놀림! 역동적인 두뇌 회전으로 그 어떤 보안마저 뚫어버리는 최고의 스파이! 미션 석세스!!!

2-2. 현실 / 대표 이사실
남순, 거침없이 류시오의 책상에 다가가서 다짜고짜 무식하게 컴퓨터 코드를 뽑아 그대로 들고 나오려는데! 갑자기 문이 열리며 플래시가 비춰진다.
놀라는 남순, 아니… 사다코의 표정! '허억!'
남순의 앞에 장승처럼 우뚝 선 카일!!!
카일, 남순을 잡으려고 하자 그대로 컴퓨터를 품에 안고
덩치 큰 카일을 피해 요리조리 띠용 띠용 도망다니다가 더 이상 도망 갈 곳이 없게 된다. 결국 창문을 열고 뛰어내리는 남순!
놀란 카일, 창문으로 가는데, 남순의 가발이 바람에 날려와 카일의 얼굴을 덮어 버린다.
허둥대다 얼굴에 붙은 가발 떼려다 기둥에 부딪쳐 넘어지는 카일.

S#54 남인의 방 /N

남인, 택배 소포 뜯어 약병을 바라본다. 결국 약통에 든 알약을 그대로 삼키는 데서.

S#55 엔딩 /N

- 동 서재 -
금주, 서재에서 여전히 사진 보며 당황해 하는 와중에 울리는 휴

대폰.

금주 (전화 받는) 여보세요? (놀라는 헉) 아빠?

[인서트] 놀이공원 일각
중간에게 청혼 반지를 건네는 준희, 행복해 겨운 중간의 모습.
"준희 씨~~"

금주 아빠… 지금 한국이라고? (눈이 커져 황망한 표정)

S#56 두고 건물 허공 (느린 화면) /N

남순, 소복을 펄럭이며 마치 한마리의 날다람쥐처럼 에어워킹을 한다.
그러면서 세상을 향해 소리 치는 "빠샤~~~~~!!!"

<8화 엔딩>

힘쎈여자 강남순 상권

초판 1쇄 인쇄
2023년 11월 20일
초판 1쇄 발행
2023년 11월 28일

글
백미경

펴낸이
백영희

펴낸곳
너와숲ENM

주소
14481 경기도 부천시
부천로354번길 75, 303호

전화
070-4458-3230

등록
제2023-000071호

ISBN
979-11-93546-01-7 04680
979-11-93546-03-1 (세트)

정가
22,000원

이 책을 만든 사람들

편집
유승현
마케팅
한민지

제작처
예림인쇄

디자인
글자와기록사이